# COMO FAZER GRANDES COISAS

Título original: *How Big Things Get Done*
Copyright © 2023 by Connaught Street Inc. and Bent Flyvbjerg
Como fazer grandes coisas
1ª edição: Novembro 2023
Direitos reservados desta edição: CDG Edições e Publicações
O conteúdo desta obra é de total responsabilidade do autor e não reflete necessariamente a opinião da editora.

**Autor:**
Bent Flyvbjerg
Dan Gardner

**Tradução:**
Nathália Ferrante

**Preparação de texto:**
3GB Consulting

**Revisão:**
Debora Capella
Iracy Borges

**Projeto gráfico e diagramação:**
Vitor Donofrio (Paladra Editorial)

**Capa:**
Rafael Brum

**DADOS INTERNACIONAIS DE CATALOGAÇÃO NA PUBLICAÇÃO (CIP)**

Flyvbjerg, Bent
 Como fazer grandes coisas : os fatores surpreendentes que determinam o sucesso de cada projeto, de reformas residenciais à exploração espacial / Bent Flyvbjerg ; Dan Gardner ; tradução de Nathália Ferrante. — Porto Alegre : Citadel, 2023.
 320 p.

Bibliografia
ISBN 978-65-5047-270-2
Título original: How Big Things Get Done

1. Administração de projetos I. Título II. Gardner, Dan III. Ferrante, Nathália

23-6144     CDD - 658.404

Angélica Ilacqua - Bibliotecária - CRB-8/7057

**Produção editorial e distribuição:**

contato@citadel.com.br
www.citadel.com.br

# BENT FLYVBJERG & DAN GARDNER

# COMO FAZER GRANDES COISAS

OS FATORES SURPREENDENTES QUE DETERMINAM
O SUCESSO DE CADA PROJETO, DE REFORMAS
RESIDENCIAIS À EXPLORAÇÃO ESPACIAL

**Tradução:**
Nathália Ferrante

2023

*Para Carissa, com respeito e gratidão*

# SUMÁRIO

**Introdução:** California Dreamin' ................................................. 9

**1.** PENSE DEVAGAR, AJA RÁPIDO ........................................ 21
*O histórico dos grandes projetos é ainda pior do que parece*

**2.** A FALÁCIA DO COMPROMETIMENTO ............................ 45
*Você precisa se comprometer,
mas não do modo como você pensa*

**3.** PENSE DA DIREITA PARA A ESQUERDA ....................... 73
*Comece com a pergunta mais básica de todas: por quê?*

**4.** PLANEJAMENTO DA PIXAR ............................................. 93
*Planeje como a Pixar e Frank Gehry*

**5.** VOCÊ TEM EXPERIÊNCIA? ............................................. 117
*A experiência é muitas vezes incompreendida e marginalizada*

**6.** ENTÃO VOCÊ ACHA QUE SEU PROJETO É ÚNICO? ... 139
*Pense novamente. Seu projeto é "mais um daqueles"*

**7.** A IGNORÂNCIA PODE SER SUA AMIGA? ...................... 179
*Alguns dizem que o planejamento destrói projetos. Mas isso é verdade?*

**8.** UM ORGANISMO ÚNICO E DETERMINADO ................. 197
*Todos devem remar na mesma direção: em direção à entrega*

**9.** QUAL É O SEU LEGO? ..................................................... 213
*A modularidade é a chave para a construção em escala
da transformação global*

**Conclusão:** Onze heurísticas para liderar melhor ............ 249

Anexo A: Taxas básicas de custo de riscos ......................... 257

Anexo B: Leituras adicionais, por Bent Flyvbjerg .............. 259

Agradecimentos ............................................................ 265

Referências .................................................................. 271

## Introdução
# CALIFORNIA DREAMIN'

Como uma ideia se transforma em um plano que se torna uma nova realidade?

Deixe-me contar uma história. Você pode ter ouvido falar sobre isso, especialmente se seu endereço é na Califórnia. Se sim, está pagando por isso.

Em 2008, os eleitores do "estado dourado" foram convidados a se imaginarem na Union Station, no centro de Los Angeles, a bordo de um elegante trem prateado. Saindo da estação, o trem desliza silenciosamente pela área urbana e seus intermináveis engarrafamentos e acelera, à medida que entra nos espaços abertos do Vale Central, até que os campos parecem apenas borrões nas janelas. O café da manhã é servido. No momento em que os atendentes limpam copos e pratos do café, o trem desacelera e desliza para outra estação. Está no centro de São Francisco. Toda a viagem levou duas horas e meia, quase o tempo que levaria para um cidadão comum se dirigir até o aeroporto, passar pela segurança e entrar em um avião esperando pela partida. O custo da passagem do trem era de US$ 86.

O projeto chamava-se California High-Speed Rail. Ele conectaria duas das maiores cidades do mundo, unindo-as ao Vale do Silício, a capital global da alta tecnologia. Costumamos ver palavras como "visionário" sendo usadas sem muito critério, mas nesse caso realmente se tratava de algo visionário. E por um custo total de US$ 33 bilhões estaria pronto em 2020.[1] O projeto foi

---

[1] As estimativas de preço das passagens foram fornecidas em uma variedade de cenários, com um mínimo de US$ 68 e um máximo de US$ 104. O custo total do projeto

então aprovado pelos californianos em um referendo estadual. O trabalho começou.

Enquanto escrevo, já se passaram catorze anos desde o início da construção. Muito sobre o projeto permanece indefinido, mas podemos ter certeza de que o resultado final não será o prometido.

Depois que os eleitores aprovaram o projeto, a construção começou em vários pontos ao longo da rota, mas a execução sofreu atrasos constantes. Os planos foram alterados repetidas vezes. As estimativas de custos subiram para US$ 43 bilhões, US$ 68 bilhões, US$ 77 bilhões e depois quase US$ 83 bilhões. Enquanto escrevo, a estimativa mais atual é de US$ 100 bilhões.[2] Mas a verdade é que ninguém sabe qual será o custo final total.

Em 2019, o governador da Califórnia anunciou que o estado entregaria apenas parte da rota: o trecho de 275 quilômetros entre as cidades de Merced e Bakersfield, no Vale Central da Califórnia, a um custo estimado de US$ 23 bilhões. Mas, quando esse trecho estiver concluído, o projeto vai parar. Caberá a algum futuro governador decidir se lançará o projeto novamente e, em caso afirmativo, descobrir como obter os cerca de US$ 80 bilhões necessários – ou

---

foi estimado entre US$ 32,785 bilhões e US$ 33,625 bilhões. Ver California High-Speed Rail Authority, *Financial Plan* (Sacramento: California High-Speed Rail Authority, 1999); California High-Speed Rail Authority, *California High Speed Train Business Plan* (Sacramento: California High-Speed Rail Authority, 2008); Safe, Reliable High-Speed Passenger Train Bond Act for the 21st Century, AB-3034, 2008, https://leginfo.legislature.ca.gov/faces/billNavClient.xhtml?bill_id=200720080AB3034.

2  California High-Speed Rail Authority, *California High-Speed Rail Program Revised 2012 Business Plan: Building California's Future* (Sacramento: California High-Speed Rail Authority, 2012); California High-Speed Rail Authority, *Connecting California: 2014 Business Plan* (Sacramento: California High-Speed Rail Authority, 2014); California High-Speed Rail Authority, *Connecting and Transforming California: 2016 Business Plan* (Sacramento: California High-Speed Rail Authority, 2016); California High-Speed Rail Authority, *2018 Business Plan* (Sacramento: California High-Speed Rail Authority, 2018); California High-Speed Rail Authority, *2020 Business Plan: Recovery and Transformation* (Sacramento: California High-Speed Rail Authority, 2021); California High-Speed Rail Authority, *2020 Business Plan: Ridership & Revenue Forecasting Report* (Sacramento: California High-Speed Rail Authority, 2021); California High-Speed Rail Authority, *Revised Draft 2020 Business Plan: Capital Cost Basis of Estimate Report* (Sacramento: California High-Speed Rail Authority, 2021).

qualquer que seja o número até lá – para estender os trilhos e finalmente conectar Los Angeles a São Francisco.[3]

Para se ter uma ideia, considere que o custo da linha apenas entre Merced e Bakersfield é o equivalente ao produto interno bruto anual de Honduras, Islândia e cerca de cem outros países. E esse dinheiro construirá a linha férrea mais sofisticada da América do Norte entre duas cidades das quais a maioria das pessoas fora da Califórnia nunca ouviu falar. Será – como dizem os críticos – o "trem-bala para lugar nenhum".

Como as ideias se tornam planos que concretizam projetos de sucesso? Não dessa maneira. Uma ideia ambiciosa é uma coisa maravilhosa. A Califórnia foi ousada. Sonhou alto. Mas, mesmo com baldes de dinheiro, uma ideia não é suficiente.

Deixe-me contar outra história. Esta é desconhecida, mas acho que nos aproxima das respostas de que precisamos.

No início da década de 1990, as autoridades dinamarquesas tiveram uma ideia. A Dinamarca é um país pequeno com uma população menor que a de Nova York, mas é muito rico e colabora bastante para causas humanitárias internacionais. O país deseja que esse dinheiro seja aplicado para fazer o bem. Poucas coisas fazem tanto bem como a educação. As autoridades dinamarquesas se reuniram com colegas de outros governos e concordaram em financiar um sistema escolar para a nação himalaia do Nepal. Vinte mil escolas e salas de aula seriam construídas, a maioria delas nas regiões mais pobres e remotas. Os trabalhos começariam em 1992 e levariam vinte anos.[4]

A história da ajuda humanitária internacional está repleta de casos de mau uso dos recursos, e esse projeto poderia facilmente

---

3   California High-Speed Rail Authority, *Revised Draft 2020 Business Plan: Capital Cost Basis of Estimate Report*.

4   Para um relato completo do projeto escolar do Nepal, consulte Bent Flyvbjerg, "Four Ways to Scale Up: Smart, Dumb, Forced, and Fumbled", *Saïd Business School Working Papers*, Oxford University, 2021.

ter contribuído para a bagunça. No entanto, foi concluído em 2004 dentro do orçamento, oito anos antes do previsto. Nos anos que se seguiram, os níveis educacionais aumentaram em todo o país, com uma longa lista de consequências positivas, particularmente com um salto no número de meninas nas salas de aula. As escolas até salvaram vidas: quando um grande terremoto atingiu o Nepal em 2015, quase nove mil pessoas morreram, com muitas soterradas embaixo de edifícios. Mas as escolas haviam sido projetadas para resistir aos terremotos. E elas continuaram de pé. Hoje a Fundação Bill & Melinda Gates usa o projeto como um exemplo de como melhorar a saúde aumentando a matrícula nas escolas, especialmente no caso das meninas.[5]

Eu fui o responsável pelo planejamento desse projeto.[6] Na época, fiquei satisfeito com o resultado, mas não pensei muito a respeito disso. Foi o meu primeiro grande projeto e, afinal, só fizemos o que havíamos dito que faríamos: transformar uma ideia em um plano que foi entregue como prometido.

No entanto, além de ser um consultor em planejamento, sou acadêmico, e quanto mais eu estudava como grandes projetos se tornam realidade – ou não –, mais entendia que a minha experiência no Nepal não era normal. Na verdade, não era nem um pouco

---

5 "What Did Nepal Do?," Exemplars in Global Health, 2022, https://www.exemplars.health/topics/stuning/nepal/what-did-Nepal-do.

6 O nome do projeto é Projeto de Educação Básica e Primária (EBEP). Trabalhei em estreita colaboração com o arquiteto dinamarquês Hans Lauritz Jørgensen, que projetou protótipos de escolas e salas de aula. Planejei e programei o projeto. Mais tarde, uma equipe de entrega assumiu e passou doze anos construindo as escolas. Foi-me oferecida a oportunidade de chefiar a equipe de entrega, mas respeitosamente recusei, porque havia decidido que minha cátedra universitária seria minha vocação principal, por mais que eu adorasse estar envolvido no planejamento e na entrega de projetos práticos. Eu queria *realmente* entender o que faz os projetos funcionarem – no nível da causa-raiz –, o que exigiria uma pesquisa universitária aprofundada, na minha opinião. Então voltei para a Dinamarca e minha cátedra a fim de realizar essa pesquisa, primeiro na Aalborg University e depois na Delft University of Technology, na Holanda, na University of Oxford, no Reino Unido, e na IT University of Copenhagen, na Dinamarca.

normal. Como veremos, os dados mostram que grandes projetos que se desenrolam como o planejado são raros. O normal se parece muito mais com a história do trem-bala da Califórnia. Na prática, a média dos projetos é um desastre, e entregar segundo o previsto é uma situação atípica, como discutiremos mais tarde em minhas descobertas sobre gerenciamento de megaprojetos.[7]

Por que o histórico dos grandes projetos é tão ruim? Ainda mais importante, e as raras e tentadoras exceções? Por que alguns obtêm sucesso onde tantos outros falham? Tivemos sorte na entrega das escolas no Nepal? Ou poderíamos fazer de novo? Como professor de planejamento e gestão, passei muitos anos respondendo a essas perguntas. Como consultor, passei vários anos colocando minhas respostas em prática. Neste livro, elas serão publicadas.

O foco do meu trabalho são megaprojetos – projetos *muito* grandes –, e há diversas coisas especiais sobre essa categoria. As relações entre as políticas nacionais e os mercados globais de títulos, por exemplo, não são algo com que alguém que trabalhe com reforma de casas tenha que lidar. Mas isso é assunto para outro livro. O que me interessa aqui são os fatores decisivos e universais do fracasso e do sucesso de um projeto. Isso explica o título. *Como fazer grandes coisas* é uma alusão à minha experiência em megaprojetos, aqueles grandes para os padrões de qualquer um. Mas o conceito de "grande" é relativo. Para os proprietários de uma casa, uma reforma residencial pode facilmente ser um dos projetos mais caros, complexos e desafiadores que já enfrentaram. Fazer certo significa tanto ou mais para eles quanto o destino dos megaprojetos significa para corporações e governos. É certamente uma "grande coisa".

Então, quais são os fatores decisivos que fazem a diferença entre o sucesso e o fracasso de um projeto?

---

7  Bent Flyvbjerg, "Introduction: The Iron Law of Megaproject Management", in *The Oxford Handbook of Megaproject Management*, ed. Bent Flyvbjerg (Oxford, UK: Oxford University Press, 2017), 1–18.

## PSICOLOGIA E PODER

Um dos fatores é a psicologia. Em qualquer grande projeto – ou seja, um projeto considerado grande, complexo, ambicioso e arriscado pelos responsáveis –, as pessoas pensam, fazem julgamentos e tomam decisões. E onde há pensamento, julgamento e decisões, a psicologia está em jogo, por exemplo, sob o disfarce de um sentimento de otimismo.

Outro fator é o poder. Em qualquer grande projeto, pessoas e organizações competem por recursos e disputam posições. Onde há competição e disputas, há poder. Por exemplo, o de um CEO ou político promovendo um projeto predileto.

Psicologia e poder propulsionam projetos em todas as escalas, de arranha-céus a reformas de cozinha. Eles estão presentes em projetos feitos de tijolos e argamassa, bits e bytes, ou qualquer outro tipo. São encontrados sempre que alguém está entusiasmado com uma ideia e deseja transformá-la em um plano e depois tornar esse plano realidade – seja a ideia de colocar outra joia no horizonte de Manhattan, seja lançar um novo negócio, ir a Marte, inventar um novo produto, mudar uma organização, projetar um programa, convocar uma conferência, escrever um livro, organizar um casamento ou renovar e transformar uma casa.

Com fatores decisivos universais em ação, podemos esperar que existam padrões com os quais todos os projetos se desenrolem. E, de fato, esses padrões existem. O mais comum é perfeitamente ilustrado pelo trem-bala da Califórnia.

O projeto foi aprovado, e o trabalho começou com uma onda de entusiasmo. Mas os problemas logo se espalharam. O progresso diminuiu. Surgiram mais problemas. As coisas desaceleraram ainda mais. O projeto se arrastava sem parar. Chamo esse padrão de "Pense rápido, aja devagar", por razões que explicarei mais tarde. É uma marca dos projetos fracassados.

Por outro lado, os projetos bem-sucedidos tendem a seguir o padrão oposto e avançar rapidamente rumo à linha de chegada.

Foi assim que se desenrolou o projeto das escolas no Nepal. Assim como a represa Hoover, que foi concluída um pouco abaixo do orçamento em menos de cinco anos – dois antes do previsto.[8] A Boeing levou 28 meses para projetar e construir o primeiro de seus icônicos 747.[9] A Apple contratou o primeiro funcionário para trabalhar no que se tornaria o lendário iPod no final de janeiro de 2001, o projeto foi aprovado formalmente em março de 2001, e o primeiro iPod foi enviado aos clientes em novembro de 2001.[10] O Amazon Prime, o programa de assinatura e frete grátis extremamente bem-sucedido do varejista on-line, passou de uma vaga ideia para um anúncio público entre outubro de 2004 e fevereiro de 2005.[11] O primeiro aplicativo de mensagens SMS foi desenvolvido em apenas algumas semanas.

Além disso, há o Empire State Building.

## UMA HISTÓRIA DE SUCESSO EM NOVA YORK

A ideia que se tornou indiscutivelmente a mais célebre do mundo começou com um lápis. Quem segurou esse lápis depende de qual versão da história você considera confiável. Em uma delas foi o arquiteto William Lamb. Em outra versão foi John J. Raskob, um mago financeiro e ex-executivo da General Motors. Em ambos os

---

[8] Joseph E. Stevens, *Hoover Dam: An American Adventure* (Norman: University of Oklahoma Press, 1988); Young Hoon Kwak et al., "What Can We Learn from the Hoover Dam Project That Influenced Modern Project Management?", *International Journal of Project Management* 32 (2014): 256–64.

[9] Martin W. Bowman, *Boeing 747: A History* (Barnsley, UK: Pen and Sword Aviation, 2015); Stephen Dowling, "The Boeing 747: The Plane That Shrank the World", *BBC*, June 19, 2020, https://www.bbc.com/future/article/20180927-the-boeing-747-the-boeing-747-the-plane-that-shrank-the-world.

[10] Citado por Patrick Collison, baseado em comunicação pessoal com Tony Fadell, em https://patrickcollison.com/fast; Walter Isaacson, *Steve Jobs* (New York: Simon & Schuster, 2011), 384–90.

[11] Jason Del Rey, "The Making of Amazon Prime, the Internet's Most Successful and Devastating Membership Program", *Vox*, May 3, 2019, https://www.vox.com/recode/2019/5/3/18511544/amazon-prime-oral-history-jeff-bezos-one-day-shipping.

casos, um lápis foi retirado de uma mesa e segurado verticalmente, apontando para cima. É exatamente o que o Empire State seria: fino, reto e mais alto do que qualquer outro edifício no planeta.[12]

A ideia de erguer uma torre provavelmente veio de Al Smith, no início de 1929. Nova-iorquino fiel e ex-governador de Nova York, Smith fora o candidato presidencial democrata na eleição de 1928. Como a maioria dos nova-iorquinos, Smith se opôs à Lei Seca. A maioria dos americanos discordava dessa posição, e Smith perdeu as eleições para Herbert Hoover. Desempregado, Smith precisava de um novo desafio. Ele levou sua ideia para Raskob, e eles formaram a Empire State Inc., com Smith atuando como presidente e rosto da corporação, enquanto Raskob trabalhava como o homem das finanças. Eles se estabeleceram em um local – onde ficava o hotel Waldorf-Astoria original, outrora o auge do luxo de Manhattan –, definiram os parâmetros do projeto e bolaram um plano de negócios. Fixaram o orçamento total, incluindo a compra e demolição do Waldorf-Astoria, em US$ 50 milhões (equivalentes a US$ 820 milhões em 2021), e agendaram a inauguração para 1º de maio de 1931. Eles contrataram a firma de Lamb. Alguém segurou um lápis. Naquele momento, tinham dezoito meses para ir do primeiro esboço ao último rebite.

Eles agiram rapidamente porque aquele era o momento certo. No final da década de 1920, Nova York havia ultrapassado Londres como a metrópole mais populosa do mundo, o jazz estava fervendo, as ações estavam subindo, a economia estava crescendo, e os arranha-céus – o novo símbolo da próspera Era das Máquinas da América – estavam despontando por toda Manhattan. Os financiadores estavam à procura de novos projetos para apoiar; quanto mais ambiciosos, melhor. O Chrysler Building logo se tornaria o mais alto dos titãs, ganhando todo o prestígio e a renda de aluguéis que

---

12 John Tauranc, *The Empire State Building: The Making of a Landmark* (Ithaca, NY: Cornell University Press, 2014), 153.

acompanhavam o título. Raskob, Smith e Lamb estavam determinados a ter seu lápis acima de todos eles.

Ao planejar o edifício, o foco de Lamb foi majoritariamente prático. "O dia em que [o arquiteto] poderia sentar-se diante de sua prancheta e fazer belos esboços de monumentos para si mesmo se foi", escreveu ele em janeiro de 1931. "Seu desprezo pelo âmbito 'prático' foi substituído por uma intensa seriedade, buscando tornar as necessidades práticas a armadura sobre a qual ele moldaria a forma de sua ideia."

Trabalhando em estreita colaboração com os construtores e engenheiros do projeto, Lamb desenvolveu projetos moldados pelo local e pela necessidade de manter o orçamento e o cronograma. "A adaptação do projeto às condições de uso, construção e velocidade da ascensão foi a prioridade durante todo o desenvolvimento dos desenhos do Empire State", escreveu ele. Os projetos foram rigorosamente testados para garantir que funcionariam. "Dificilmente um detalhe seria alterado sem ter sido minuciosamente analisado pelos construtores e seus especialistas e ajustado para atender a cada atraso previsto."[13]

Em uma publicação de 1931, a corporação se gabou de que, antes de qualquer trabalho ter sido feito no canteiro de obras, "os arquitetos sabiam exatamente quantas vigas, e de que comprimento, até mesmo quantos rebites e parafusos seriam necessários. Eles sabiam quantas janelas o Empire State teria, quantos blocos de calcário, e de que formas e tamanhos, quantas toneladas de alumínio, aço inoxidável, cimento e argamassa. Mesmo antes de começar, o Empire State foi inteiramente concluído no papel".[14]

A primeira retroescavadeira a vapor escavou o solo de Manhattan em 17 de março de 1930. Mais de três mil trabalhadores invadiram o local, e a construção avançou rapidamente, começando com o

---

13 William F. Lamb, "The Empire State Building", *Architectural Forum* 54, no. 1 (January 1931): 1–7.
14 Empire State Inc., *The Empire State* (New York: Publicity Association, 1931), 21.

esqueleto de aço subindo rumo ao céu, seguido pelo primeiro andar completo. Depois, o segundo andar. O terceiro. O quarto. Jornais informavam sobre a ascensão do arranha-céu como se fosse uma partida dos Yankees.

À medida que os trabalhadores aprendiam e os processos ocorriam com mais eficiência, o progresso se acelerava. De repente, três andares subiram em uma semana. Quatro. Quatro e meio. No auge da construção, o ritmo chegou à marca de um andar por dia.[15] E um pouco mais. "Quando estávamos em pleno andamento subindo a torre principal", lembrou o parceiro de Lamb, Richmond Shreve, "as coisas aconteciam com tanta precisão que, certa vez, erguemos catorze andares e meio em dez dias úteis – aço, concreto, pedra, tudo."[16] Essa foi uma época em que as pessoas se maravilhavam com a eficiência das fábricas produzindo carros, e os designers do Empire State foram inspirados a imaginar sua construção como uma linha de montagem vertical – exceto que "a linha de montagem se movia", explicou Shreve, enquanto "o produto final permanecia no lugar".[17]

Quando o Empire State Building foi oficialmente inaugurado pelo presidente Herbert Hoover – exatamente como programado, em 1º de maio de 1931 –, o edifício já era uma celebridade local e nacional. Sua altura era assustadora. A eficiência de sua construção tornou-se uma lenda. E mesmo que a praticidade fosse a principal preocupação de Lamb, o edifício era, sem dúvida, muito bonito. A busca de Lamb pela eficiência criou um design elegante e enxuto, e a sede de Nova York do Instituto Americano de Arquitetos concedeu-lhe uma Medalha de Honra em 1931.[18] Então, em 1933, o King Kong

---

15  Carol Willis, *Building the Empire State* (New York: Norton, 1998), 11–12.
16  Tauranac, *The Empire State Building*, 204.
17  Ibid.
18  Benjamin Flowers, *Skyscraper: The Politics and Power of Building New York City in the Twentieth Century* (Philadelphia: University of Pennsylvania Press, 2009), 14.

escalou o edifício nas telas do cinema, enquanto segurava a glamourosa Fay Wray, fazendo do Empire State uma estrela global.

A construção do Empire State foi estimada em US$ 50 milhões. Na verdade, custou cerca de US$ 41 milhões (US$ 679 milhões em 2021). Isso é 17% abaixo do orçamento, ou US$ 141 milhões em 2021. A construção ficou pronta várias semanas antes da cerimônia de inauguração.

Chamo o padrão seguido pelo Empire State e por outros projetos de sucesso de "Pense devagar, aja rápido".

No início, perguntei como uma ideia é transformada em um plano que se torna uma nova realidade. Como veremos, esta é a resposta: pense devagar, aja rápido.

# 1
# PENSE DEVAGAR, AJA RÁPIDO

*O histórico de grandes projetos é ainda pior do que parece. Mas há uma solução: aumente a velocidade ao desacelerar.*

A Dinamarca é uma península com ilhas espalhadas ao longo de sua costa leste. Os dinamarqueses, portanto, há muito tempo se tornaram especialistas em operar balsas e construir pontes. Logo, não foi nenhuma surpresa, no final da década de 1980, quando o governo anunciou o projeto do Grande Cinturão. Compreendia duas pontes, uma das quais seria a ponte suspensa mais longa do mundo, para conectar duas das maiores ilhas, incluindo Copenhague. Haveria também um túnel submarino para trens – o segundo mais longo da Europa –, que seria construído por um empreiteiro dinamarquês. Isso era interessante porque os dinamarqueses tinham pouca experiência com túneis. Assisti ao anúncio no noticiário com meu pai, que trabalhava na construção de pontes e túneis. "Má ideia", ele resmungou. "Se eu precisasse cavar um buraco tão grande, contrataria alguém que já tivesse feito isso antes."

As coisas já começaram mal. Primeiro, houve um atraso de um ano na entrega de quatro máquinas gigantes de perfuração de túneis. Depois, assim que as máquinas tocaram o chão, mostraram-se ineficientes e precisaram ser redesenhadas, atrasando o trabalho por mais cinco meses. Finalmente, as grandes máquinas começaram, aos poucos, a abrir caminho sob o assoalho do oceano.

Na superfície, os construtores de pontes levaram uma enorme draga oceânica para preparar o local de trabalho.[1] Para realizar sua tarefa, a draga se estabilizou abaixando imensas pernas de apoio no fundo do mar. Quando o trabalho ficou pronto, as pernas foram levantadas, deixando buracos profundos no local. Acontece que um dos buracos estava no caminho projetado para o túnel. Nem os construtores de pontes nem os escavadores viram o perigo.

Um dia, após algumas semanas perfurando o solo, uma das quatro máquinas foi parada para manutenção. Estava a cerca de 250 metros mar adentro e presumidamente 10 metros abaixo do fundo do mar. A água estava se infiltrando na área de manutenção em frente à máquina, e um empreiteiro não familiarizado com o tunelamento ligou uma bomba para escoá-la. Os cabos da bomba foram dispostos através de um bueiro para a máquina de perfuração. De repente, a água começou a entrar a uma velocidade que indicava a existência de uma brecha no túnel. A evacuação foi imediata – sem tempo para remover a bomba e os cabos nem fechar o bueiro.

A máquina e o túnel inteiro foram inundados, assim como um túnel paralelo e a máquina de perfuração dentro dele. Felizmente, ninguém foi ferido ou morto. Mas a água salgada no túnel era como ácido para o metal e os componentes eletrônicos. Os engenheiros do projeto me disseram na época que seria mais barato abandonar o túnel e começar de novo do que retirar as brocas, drenar o túnel e repará-lo. Mas os políticos descartaram essa hipótese, porque um túnel abandonado seria algo muito embaraçoso. Inevitavelmente, todo o projeto atrasou e custou muito acima do orçamento.

---

1 Para cruzar informações internas e apoiar minha memória dos eventos, contei com as seguintes fontes: Shani Wallis, "Storebaelt Calls on Project Moses for Support", *Tunnel Talk*, April 1993, https://www.tunneltalk.com/Denmark-Apr1993-Project-Moses--called-on-to-support-Storebaelt-undersea-rail-link.php; Shani Wallis, "Storebaelt – The Final Chapters", *Tunnel Talk*, May 1995, https://www.tunneltalk.com/Denmark-May1995-Storebaelt-the-final-chapters.php; "Storebaelt Tunnels, Denmark", Constructive Developments, https://sites.google.com/site/constructivedevelopments/storebaelt-tunnels.

Essa história não é nem um pouco incomum. Há muitas outras situações como essa no rol dos grandes projetos. Mas foi esse que me incentivou a iniciar um grande projeto meu – uma base de dados de grandes empreendimentos. Que continua crescendo. Na verdade, é agora o maior banco de dados desse tipo no mundo.

E tem muito a nos ensinar sobre o que funciona, o que não funciona e como fazer melhor.

## NÚMEROS HONESTOS

Após o acidente, o reparo e a eventual conclusão das pontes e do túnel do Grande Cinturão, todos concordaram que o projeto havia superado o orçamento. Mas em quanto? A administração afirmou que aumentou em 29% o custo de todo o projeto. Investiguei os dados, fiz minha própria análise e descobri que o número deles era, digamos, otimista. O rombo no orçamento foi de 55%, e 120% apenas para o túnel (em termos reais, medido a partir da decisão final de investimento). Ainda assim, a gerência continuou repetindo seu número em público, e eu continuei corrigindo-os, até que eles fizeram uma pesquisa de opinião pública que mostrou que o público estava do meu lado. Então eles desistiram. Mais tarde, uma auditoria nacional oficial confirmou meus números, e o caso foi encerrado.[2]

Essa experiência me ensinou que a gestão de megaprojetos pode não ser parte de um campo que o professor de relações públicas da Universidade de Washington Walter Williams chamaria de "números honestos".[3] Analisar projetos pode parecer simples na teoria, mas, na prática, é tudo menos isso. Em cada grande projeto, há

---

[2] De af Folketinget Valgte Statsrevisorer [Escritório Nacional de Auditoria da Dinamarca], *Beretning om Storebæltsforbindelsens økonomi*, beretning 4/97 (Copenhagen: Statsrevisoratet, 1998); Bent Flyvbjerg, "Why Mass Media Matter and How to Work with Them: Phronesis and Megaprojects", in *Real Social Science: Applied Phronesis*, eds. Bent Flyvbjerg, Todd Landman, and Sanford Schram (Cambridge, UK: Cambridge University Press, 2012), 95–121.

[3] Walter Williams, *Honest Numbers and Democracy* (Washington, DC: Georgetown University Press, 1998).

centenas de números gerados em diferentes estágios por diferentes partes. Encontrar os certos – aqueles que são válidos e confiáveis – requer habilidade e trabalho. Mesmo estudiosos treinados erram com frequência.[4] E o fato de que grandes projetos geralmente envolvem dinheiro, reputação e política não ajuda em nada. Aqueles que têm muito a perder vão manipular os números, então você não pode confiar neles. Isso não é fraude. Ou melhor, geralmente não é fraude. É a natureza humana. E com tantos números para escolher, manipular é muito mais fácil do que encontrar a verdade.

Isso é um problema sério. A finalização de um projeto é programada para determinado momento, a determinado custo, com certos benefícios produzidos como resultado – benefícios como receitas, economias, movimentação de passageiros ou megawatts de eletricidade gerada. Então, com que frequência os projetos são entregues como foi prometido? Essa é a pergunta mais direta que alguém poderia fazer. Mas quando comecei a investigar isso, na década de 1990, fiquei surpreso ao descobrir que ninguém poderia respondê-la. Os dados simplesmente não foram coletados e analisados. Isso não fazia sentido quando *trilhões* de dólares haviam sido gastos em projetos gigantescos cada vez mais chamados de megaprojetos – projetos com orçamentos superiores a US$ 1 bilhão.

Nosso banco de dados começou com projetos de transporte: o túnel Holland, em Nova York; o sistema BART, em São Francisco; o Eurotúnel, na Europa; pontes, túneis, rodovias e ferrovias construídos ao longo do século 20. Demorou cinco anos, mas, com a minha equipe, consegui informações de 258 projetos para o banco de dados, que se tornou o maior desse tipo na época.[5] Quando finalmente

---

4 Para obter exemplos de estudos com dados incorretos, consulte Bent Flyvbjerg et al., "Five Things You Should Know About Cost Overrun", *Transportation Research Part A: Policy and Practice* 118 (December 2018): 174-90.

5 Minha principal colaboradora na coleta do primeiro conjunto de dados de 258 projetos foi Mette K. Skamris Holm, na época estudante de doutorado na Aalborg University e coautora das principais publicações sobre esses dados. Mette teve uma carreira

começamos a publicar os números, em 2002, foi um alvoroço, porque nada parecido tinha sido feito antes.[6] Além disso, a imagem que surgiu a partir desses dados não foi nada agradável.

"As estimativas iniciais dos projetos realizados entre 1910 e 1998 ficaram aquém dos custos finais em cerca de 28%", conforme o *The New York Times* noticiou, resumindo nossas descobertas. "Os maiores erros ocorreram em projetos ferroviários, concluídos, em média, 45% acima dos custos estimados [em dólares ajustados pela inflação]. Pontes e túneis estavam 34% acima; estradas, 20%. Nove em cada dez estimativas de custo estavam abaixo, afirmou o estudo."[7] Os resultados em relação a cronograma e benefícios foram igualmente ruins.

E essas são leituras conservadoras dos dados. Medidos diferentemente – a partir de uma data anterior e incluindo a inflação –, os números são *muito* piores.[8]

---

brilhante na prática de planejamento. No momento em que escrevo, ela é engenheira do município de Aalborg, na Dinamarca.

6   Bent Flyvbjerg, Mette K. Skamris Holm, and Søren L. Buhl, "Underestimating Costs in Public Works Projects: Error or Lie?", *Journal of the American Planning Association* 68, no. 3 (Summer 2002): 279–95; Bent Flyvbjerg, Mette K. Skamris Holm, and Søren L. Buhl, "What Causes Cost Overrun in Transport Infrastructure Projects?", *Transport Reviews* 24, no. 1 (January 2004): 3–18; Bent Flyvbjerg, Mette K. Skamris Holm, and Søren L. Buhl, "How (In)accurate Are Demand Forecasts in Public Works Projects? The Case of Transportation", *Journal of the American Planning Association* 71, no. 2 (Spring 2005): 131–46.

7   Michael Wilson, "Study Finds Steady Overruns in Public Projects", *The New York Times*, July 11, 2002.

8   Aqui e em outras partes deste livro, os custos excedentes são medidos em termos reais (ou seja, não incluindo a inflação) e com uma linha de base no final (ou seja, *não* no esboço inicial ou rascunho do caso de negócios). Isso significa que os excessos relatados são conservadores; ou seja, baixos. Se a inflação fosse incluída e a linha de base fosse estabelecida em casos de negócios anteriores, os excessos seriam muito maiores – às vezes, várias vezes maiores. Em termos matemáticos, o custo excedente é medido em porcentagem, como $O = (Ca/Ce-1) \times 100$, onde $O$ = percentual excedente; $Ca$ = custo real do resultado; $Ce$ = custo estimado no momento da decisão final de investimento (também conhecido como a data da decisão de construir ou caso de negócio final), com todos os custos medidos em preços constantes (reais). Para obter mais detalhes sobre como o excesso de custo é medido e as armadilhas dessa medição, consulte Flyvbjerg et al., "Five Things You Should Know About Cost Overrun".

A consultoria global McKinsey entrou em contato comigo e propôs que fizéssemos uma pesquisa conjunta. Seus pesquisadores começaram a investigar grandes projetos na área de tecnologia da informação – o maior dos quais custou mais de US$ 10 bilhões –, e seus números preliminares eram tão sombrios que disseram que seria preciso uma grande melhoria para que os projetos de TI chegassem ao nível de horror dos projetos de transporte. Eu ri. Parecia impossível que os projetos de TI pudessem ser assim tão ruins. Mas trabalhei com McKinsey e, de fato, descobrimos que os desastres de TI eram ainda piores do que os da engenharia de transportes. Mas, fora isso, era uma história bastante semelhante de custos excessivos, atraso nos cronogramas e entrega de poucos benefícios.[9]

Isso era alarmante. Pense em uma ponte ou um túnel. Agora imagine o site HealthCare.gov, do governo dos EUA, que estava uma bagunça quando foi aberto pela primeira vez como portal de inscrição do "Obamacare". Ou imagine o sistema de informação usado pelo Serviço Nacional de Saúde no Reino Unido. Esses projetos de TI são feitos de códigos, não de aço e concreto. São completamente diferentes da infraestrutura de transporte de todas as maneiras possíveis. Então, por que seus resultados seriam estatisticamente tão semelhantes, com custos excessivos, atrasos consistentes e deficiências nos benefícios?

Deslocamos o foco de nossa pesquisa para megaeventos, como os Jogos Olímpicos, e obtivemos o mesmo resultado. Grandes barragens? O mesmo resultado. Foguetes? Defesa? Energia nuclear? O mesmo. Projetos de petróleo e gás? Mineração? A mesma coisa. Mesmo algo tão comum como a construção de museus, salas de concertos e arranha-céus se encaixa no padrão. Eu fiquei atônito.[10]

---

9   Bent Flyvbjerg e Alexander Budzier, "Why Your IT Project May Be Riskier Than You Think", *Harvard Business Review* 89, no. 9 (September 2011): 23–25.
10  Para obter uma visão geral, consulte o Anexo A.

E o problema não se limitou a um país ou uma região. Encontramos o mesmo padrão em todo o mundo.[11] Os alemães, notoriamente eficientes, têm alguns exemplos de excesso de gastos e desperdício, incluindo o novo aeroporto de Brandemburgo, em Berlim, com anos de atraso e bilhões de euros acima do orçamento, à beira da falência apenas um ano após sua inauguração, em outubro de 2020.[12]

Mesmo a Suíça, a nação dos relógios precisos e trens pontuais, tem sua parcela de projetos vergonhosos. Por exemplo, o túnel de Lötschberg, que foi concluído tardiamente e com um custo excedido de 100%.

## ACIMA DO ORÇAMENTO, ACIMA DO PRAZO, REPETIDAMENTE

O padrão era tão evidente que comecei a chamá-lo de "Lei de Ferro dos Megaprojetos": acima do orçamento, acima do prazo, sem benefícios, repetidas vezes.[13]

A Lei de Ferro não é uma "lei" como na física newtoniana, ou seja, algo que invariavelmente produz o mesmo resultado. Eu estudo pessoas. Nas ciências sociais, as "leis" são probabilísticas (elas também estão na ciência natural, mas Isaac Newton não prestou muita atenção a isso). E a probabilidade de que todo grande projeto ultrapasse o orçamento e o cronograma e entregue benefícios decepcionantes é muito elevada e muito confiável.

---

11 Bent Flyvbjerg e Dirk W. Bester, "The Cost-Benefit Fallacy: Why Cost-Benefit Analysis Is Broken and How to Fix It", *Journal of Benefit-Cost Analysis* 12, no. 3 (2021): 395–419.

12 Marion van der Kraats, "BER Boss: New Berlin Airport Has Money Only Until Beginning of 2022", *Aviation Pros*, November 1, 2021, https://www.aviationpros.com/airports/news/21244678/ber-boss-new-berlin-airport-has-money-only-until-beginning-of-2022.

13 Bent Flyvbjerg, "Introduction: The Iron Law of Megaproject Management", in *The Oxford Handbook of Megaproject Management*, ed. Bent Flyv bjerg (Oxford, UK: Oxford University Press, 2017), 1–18.

O banco de dados que começou com 258 projetos e agora contém mais de dezesseis mil projetos de mais de vinte campos diferentes, em 136 países, em todos os continentes, exceto a Antártida, e continua a crescer. Há alguns problemas recentes e importantes nos números, que discutirei mais tarde, mas a história geral permanece a mesma: no total, somente 8,5% dos projetos ficaram dentro das estimativas iniciais, tanto no custo quanto no tempo. E um minúsculo 0,5% em custo, tempo e benefícios prometidos. Ou, dito de outra forma, 91,5% dos projetos ultrapassam o orçamento, o cronograma, ou ambos. E 99,5% dos projetos ultrapassam o orçamento, o cronograma, não entregam os benefícios prometidos, ou apresentam alguma combinação entre esses resultados. Entregar o que se prometeu deveria ser a regra, ou, pelo menos, comum. Mas isso quase nunca acontece.

Graficamente, representamos a Lei de Ferro da seguinte maneira:

## A LEI DE FERRO NO GERENCIAMENTO DE PROJETOS:
*"Excede o orçamento, excede o prazo, reduz os benefícios, repetidas vezes"*

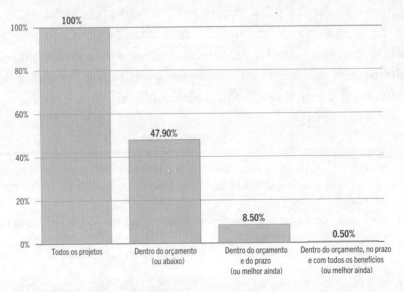

O 0,5% dos projetos que estão dentro do orçamento, do tempo e dos benefícios é quase invisível. É difícil explicar o quão ruim é esse dado. Para qualquer um que esteja considerando um grande projeto, é realmente deprimente. Mas, por mais sombrios que sejam esses números, eles não dizem toda a verdade – que é *muito* pior.

Por experiência, sei que a maioria das pessoas está ciente de que exceder os custos e o prazo são coisas comuns. Elas não sabem *o quão* comum – ficam geralmente chocadas quando mostro meus números –, mas definitivamente sabem que, se lideram um grande projeto, devem considerar e se proteger contra excessos, particularmente excessos de custos. A maneira óbvia de se proteger é construir uma reserva no orçamento. Você espera que não seja necessário, mas estará tranquilo tendo tomado essa precaução. Quão grande deve ser essa reserva? Normalmente, as pessoas fazem uma reserva de 10% a 15%.

Mas digamos que você seja uma pessoa muito cautelosa e esteja planejando a construção de um grande edifício. Você separa mais 20% do orçamento e acha que agora está bem protegido. Então se depara com minha pesquisa e descobre que o custo excedente médio de um grande projeto de construção é de 62%. Isso é de dar frio na espinha. E também pode congelar o projeto. Mas digamos que você planeje tudo muito bem e consiga obter financiamento para cobrir esse risco e ainda prosseguir com o projeto. Agora você tem uma reserva extraordinária de 62% embutida no seu orçamento. No mundo real, isso quase nunca acontece. Mas você é um dos poucos afortunados. Será que está realmente protegido? Não. Na verdade, você *ainda* subestimou muitíssimo o perigo.

Isso porque você supôs que, se for atingido por algum custo adicional, será algo em torno da média – ou seja, 62%. Por que fez essa suposição? Porque estaria correto se os custos adicionais seguissem o que os estatísticos chamam de "uma distribuição normal". Essa é a famosa curva do sino, que se assemelha a um sino quando representada graficamente. Grande parte das estatísticas é construída sobre curvas de sino – amostragem, médias, desvios-padrão, a lei dos grandes números, regressão à média, testes estatísticos –, que passaram a fazer parte da cultura e da imaginação popular, de modo que se tornaram a forma como intuitivamente compreendemos o risco. Em uma distribuição normal, os resultados estão principalmente agrupados no meio, e há bem poucas ou nenhuma observação em ambas as extremidades – as chamadas caudas da distribuição. Essas caudas são, portanto, consideradas *finas*.

Os dados da altura humana têm uma distribuição normal. Dependendo de onde você mora, a maioria dos homens adultos tem cerca de 1,75 metro de altura, e a pessoa mais alta do mundo é apenas cerca de 1,6 vez mais alta do que isso.[14]

Mas a distribuição "normal" não é a única forma de distribuição que existe – ou mesmo a mais comum. Então, não é tão normal nesse sentido da palavra. Há outras distribuições chamadas de "cauda gorda", porque, comparadas com as distribuições normais, contêm mais resultados extremos em suas caudas.

A riqueza, por exemplo, tem uma distribuição de cauda gorda. No momento em que escrevo, a pessoa mais rica do mundo é 3.134.707 vezes mais rica do que uma pessoa média. Se a altura humana seguisse a mesma distribuição da riqueza humana, a pessoa mais alta do mundo não seria 1,6 vez mais alta que uma pessoa média. Ela teria 5.329 quilômetros de altura, o que significa que sua cabeça estaria treze vezes mais longe no espaço sideral do que a Estação Espacial Internacional.[15]

Portanto, a questão crucial é esta: os resultados do projeto são distribuídos "normalmente" ou têm caudas gordas? Meu banco de dados revelou que os projetos de tecnologia de informação têm

---

14 Max Roser, Cameron Appel, and Hannah Ritchie, "Human Height", *Our World in Data*, May 2019, https://ourworldindata.org/human-height.

15 O homem adulto médio tem 175 centímetros de altura. O homem adulto mais alto tem 272 centímetros de altura. No momento da redação deste livro, a pessoa mais rica do mundo era Jeff Bezos, com um patrimônio líquido de US$ 197,8 bilhões. A riqueza média *per capita* globalmente era de US$ 63.100.

caudas gordas. Para ilustrar, 18% dos projetos de TI têm custos excedentes acima de 50% em termos reais. E para esses projetos, a superação média é de 447%! Essa é a *média* na cauda, o que significa que muitos projetos de TI têm gastos excedentes ainda maiores do que isso. A tecnologia da informação tem *realmente* uma distribuição de cauda gorda![16] Assim como os projetos de armazenamento nuclear. E os Jogos Olímpicos. As usinas nucleares. E grandes barragens hidrelétricas. Assim como aeroportos, projetos de defesa, grandes edifícios, projetos aeroespaciais, túneis, projetos de mineração, ferrovias de alta velocidade, ferrovias urbanas, ferrovias convencionais, pontes, projetos de petróleo, projetos de gás e projetos de água (veja o Anexo A).

Na verdade, a maioria dos tipos de projetos tem caudas gordas. Quão "gordas" são suas caudas – quantos projetos caem nos extremos e quão extremos são esses extremos – varia. Eu os citei em ordem, do mais gordo ao menos gordo (mas ainda gordo) – ou, se você preferir, do maior risco de ultrapassar custos ao menor risco (mas ainda muito risco).[17]

---

16  Ver também Bent Flyvbjerg et al., "The Empirical Reality of IT Project Cost Overruns: Discovering a Power-Law Distribution", *Journal of Management Information Systems* 39, no. 3 (Fall 2022).

17  Para o leitor com inclinação matemática/estatística: na teoria e estatística da probabilidade, a curtose é uma medida padrão da "caudabilidade" da distribuição de probabilidade de uma variável aleatória de valor real. A distribuição gaussiana (normal) tem uma curtose de 3. As distribuições de probabilidade com uma curtose inferior a 3 têm caudas mais finas do que a gaussiana, que é considerada de cauda fina. Distribuições de probabilidade com uma curtose maior que 3 são consideradas de cauda gorda. Quanto mais acima de 3 a curtose for para uma distribuição (chamada "excesso de curtose"), mais cauda gorda a distribuição é considerada. O matemático Benoit Mandelbrot encontrou uma curtose de 43,36 em um estudo pioneiro das variações diárias do índice Standard & Poor's 500 entre 1970 e 2001 – 14,5 vezes mais caudal gordo que o gaussiano –, que ele considerou alarmantemente alto em termos de risco financeiro; ver Benoit B. Mandelbrot e Richard L. Hudson, *The (Mis)behavior of Markets* (London: Profile Books, 2008), 96. Mas a descoberta de Mandelbrot não é particularmente alta quando comparada com a curtose que encontrei para excessos de custos percentuais em projetos de tecnologia da informação, que é 642,51, ou 214 vezes mais de cauda gorda do que o gaussiano, ou em projetos de água, com uma curtose de 182,44.

Há alguns tipos do projeto que não têm as caudas gordas. Isso é importante. No último capítulo, explicarei por que e como podemos todos empregar esse fato.

Mas, por enquanto, a lição é simples, clara e assustadora: a maioria dos grandes projetos não está em risco apenas de não cumprir o prometido. Também não corre apenas o risco de dar muito errado. A maioria corre o risco de dar *muitíssimo* errado exatamente porque seu risco é de cauda gorda. Nesse contexto, a literatura de gerenciamento de projetos ignora quase completamente o estudo sistemático do risco dos projetos de cauda gorda.

Como são os resultados dos projetos com gráficos de distribuição de cauda gorda? A "Big Dig" de Boston – substituindo uma rodovia elevada por um túnel, com construção iniciada em 1991 – colocou a cidade em maus lençóis por dezesseis anos e custou mais do que o *triplo* do que deveria. O telescópio espacial James Webb, da Nasa, que agora está a quase 1,6 milhão de quilômetros da Terra, foi projetado para ser construído em doze anos, mas levou dezenove para ser concluído, enquanto seu custo final, de US$ 8,8 bilhões, ficou astronômico – perdoe-me a piada – 450% acima do orçamento. O registro de armas de fogo do Canadá, um projeto de TI, ficou 590% acima do orçamento. E também há o edifício do Parlamento

---

Na verdade, para os mais de vinte tipos de projetos para os quais tenho dados, apenas alguns têm uma curtose para estouro de custos que indica uma distribuição normal ou quase normal (os resultados são semelhantes para atrasos no cronograma e déficits de benefícios, embora com menos dados). A grande maioria dos tipos de projeto tem uma curtose maior que 3 – geralmente muito maior –, indicando distribuições de cauda gorda e cauda muito gorda. As estatísticas e a teoria da decisão falam mais sobre o "risco de curtose", que é o risco que resulta quando um modelo estatístico assume a distribuição normal (ou quase normal), mas é aplicado a observações que ocasionalmente tendem a ser muito mais distantes (em termos de número de desvios-padrão) da média do que o esperado para uma distribuição normal. A bolsa de estudos e a prática de gerenciamento de projetos ignoram amplamente o risco de curtose, o que é lamentável, dados os níveis extremos de curtose documentados, a causa-raiz do motivo pelo qual esse tipo de gerenciamento costuma dar errado de maneira tão sistemática e espetacular..

da Escócia. Quando foi inaugurado, em 2004, estava três anos atrasado e 978% acima do orçamento.

Nassim Nicholas Taleb apelidou os eventos de baixa probabilidade e alta consequência de "cisnes negros". Resultados desastrosos como esses podem acabar com carreiras, afundar empresas e infligir uma série de outras consequências. Por isso, definitivamente se qualificam como cisnes negros.

Basta olhar para o que um resultado cisne negro fez para a Kmart: em resposta à pressão competitiva do Walmart e da Target, a Kmart lançou dois enormes projetos de TI no ano 2000. Os custos explodiram, contribuindo diretamente para a decisão da empresa de declarar falência em 2002.[18] Ou considere o que outra explosão de TI fez com a lendária fabricante de jeans Levi Strauss. Originalmente previsto para custar US$ 5 milhões, o projeto forçou a empresa a assumir uma perda de US$ 200 milhões e demitir o seu CIO.[19]

Há destinos piores para os executivos. Quando um projeto problemático de usina nuclear na Carolina do Sul teve um grande atraso, o CEO da empresa responsável reteve essas informações dos reguladores "em um esforço para manter o projeto em andamento", observou um comunicado de imprensa do Departamento de Justiça dos EUA de 2021, que também anunciou que o executivo havia sido condenado a dois anos de prisão federal e forçado a pagar US$ 5,2 milhões em confiscos e multas.[20] Os resultados do cisne negro de fato têm consequências para os projetos e aqueles que os lideram.

Se você não é um executivo corporativo ou funcionário do governo, e se o ambicioso projeto que está contemplando está em uma escala muito menor que a desses gigantes, pode ser tentador pensar

---

18  Bent Flyvbjerg and Alexander Budzier, "Why Your IT Project May Be Riskier Than You Think".
19  Ibid.
20  "Former SCANA CEO Sentenced to Two Years for Defrauding Rate-payers in Connection with Failed Nuclear Construction Program", US Department of Justice, October 7, 2021, https://www.justice.gov/usao-sc/pr/former-scana-ceo-sentenced-two-years-defrauding-ratepayers-connection-failed-nuclear.

que nada disso se aplica a você. Resista a essa tentação. Meus dados mostram que projetos menores também são suscetíveis a caudas gordas. Além disso, distribuições de cauda gorda, não distribuições normais, são típicas dentro de sistemas complexos, naturais e humanos, e todos vivemos e trabalhamos em sistemas cada vez mais complexos, o que significa sistemas cada vez mais interdependentes. Cidades e municípios são sistemas complexos. Os mercados são sistemas complexos. A produção e a distribuição de energia são sistemas complexos. Fabricação e transporte são sistemas complexos. O débito é um sistema complexo. Assim como os vírus. E mudanças climáticas. E a globalização. E assim por diante. Se o seu projeto é ambicioso, depende de outras pessoas e envolve muitas partes, é quase certo que esteja incorporado em sistemas complexos.

Isso descreve projetos de todos os tipos e escalas, até mesmo reformas de casas. Alguns anos atrás, em um programa da BBC sobre a renovação de propriedades britânicas históricas, um episódio contou com um casal de Londres que adquiriu uma casa degradada no campo e pediu a um construtor para estimar o custo de uma reforma completa. Ele estimou algo em torno de US$ 260 mil. Dezoito meses depois, o projeto estava longe de terminar, e o casal já havia gastado US$ 1,3 milhão.[21] Esse é o tipo de gasto excedente que esperamos encontrar em uma distribuição de cauda gorda. E certamente não é o único caso. Mais adiante, veremos o exemplo de uma reforma residencial no Brooklyn que saiu totalmente do controle e deixou os infelizes proprietários com um excedente devastador.

Esse casal de Londres aparentemente era rico o suficiente para continuar financiando a renovação. Da mesma forma, as grandes corporações com projetos em andamento podem seguir adiante mesmo com os custos excedentes, mediante empréstimos e mais empréstimos. Os governos também podem acumular dívidas. Ou aumentar os impostos. Mas a maioria das pessoas comuns e pequenas

---

21 *Restoration Home*, Temporada 3, episódio 8, BBC, https://www.bbc.co.uk/programmes/b039glq7.

empresas não pode recorrer a um grande estoque de riqueza, aumentar a dívida ou os impostos. Se elas iniciarem um projeto que se move em direção à cauda gorda da distribuição, serão simplesmente eliminadas – portanto uma pessoa comum tem muito mais motivos para levar esse perigo a sério do que um executivo corporativo ou funcionário do governo.

E o primeiro passo é entender o que causa o fracasso de um projeto.

## A JANELA DO FRACASSO

Os padrões que mencionei antes, confirmados por meus dados, são indícios fortes: projetos que falham tendem a se arrastar, enquanto aqueles que prosperam seguem em ritmo acelerado e terminam.

Por que isso acontece? Pense na duração de um projeto como uma janela aberta. Quanto maior a duração, mais aberta a janela. Quanto mais aberta a janela, mais oportunidade para algo acontecer e causar problemas, incluindo um grande e terrível cisne negro.

O que poderia ser esse cisne negro? Quase tudo. Pode ser algo dramático, como uma virada eleitoral, um colapso do mercado financeiro ou uma pandemia. Depois que a Covid-19 surgiu, em janeiro de 2020, projetos em todo o mundo – da Olimpíada de Tóquio ao lançamento do filme de James Bond *Sem tempo para morrer* – foram adiados ou completamente descartados. Eventos como esses podem ser extremamente improváveis em qualquer dia, mês ou ano. Mas quanto mais tempo passa desde a decisão de fazer um projeto até a sua entrega, maior a probabilidade de algo assim acontecer.

Observe que eventos grandes e dramáticos como esses, capazes de danificar tão fortemente um projeto que culminam em um resultado desastroso, são de baixa probabilidade e alta consequência. Ou seja, são cisnes negros. Assim, um cisne negro que atravessa a janela da vulnerabilidade pode causar um resultado de cisne negro.

Mas não é necessário um evento dramático para enterrar projetos. Mesmo mudanças comuns podem fazer isso. Os jornalistas que escrevem biografias de políticos promissores sabem, por exemplo, que o mercado para seus livros depende de o político continuar em ascensão quando o livro for lançado. Qualquer tipo de evento pode mudar isso: um escândalo, uma eleição perdida; uma doença; uma morte. Mesmo algo tão simples como o político ficar entediado com a política e aceitar outro emprego arruinaria o projeto. Mais uma vez, quanto mais tempo passar entre a decisão e a entrega, maior a probabilidade de um ou mais desses eventos acontecerem. É possível que até os eventos mais triviais, apenas nas circunstâncias erradas, tenham consequências devastadoras.

É difícil pensar em algo mais trivial para a maioria das pessoas no mundo do que rajadas de vento no deserto egípcio. No entanto, em 23 de março de 2021, foram exatamente essas rajadas, no momento errado, que empurraram a proa do *Ever Given,* um navio porta-contêineres gigante, para a margem do Canal de Suez. O navio ficou preso e não pôde ser movido durante seis dias, bloqueando o canal, interrompendo centenas de navios, congelando cerca de US$ 10 bilhões em comércio a cada dia e abalando as cadeias globais de suprimentos.[22] As pessoas e os projetos que sofreram como resultado desses problemas na cadeia de suprimentos podem nunca ter percebido isso, mas a causa de seus problemas, em última análise, foi ventos fortes em um deserto distante.[23]

Um teórico de sistemas complexos pode descrever o que aconteceu dizendo que as interdependências dinâmicas entre as partes do sistema – o vento, o canal, o navio e as cadeias de suprimentos – criaram fortes respostas não lineares e amplificação. Resumindo:

---

22 Alex Christian, "The Untold Story of the Big Boat That Broke the World", *Wired*, June 22, 2021, https://www.wired.co.uk/article/ever-given-global-supply-chain.

23 Motoko Rich, Stanley Reed, and Jack Ewing, "Clearing the Suez Canal Took Days. Figuring Out the Costs May Take Years", *The New York Times*, March 31, 2021.

pequenas mudanças combinadas de forma a produzir um verdadeiro desastre. Em sistemas complexos, isso acontece com tanta frequência que o sociólogo de Yale Charles Perrow chamou tais eventos de "acidentes normais".[24]

As crescentes complexidade e interdependência podem tornar esse tipo de evento mais frequente no mundo de hoje, mas dificilmente é um fenômeno novo. Um provérbio que se originou na Idade Média e vem em muitas formas nos diz: "Por falta de um prego, a ferradura foi perdida. Por falta de uma ferradura, o cavalo foi perdido. Por falta de um cavalo, o cavaleiro estava perdido. Por falta de um cavaleiro, a batalha estava perdida. Por falta de uma batalha, o reino estava perdido". Essa versão foi publicada por Benjamin Franklin em 1758, e ele a apresentou com o aviso de que "um pouco de negligência pode produzir um grande desastre". A palavra-chave é "pode". A maioria dos pregos pode ser perdida sem qualquer consequência negativa. Algumas dessas perdas terão consequências, mas serão menores, como a perda de um cavalo ou de um cavaleiro. Mas às vezes a falta de um prego pode causar algo realmente terrível.

Do dramático ao comum e ao trivial, uma mudança pode abalar ou arruinar um projeto – se ocorrer durante a janela de tempo em que o projeto está em andamento.

A solução? Fechar a janela.

É claro que um projeto não pode ser imediatamente concluído, então não podemos fechar a janela de modo completo. Mas podemos tornar a abertura radicalmente menor, acelerando o projeto e levando-o a uma conclusão mais rápida. Esse é um dos principais meios de reduzir o risco em qualquer projeto.

Resumindo, seja rápido!

---

24 Charles Perrow, *Normal Accidents: Living with High-Risk Technologies*, updated edition (Princeton, NJ: Princeton University Press, 1999).

## A NECESSIDADE DE VELOCIDADE

Como realizar um projeto o mais rápido possível? A resposta óbvia – e certamente mais comum – é estabelecer um cronograma severo, começar imediatamente e exigir que todos os envolvidos trabalhem em um ritmo frenético. Motivação e ambição são a chave, diz a sabedoria popular. Se observadores experientes pensam que um projeto vai levar dois anos, diga que você vai fazê-lo em um. Comprometa-se com o projeto, de coração e alma, e siga em frente. E na gestão de pessoas, seja firme. Exija que cada coisa esteja pronta para ontem. Como em um navio romano prestes a zarpar, os tambores devem rufar em um ritmo furioso.

Esse pensamento é tão equivocado quanto comum. Há um monumento para isso em Copenhague.

A Copenhagen Opera House, sede da Royal Danish Opera, foi idealizada por Arnold Maersk Mc-Kinney Møller, CEO e presidente da Maersk, a gigante marítima dinamarquesa. No final da década de 1990, Møller, que estava com cerca de oitenta anos, decidiu que queria deixar como legado um grande edifício situado à beira do porto. E ele queria que fosse projetado e construído rapidamente. A rainha da Dinamarca compareceria à inauguração, e Møller não tinha nenhuma intenção de perder sua grande noite. Quando ele perguntou ao arquiteto, Henning Larsen, quanto tempo levaria, Larsen disse cinco anos. "Você fará em quatro anos!", Møller respondeu secamente.[25] Com os tambores em ritmo acelerado, o prazo foi cumprido, e Møller e a rainha inauguraram o teatro juntos em 15 de janeiro de 2005.

Mas o custo dessa pressa toda acabou saindo muito caro, e não apenas em termos financeiros. Larsen ficou tão chocado com o edifício concluído que escreveu um livro inteiro para limpar sua reputação e explicar a estrutura confusa, que ele chamou de "mausoléu".

A pressa é inimiga da perfeição.

---

25 Henning Larsen, *De skal sige tak! Kulturhistorisk testamente om Operaen* (Copenhagen: People's Press, 2009), 14.

Essa situação é apenas um exemplo suave em comparação com o que a pressa em concluir um projeto pode causar. Em 2021, depois do desabamento de um trecho elevado do metrô na Cidade do México, três investigações independentes concluíram que o trabalho apressado e de má qualidade foi o culpado pelo acidente. Uma empresa norueguesa contratada pela cidade para conduzir uma investigação concluiu que a tragédia havia sido causada por "deficiências no processo de construção", assim como um relatório posterior divulgado pelo procurador-geral da Cidade do México.[26] O *New York Times* fez sua própria investigação e concluiu que a insistência da cidade para que a construção fosse concluída antes que o poderoso prefeito deixasse o cargo havia sido uma das principais causas do colapso. "A confusão levou a um processo de construção frenético que começou antes de um plano diretor ter sido finalizado e produziu uma linha de metrô com falhas desde o início", concluiu o *Times*.[27] Esse desabamento matou 26 pessoas. A pressa causa não apenas desperdício, mas também tragédia.

## FAÇA COM PRESSA, MAS LENTAMENTE

Para entender a maneira certa de concluir um projeto rapidamente, é útil pensar nele dividido em duas fases. Isso é uma simplificação, mas funciona: primeiro, planejamento; segundo, entrega. A terminologia varia de acordo com a indústria – em filmes, é "desenvolvimento e produção"; em arquitetura, "design e construção"–, mas a ideia básica é a mesma em todos os lugares: pense primeiro, depois faça.

Um projeto começa com uma ideia que é, na melhor das hipóteses, uma vaga imagem do resultado glorioso que o projeto atingirá.

---

26 Maria Abi-Habib, Oscar Lopez, and Natalie Kitroeff, "Construction Flaws Led to Mexico City Metro Collapse, Independent Inquiry Shows", *The New York Times*, June 16, 2021; Oscar Lopez, "Faulty Studs Led to Mexico City Metro Collapse, Attorney General Says", *The New York Times*, October 14, 2021.

27 Natalie Kitroeff et al., "Why the Mexico City Metro Collapsed", *The New York Times*, June 13, 2021.

O planejamento leva a ideia ao ponto em que é suficientemente pesquisada, analisada, testada e detalhada para podermos ter certeza de que há um roteiro confiável do caminho a seguir.

A maior parte do planejamento é feita com computadores, papel e modelos físicos, o que significa que o planejamento é relativamente barato e seguro. Salvo quando há grande pressão de tempo, é bom que o planejamento seja lento. A entrega é outra questão. É na entrega que muito dinheiro é gasto e que o projeto se torna vulnerável, como consequência disso.

Imagine uma diretora de Hollywood que trabalha em um filme *live-action* em fevereiro de 2020. A pandemia de covid-19 está prestes a chegar. Até que ponto isso prejudicará o projeto? A resposta depende do estágio em que o projeto se encontra. Se a diretora e sua equipe estiverem escrevendo roteiros, desenhando *storyboards* e agendando filmagens em locações – em outras palavras, se estiverem planejando –, é um problema, mas não um desastre. Na verdade, o trabalho provavelmente continuará sendo feito, apesar da pandemia. Mas e se, quando a pandemia chegar, a diretora estiver filmando nas ruas de Nova York com uma equipe de duzentas pessoas e um punhado de caríssimas estrelas de cinema? Ou se o filme estiver terminado, mas ainda a um mês do lançamento nos cinemas – que estão prestes a fechar indefinidamente? Isso não é um problema. É um desastre.

O planejamento é um porto seguro. A entrega é aventurar-se pelos mares agitados pela tempestade. Essa é uma das principais razões pelas quais, na Pixar – o famoso estúdio que criou *Toy Story*, *Procurando Nemo*, *Os Incríveis*, *Soul* e tantos outros filmes de animação –, "os diretores podem passar anos na fase de desenvolvimento de um filme", observou Ed Catmull, cofundador da empresa. Há um custo associado à discussão de ideias, escrita de roteiros, *storyboards* de imagens, e fazer tudo isso de novo e de novo. Mas "os custos das iterações são relativamente baixos".[28] E todo esse trabalho de planejamento produz um plano rico, detalhado, testado e comprovado. Quando o projeto entrar na fase de produção, ele será, como consequência de tanto planejamento, relativamente suave e rápido. Isso é essencial, observou Catmull, porque durante a etapa de produção "é quando os custos explodem".

A etapa de planejamento ser lenta é algo não somente mais seguro, mas também *bom*, como os diretores da Pixar bem sabem. Afinal, cultivar ideias e inovações leva tempo. Identificar as implicações de diferentes opções e abordagens leva mais tempo. Resolver problemas complexos, encontrar soluções e colocá-las em prática leva ainda mais tempo. O planejamento requer pensamento – e o pensamento criativo, crítico e cuidadoso é lento.

Abraham Lincoln tem a fama de ter dito que, se tivesse cinco minutos para derrubar uma árvore, gastaria os três primeiros afiando o machado.[29] Essa é exatamente a abordagem certa para grandes projetos: empregar enorme cuidado e esforço no planejamento para garantir que a entrega seja suave e rápida.

Pense devagar, aja rápido: esse é o segredo do sucesso.

"Pense devagar, aja rápido" pode não ser uma ideia nova. Afinal, estava bastante em voga em 1931, quando o Empire State Building disparou em direção aos céus. Você poderia até dizer que a ideia remonta pelo menos ao primeiro imperador de Roma, o poderoso César Augusto, cujo lema pessoal era *"Festina lente"*, ou "Apresse-se lentamente".

Mas, infelizmente, "Pense devagar, aja rápido" não é o modo como geralmente os grandes projetos são feitos. O oposto é mais

---

28  Ed Catmull, *Creativity, Inc.: Overcoming the Unseen Forces That Stand in the Way of True Inspiration* (New York: Random House, 2014), 115.

29  Como tantas frases sábias atribuídas a Abraham Lincoln, Winston Churchill, Mark Twain e outros notáveis, essa citação pode não ser precisa; consulte https://quoteinvestigator.com/2014/03/29/sharp-axe/.

comum: "Pense rápido, aja devagar". Sem dúvida, o histórico de grandes projetos mostra isso.

## OS PROJETOS NÃO *DÃO* ERRADO, ELES *COMEÇAM* ERRADO

Vejamos a ferrovia de alta velocidade da Califórnia. Quando foi aprovada pelos eleitores e a construção começou, havia muitos documentos e números que se assemelhavam superficialmente a um plano. Mas não havia um programa cuidadosamente detalhado, profundamente pesquisado e exaustivamente testado, o que quer dizer que não havia um plano real. Louis Thompson, um especialista em projetos de transporte que preside o Grupo de Revisão da California High-Speed Rail, convocado pela Legislatura do estado, diz que o que a Califórnia tinha em mãos quando o projeto começou poderia ser descrito, na melhor das hipóteses, como uma "visão" ou uma "aspiração".[30] Não é de se admirar que os problemas começaram a se multiplicar e o progresso desacelerou logo após o início da entrega.

Isso é, infelizmente, muito comum. Projeto após projeto, um planejamento apressado e superficial é seguido por um início rápido que deixa todos felizes porque a construção está finalmente saindo do papel. Mas, inevitavelmente, o projeto esbarra em problemas negligenciados ou não analisados seriamente no planejamento. As pessoas correm tentando consertá-los. Mais coisas quebram. Há mais pessoas correndo loucamente. Chamo isso de "ciclo de reparos". Um projeto que entra nesse ciclo é como um mamute preso em um poço.

As pessoas dizem que os projetos "dão errado", o que muitas vezes realmente acontece. Mas formulá-lo dessa maneira é um engano. Os projetos não *dão* errado tanto quanto *começam* errado.

---

[30] Entrevista do autor com Louis Thompson, em 22 de abril de 2020. Aqui e em outras partes do livro, uma "entrevista do autor" é uma entrevista realizada por um ou ambos os autores; isto é, por Bent Flyvbjerg, Dan Gardner ou ambos.

Isso levanta uma questão urgente: se "pense devagar, aja rápido" é a melhor abordagem, por que os líderes de grandes projetos costumam fazer exatamente o oposto? Vou responder a essa pergunta no capítulo 2.

No capítulo 3, veremos como iniciar um projeto sem tropeçar no poço do "Pense rápido, aja devagar".

Muitas vezes as pessoas pensam que o planejamento é apenas preencher planilhas. E, muitas vezes, é. Mas não deveria ser. No capítulo 4, mostrarei o que chamo de "planejamento da Pixar", como o estúdio de cinema e outros usam simulação e iteração para produzir um plano criativo, rigoroso, detalhado e confiável – e com alta probabilidade de tornar a entrega suave e rápida. Vou usar "planejamento da Pixar" como um nome e um modelo de planejamento, não apenas na Pixar, mas para qualquer planejamento que desenvolva um plano testado e experimentado; isto é, um plano digno de assim ser chamado.

No capítulo 5, examinarei o papel inestimável da experiência tanto no planejamento quanto na entrega de grandes projetos — ou melhor, o papel inestimável que ela poderia desempenhar se não fosse tão frequentemente marginalizada, mal compreendida ou simplesmente ignorada.

No capítulo 6, vamos às previsões. Quanto tempo demorará o projeto? Quanto vai custar? Definir expectativas erradas no início pode levá-lo ao fracasso antes mesmo de começar. Felizmente, há uma solução. E melhor do que isso: é surpreendentemente fácil.

Há quem se oponha a essa ênfase no planejamento. Eles acreditam que grandes projetos, particularmente projetos criativos, como filmes, arquitetura ou um software inovador, obtêm melhores resultados quando as pessoas dão um salto no escuro, começam imediatamente e confiam na própria engenhosidade para realizá-los. No capítulo 7, examinarei esse argumento em sua forma mais forte – e apresentarei dados para provar que está totalmente equivocado.

Mas mesmo o melhor plano não terá sucesso se não tiver uma equipe sólida para empreendê-lo. Então, no capítulo 8, analisarei como um projeto gigante reuniu com sucesso milhares de pessoas de centenas de organizações com interesses diferentes e as transformou em uma equipe unida, determinada e eficaz que entregou os benefícios planejados respeitando prazo e orçamento.

No capítulo final, vou me basear nos temas dos capítulos anteriores para explorar um conceito que os une: modularidade. O seu potencial é enorme. Não só pode reduzir custos, aumentar a qualidade e acelerar o andamento para uma vasta gama de projetos, desde bolos de casamento até metrôs, mas também pode transformar a maneira como construímos infraestrutura – e até mesmo ajudar a salvar o mundo das mudanças climáticas.

Mas primeiro temos que responder a essa pergunta sobre por que os projetos muitas vezes começam prematuramente. Deixe-me contar a história de um homem com pressa – e como ele quase arruinou um dos lugares mais bonitos dos Estados Unidos.

# 2
# A FALÁCIA DO COMPROMETIMENTO

*Se "Pense devagar, aja rápido" é a abordagem mais sábia para encarar grandes projetos, por que tantas pessoas fazem exatamente o oposto? Porque se apressam em se comprometer. Sim, você precisa se comprometer. Mas não do modo como você pensa.*

Em julho de 1941, os Estados Unidos eram a última grande potência fora da Segunda Guerra Mundial. Poucos achavam que isso duraria muito tempo. O presidente Franklin Delano Roosevelt havia declarado estado de emergência nacional e expandia rapidamente as minúsculas Forças Armadas do país em tempos de paz para um gigante capaz de combater o fascismo na Europa e no Pacífico.

O Departamento de Guerra do governo, espalhado por Washington, DC, em vários pequenos edifícios de escritórios, precisava urgentemente de um quartel-general adequado. Teria que ser enorme. E deveria ser construído rapidamente. Aquela era a conclusão do general Brehon B. Somervell, chefe da divisão de construção do Exército. E quando Brehon Somervell decidia fazer alguma coisa, geralmente era feita. Ele era um engenheiro com um histórico de construção de grandes projetos – mais recentemente, o aeroporto La Guardia, de Nova York – de modo mais rápido do que qualquer um pensava ser possível. "Ele dirigia sua equipe implacavelmente, sete dias por semana, deixando os oficiais exaustos", escreveu Steve

Vogel, autor de *The Pentagon: A History* (O Pentágono: a história, em tradução livre), uma excelente crônica da construção do edifício.[1]

## O PENTÁGONO DEFORMADO

Na noite de 17 de julho, uma quinta-feira, Somervell deu ao seu pessoal uma ordem importante: elaborar um plano para um edifício de escritórios de 46 mil metros quadrados, o dobro do tamanho do Empire State Building. Mas não poderia ser um arranha-céu; isso exigiria muito aço em um momento em que o aço era necessário para navios e tanques. E não poderia ser no Distrito de Columbia, não havia espaço. Deveria ser construído do outro lado do rio Potomac, na Virgínia, no local de um aeródromo recentemente abandonado. Metade do edifício estaria pronta e funcionando em seis meses, disse Somervell. Tudo estará totalmente finalizado em um ano. "Quero o projeto em minha mesa na segunda-feira de manhã", disse o general, encerrando suas instruções.

A equipe de Somervell rapidamente percebeu que o local escolhido era uma planície pantanosa inadequada para a construção. Eles se esforçaram para encontrar outro lugar e acharam um oitocentos metros rio acima, em um planalto entre o Cemitério Nacional de Arlington e o Potomac. O novo local se chamava "Fazenda Arlington". Somervell aprovou a mudança.

A Fazenda Arlington era delimitada em cinco lados por estradas, dando-lhe uma forma irregular. Para tornar o edifício tão grande quanto necessário, a equipe de Somervell o projetou para preencher a maior parte do terreno dentro dos cinco lados. O resultado foi um pentágono deformado. Era realmente feio, um desenhista lembrou mais tarde, mas "encaixava" no terreno.[2]

Na segunda-feira de manhã, o plano estava na mesa de Somervell. Ele o aprovou, levou ao secretário de guerra, enalteceu o

---

1 Steve Vogel, *The Pentagon: A History* (New York: Random House, 2007), 11.
2 Ibid., 41.

projeto e conseguiu a aprovação do secretário. Em seguida, levou o plano a um subcomitê do Congresso, elogiou-o um pouco mais e obteve o apoio unânime do subcomitê. O secretário de guerra, em seguida, levou o plano para o gabinete, onde o presidente Roosevelt concedeu sua aprovação pessoal. Todo o processo demorou exatamente uma semana.

Lendo isso tantas décadas depois, você pode pensar que sabe como essa história termina. O Pentágono foi realmente construído, desempenhou um papel crítico durante a Segunda Guerra Mundial e tornou-se um dos edifícios mais famosos do mundo. Então, talvez esse seja um modelo de como planejar e entregar rapidamente um grande projeto? Mas não. Observe que o pentágono descrito aqui é "deformado". O Pentágono que conhecemos hoje não é. É simétrico. E *não* é o produto da planta original de Somervell, que nunca foi usada. Porque o projeto era terrível.

Para constatar o porquê, você precisa seguir os milhões de turistas que cruzam anualmente o rio Potomac para chegar ao coração do Cemitério Nacional de Arlington. Você está em uma área elevada. Ao longe, pode ver a cúpula do Capitólio, o Monumento de Washington e todos os outros grandes edifícios de Washington, DC. As encostas suaves do penhasco são verdes e cobertas com longas linhas retas de lápides que marcam os últimos lugares de descanso dos americanos que morreram em combate ou serviram a seu país de uniforme desde a Guerra Civil. Entre eles está o túmulo de John F. Kennedy.

E bem ali, bem no meio dessa bela e amarga vista, está o local outrora conhecido como Fazenda Arlington, o lugar onde Brehon Somervell queria construir o maior e mais feio prédio de escritórios do mundo. Imagine construir um círculo de arranha-céus sem graça ao redor da Torre Eiffel. É mais ou menos o que o plano de Somervell propunha. "A visão incomparável de Washington do alto do Cemitério de Arlington seria distorcida por muitos metros de horríveis telhados planos", lamentou um editorialista de jornal em

1941, depois que o plano de Somervell se tornou público. Seria "um ato de vandalismo".[3]

Em defesa de Somervell, os Estados Unidos estavam enfrentando uma emergência global, então você pode imaginar que as preocupações estéticas e culturais ficaram em segundo plano. Sua equipe de funcionários não teve escolha.

Na verdade, teve sim. Menos de dois quilômetros ao sul da Fazenda Arlington e fora da vista espetacular do Cemitério de Arlington fica o local do "Quartermaster Depot", que cumpria todos os requisitos técnicos. Os críticos de Somervell o identificaram e lutaram para mover o projeto para lá. Por fim, eles venceram. É o lugar onde o Pentágono se encontra hoje. Além de conservar a vista do Cemitério de Arlington, essa escolha permitiu que os arquitetos nivelassem as laterais do edifício e o tornassem simétrico. Isso deixou o edifício mais funcional, mais barato de construir e muito menos feio.

Então, por que Somervell não percebeu que havia um local muito melhor disponível antes de procurar e obter aprovação para o design original? Por que nenhum dos que aprovaram o plano identificou a falha? Porque o plano de Somervell era tão absurdamente apressado e superficial que ninguém tinha sequer procurado outros lugares, muito menos considerado suas características com atenção. Todos trataram o primeiro local escolhido como o *único* adequado e se apressaram para iniciar a construção o mais rápido possível. Essa visão limitada está profundamente enraizada em nossa mente, como veremos mais adiante. Isso não ajuda em nada na construção de grandes projetos.

Harold Ickes, secretário do Interior de Roosevelt, ficou chocado quando o presidente aprovou tão rapidamente o plano original de Somervell. "Eis outro exemplo de agir antes de pensar", escreveu ele em seu diário – palavras que podem, infelizmente, ser aplicadas com frequência à condução de grandes projetos.[4]

---

3   Ibid., 76.
4   Ibid., 49.

## A PRESSA DE SE COMPROMETER

Brehon Somervell era tudo menos uma pessoa tola ou incompetente. O mesmo podia ser dito a respeito de Franklin Delano Roosevelt e outras pessoas talentosas que aprovaram o plano de Somervell. Contudo, nesse caso, eles procederam de uma forma evidentemente tola e incompetente. Parece difícil de entender. Mas devemos compreendê-la, porque, embora os detalhes dessa história possam ser extremos – particularmente a velocidade –, isso é bem similar ao que acontece no desenrolar dos grandes projetos. As finalidades e os objetivos *não* são considerados com cuidado. As alternativas *não* são exploradas. As dificuldades e os riscos *não* são investigados. As soluções *não* são encontradas. Em vez disso, a análise superficial é seguida por um compromisso rápido com uma decisão que afasta todas as outras formas que o projeto poderia assumir.

"Compromisso", como os estudiosos se referem a isso, é a noção de que, embora possa haver alternativas, a maioria das pessoas e organizações se comporta como se não tivesse escolha a não ser avançar, mesmo quando se vê assumindo maiores custos ou riscos do que teria aceitado no início. Isso é seguido pela ação. E geralmente, algum tempo depois, por problemas. Por exemplo, sob o disfarce do "ciclo de reparos" mencionado no capítulo 1.

Chamo esse comprometimento prematuro de "falácia do comprometimento". É um viés comportamental em pé de igualdade com os outros vieses identificados pela ciência comportamental.

A única coisa realmente incomum na história do Pentágono é que um grupo de críticos politicamente conectados conseguiu expor as falhas no plano de Somervell depois de ele ter sido aprovado e fazer com que o projeto fosse transferido para outro local – aquele onde o Pentágono está hoje. Finais felizes são raros quando os projetos começam com pressa e com base na falácia do comprometimento.

Não é segredo que uma análise cuidadosa do que um projeto está tentando alcançar e da melhor forma de realizá-lo, geralmente, conduz a um resultado mais positivo do que um compromisso apressado. "Aja com pressa, arrependa-se à vontade" é uma máxima centenária. Uma variação daquele provérbio substitui o "aja" por "case-se." No romance *Graça Infinita*, David Foster Wallace observa que esse velho conselho parece "personalizado para o caso de tatuagens". Tatuagens, casamentos, grandes projetos: em todos esses casos, sabemos que devemos pensar cuidadosamente, então por que tantas vezes deixamos de fazê-lo?

Não posso ajudar com tatuagens e casamentos, mas, quanto aos grandes projetos, há diversas explicações.

Uma delas é o que chamo de "deturpação estratégica", a tendência de distorcer deliberada e sistematicamente informações para fins estratégicos.[5] Se você quer vencer um contrato ou obter a aprovação de um projeto, o planejamento superficial é útil porque encobre os principais desafios, mantendo baixos o custo e o tempo estimados. Mas, de modo tão certo quanto a lei da gravidade, os desafios ignorados durante o planejamento acabarão voltando como atrasos e custos excedentes no decorrer do projeto. Até lá, o projeto estará adiantado demais para retroceder. Chegar a esse ponto sem retorno é o verdadeiro objetivo da deturpação estratégica. É política, tendo por resultado a falha do projeto.

---

5   A deturpação estratégica às vezes também é chamada de viés político, viés estratégico, viés de poder ou fator de Maquiavel. Esse viés é uma racionalização em que o fim justifica os meios. A estratégia (por exemplo, conseguir financiamento) dita o viés (por exemplo, fazer um projeto parecer bom no papel). A deturpação estratégica pode ser atribuída a problemas de agência e pressões político-organizacionais; por exemplo, competição por fundos escassos ou disputa por posição. A deturpação estratégica é um engano deliberado e, como tal, está mentindo, por definição; ver Bent Flyvbjerg, "Top Ten Behavioral Biases in Project Management: An Overview", *Project Management Journal* 52, no. 6 (December 2021): 531–46; Lawrence R. Jones and Kenneth J. Euske, "Strategic Misrepresentation in Budgeting", *Journal of Public Administration Research and Theory* 1, no. 4 (1991): 437–60; Wolfgang Steinel and Carsten K. W. De Dreu, 2004, "Social Motives and Strategic Misrepresentation in Social Decision Making", *Journal of Personality and Social Psychology* 86, no. 3 (March 1991): 419–34; Ana Guinote and Theresa K. Vescio, eds., *The Social Psychology of Power* (New York: Guilford Press, 2010).

A segunda é a psicologia. Em 2003, tive um debate animado com Daniel Kahneman, ganhador do Prêmio Nobel e indiscutivelmente o psicólogo vivo mais influente, nas páginas da *Harvard Business Review* depois que ele escreveu um artigo atribuindo a responsabilidade por más decisões à psicologia. Concordei, é claro, que a psicologia estava em jogo. A questão era o quanto poderíamos responsabilizá-la em relação à política.[6]

Após o debate impresso, Kahneman me convidou para um encontro e uma discussão mais aprofundada. Também providenciei visitas dele a consultorias de megaprojetos para que pudesse estudar suas experiências em primeira mão. Por fim, cada um de nós passou a aceitar a posição do outro: psicologia para mim, e política para Kahneman.[7] O fator mais importante depende do caráter das decisões e dos projetos. Nos experimentos de laboratório de Kahneman, os riscos são baixos. Normalmente, não há disputa por posição, nenhuma competição por recursos escassos, nenhum indivíduo ou organização poderosos, nenhuma política de qualquer tipo. Segundo as descobertas de Kahneman, Amos Tversky e outros cientistas comportamentais, quanto mais próximo um projeto estiver dessa situação, mais a psicologia individual dominará. Mas à medida que os projetos se tornam maiores e as decisões mais importantes, a influência do dinheiro e do poder cresce. Indivíduos

---

6   Dan Lovallo and Daniel Kahneman, "Delusions of Success: How Optimism Undermines Executives' Decisions", *Harvard Business Review* 81, no. 7 (July 2003), 56–63; Bent Flyvbjerg, "Delusions of Success: Comment on Dan Lovallo and Daniel Kahneman", *Harvard Business Review* 81, no. 12 (December 2003): 121–22.

7   Em seu best-seller de 2011, *Rápido e devagar*, Kahneman escreveu: "Erros no orçamento inicial nem sempre são inocentes. Os autores de planos irrealistas são muitas vezes movidos pelo desejo de obter a aprovação do plano – seja por seus superiores ou por um cliente – apoiados pelo conhecimento de que os projetos raramente são abandonados inacabados apenas por causa de custos excessivos ou prazos de conclusão" (pp. 250–51). Isso claramente não é uma descrição de viés cognitivo psicológico, que é inocente por definição, mas de viés político, especificamente deturpação estratégica destinada a colocar projetos em andamento. Para um relato mais completo de minhas discussões com Daniel Kahneman sobre viés de poder e deturpação estratégica, consulte Flyvbjerg, "Top Ten Behavioral Biases in Project Management".

e organizações poderosos tomam as decisões, o número de partes interessadas aumenta, fazem lobby por seus interesses específicos, e o nome do jogo é *política*. E o equilíbrio muda da psicologia para a deturpação estratégica.[8]

Dito isso, o denominador comum de qualquer projeto é que as pessoas tomam decisões a respeito dele. E onde quer que haja pessoas, há psicologia e poder.

Comecemos pela psicologia.

## VOCÊ QUER QUE O COMISSÁRIO DE BORDO SEJA OTIMISTA, NÃO O PILOTO

Somos uma espécie profundamente otimista. Isso faz de nós uma espécie excessivamente confiante.[9] A grande maioria dos motoristas de carro afirma que suas habilidades de direção estão acima da média.[10] A maioria dos proprietários de pequenas empresas está confiante de que seu novo negócio terá sucesso, embora a maioria das empresas acabe falindo.[11] Fumantes acreditam que correm

---

8   Flyvbjerg, "Top Ten Behavioral Biases in Project Management".

9   O otimismo é um viés cognitivo bem documentado. É a tendência de os indivíduos serem excessivamente otimistas sobre os resultados das ações planejadas. O neurocientista Sharot Tali chama isso de "um dos maiores enganos da mente humana". Enquanto a deturpação estratégica é deliberada, o viés de otimismo não é deliberado. Nas garras do otimismo, as pessoas, inclusive os especialistas, não sabem que são otimistas. Elas tomam decisões com base em uma visão ideal do futuro, e não em uma ponderação racional de ganhos, perdas e probabilidades. Elas superestimam os benefícios e subestimam os custos. Inventam involuntariamente cenários de sucesso e ignoram o potencial de erros e cálculos equivocados. Como resultado, é improvável que os planos sejam entregues conforme o esperado em termos de benefícios e custos. Ver Tali Sharot, *The Optimism Bias: A Tour of the Irrationally Positive Brain* (New York: Pantheon, 2011), xv; Daniel Kahneman, *Thinking, Fast and Slow* (New York: Farrar, Straus e Giroux, 2011), 255; Flyvbjerg, "Top Ten Behavioral Biases in Project Management".

10  Iain A. McCormick, Frank H. Walkey, and Dianne E. Green, "Comparative Perceptions of Driver Ability—A Confirmation and Expansion", *Accident Analysis & Prevention* 18, no. 3 (June 1986): 205–8.

11  Arnold C. Cooper, Carolyn Y. Woo, and William C. Dunkelberg, "Entrepreneurs' Perceived Chances for Success", *Journal of Business Venturing* 3, no. 2 (1988): 97–108.

menos risco de câncer de pulmão que outros fumantes.[12] Existem inúmeros outros exemplos como esses na literatura psicológica.

A grande difusão do otimismo e do excesso de confiança sugere que eles são úteis para nós, individual e coletivamente, e há muita pesquisa e dados para apoiar essa conclusão. Definitivamente precisamos de otimismo e de uma atitude positiva para inspirar grandes projetos e levá-los adiante. Ou para casar e ter filhos. Ou para se levantar de manhã. Mas se, ao embarcar em um avião, você ouvir o piloto dizer "Estou otimista sobre a situação do combustível", saia imediatamente, porque esse não é o momento nem o lugar para otimismo. Minha principal heurística para gerenciar o otimismo em projetos é: "Você quer que o comissário de bordo seja otimista, não o piloto". O necessário em um piloto é uma análise que veja a realidade da forma mais clara possível. O mesmo vale para o otimismo em relação a orçamentos e cronogramas em grandes projetos, que são suas "leituras de combustível". Sem controle, o otimismo leva a previsões irreais, metas mal definidas, melhores opções ignoradas, problemas não detectados e nenhuma contingência para neutralizar as inevitáveis surpresas. No entanto, como veremos nos capítulos seguintes, é comum que o otimismo substitua a análise minuciosa nos grandes projetos, assim como em muitas outras coisas que as pessoas fazem.

"O otimismo é generalizado, teimoso e caro", observou Kahneman. Seu trabalho com Tversky ajudou a explicar o porquê.[13]

Um dos insights básicos da psicologia moderna é que "julgamentos instantâneos" e intuitivos são o sistema operacional padrão da tomada de decisão humana – "Sistema Um", para usar o termo cunhado pelos psicólogos Keith Stanovich e Richard West e bastante citado por Kahneman. O raciocínio consciente é um sistema

---

12 Neil D. Weinstein, Stephen E. Marcus, and Richard P. Moser, "Smokers' Unrealistic Optimism About Their Risk", *Tobacco Control* 14, no. 1 (February 2005): 55–59.
13 Kahneman, *Thinking, Fast and Slow*, 257.

diferente: o Sistema Dois.[14] Uma diferença fundamental entre os Sistemas Um e Dois é a velocidade. O Sistema Um é rápido, então sempre entrega primeiro. O Sistema Dois é lento; ele só pode se envolver depois que o Sistema Um entregar. Ambos os sistemas podem estar certos ou errados.

Para gerar julgamentos rápidos, o cérebro não pode ser excessivamente exigente sobre informações. Em vez disso, procede com base no que Kahneman chama de "WYSIATI" (What You See Is All There Is – o que você vê é o que há para ver), ou seja, uma suposição de que qualquer informação que tenhamos em mãos é toda a informação disponível para tomar a decisão.

Depois que um julgamento rápido e intuitivo é entregue pelo Sistema Um, podemos pensar sobre o problema lenta e cuidadosamente, se tivermos tempo, usando o Sistema Dois, a mente consciente, e ajustar o julgamento instantâneo ou substituí-lo inteiramente. Mas outra percepção básica da psicologia é que, quando temos um forte julgamento intuitivo, raramente o submetemos a um escrutínio lento, cuidadoso e crítico. Nós apenas seguimos, contentando-nos espontaneamente com o que quer que o Sistema Um tenha decidido.

É importante distinguir julgamentos intuitivos de emoções como raiva, medo, amor ou tristeza. Esses sentimentos também podem inspirar conclusões precipitadas. Todos sabemos – pelo menos quando estamos pensando friamente – que emoções fortes não são necessariamente lógicas ou apoiadas por evidências e, portanto, não são uma base confiável para formular julgamentos. Qualquer chefe sensato que experimente uma onda de raiva em relação a um funcionário sabe que deve esperar um dia e se acalmar antes de decidir se deve ou não optar por uma demissão. Mas os julgamentos intuitivos gerados pelo Sistema Um não são experimentados como

---

14 Keith E. Stanovich and Richard F. West, "Individual Differences in Reasoning: Implications for the Rationality Debate", *Behavioral and Brain Sciences* 23, no. 5 (2000): 645–65.

emoções. Simplesmente "sentimos" que são verdadeiros. Com a verdade em mãos, parece perfeitamente razoável agir de acordo com ela. Como Kahneman escreveu, o Sistema Um é "uma máquina para tirar conclusões precipitadas".

É isso que torna o viés do otimismo tão potente. Proprietários de pequenas empresas que afirmam que não vão ter o mesmo destino da maioria dos proprietários – falência – ficariam ofendidos se você lhes dissesse que sua crença vem menos de uma avaliação racional das evidências e mais de um viés psicológico. Isso não *parece* verdade. O que parece verdade é que o seu negócio terá sucesso.

Embora grande parte do trabalho de Kahneman e Tversky se concentre em analisar como as decisões orientadas pelo Sistema Um podem falhar, é importante reconhecer que o julgamento rápido e intuitivo geralmente funciona muito bem. E é *por isso* que é nossa forma padrão de tomar decisões, afirma o psicólogo alemão Gerd Gigerenzer.[15] Décadas atrás, quando Gary Klein, outro psicólogo, começou a estudar como as pessoas tomam decisões, ele rapidamente percebeu que a teoria clássica ensinada nas universidades não era o que acontecia na vida real. Segundo essa teoria, as pessoas identificam o conjunto disponível de opções, cuidadosamente as pesam e escolhem as melhores. Normalmente, não nos envolvemos em cálculos tão cuidadosos, mesmo quando estamos decidindo se aceitamos uma oferta de emprego ou tomamos alguma outra decisão com sérias consequências.[16] Em vez disso, como Klein demonstrou, as pessoas normalmente escolhem a primeira opção que lhes ocorre e a executam rapidamente por meio

---

[15] Gerd Gigerenzer, Peter M. Todd, and the ABC Research Group, *Simple Heuristics That Make Us Smart* (Oxford, UK: Oxford University Press, 1999); Gerd Gigerenzer, Ralph Hertwig, and Thorsten Pachur, eds., *Heuristics: The Foundations of Adaptive Behavior* (Oxford, UK: Oxford University Press, 2011); Gerd Gigerenzer and Wolfgang Gaissmaier, "Heuristic Decision Making", *Annual Review of Psychology* 62, no. 1 (2011): 451–82.

[16] Gary Klein, *Sources of Power: How People Make Decisions* (Cambridge, MA: MIT Press, 1999).

de uma simulação mental. Se parece funcionar, elas seguem com essa opção. Se não, procuram outras e repetem o processo. Esse método tende a funcionar bem para decisões familiares, especialmente quando há pouco tempo para tomá-las, e pode funcionar brilhantemente quando feito por um especialista, como veremos mais adiante. Mas nas circunstâncias erradas, é um erro.

Veja como Brehon Somervell decidiu o local para construir o Pentágono. O primeiro lugar que considerou foi um aeródromo abandonado. À primeira vista, parecia funcionar, então ele ordenou que sua equipe planejasse o edifício para aquele local. Sua equipe descobriu que era inadequado e identificou outro, a Fazenda Arlington, que parecia ser mais adequado. Então Somervell acatou a sugestão, novamente sem questionar se poderia haver outros terrenos melhores. Ele estava aplicando o processo de decisão padrão nas circunstâncias erradas. Estava longe de ser um problema familiar, e em poucos dias poderia ter feito uma varredura da região, comparando os melhores locais para a construção. Embora tivesse muita experiência em outros projetos, ele nunca havia planejado e construído um enorme prédio de escritórios nem trabalhado no Distrito de Columbia ou no estado da Virgínia. Até certo ponto, pelo menos nas fases de planejamento do projeto, era como se Somervell fosse um novato.

Isso é típico do planejamento de grandes projetos. Apenas não é uma situação adequada para o tipo de tomada de decisão rápida e intuitiva que acontece naturalmente. Mas, frequentemente, agimos segundo o Sistema Um mesmo nesse tipo de decisão, pois temos a sensação de que é o julgamento mais natural. Se agirmos rotineiramente segundo julgamentos precipitados e otimistas demais, sendo tendenciosos, otimistas demais, e esses métodos falharem, certamente sofreremos. Não deveríamos aprender com essas experiências dolorosas? Sim, deveríamos. Mas, para isso, devemos dar atenção à experiência. E, infelizmente, muitas vezes isso não é feito.

## A LEI DE HOFSTADTER

Quarenta anos atrás, Kahneman e Tversky mostraram que as pessoas geralmente subestimam o tempo necessário para concluir tarefas, mesmo quando há informações disponíveis sugerindo que a estimativa não é razoável. Eles chamaram isso de "falácia do planejamento", um termo que, juntamente com o professor de Direito de Harvard Cass Sunstein, apliquei em situações em que os custos são subestimados, e os benefícios, superestimados.[17] O físico e escritor Douglas Hofstadter ironicamente a apelidou de "Lei de Hofstadter": "Sempre leva mais tempo do que o esperado, mesmo quando você leva em conta a Lei de Hofstadter".[18]

A pesquisa documenta que a falácia do planejamento é generalizada, mas só precisamos olhar para nós mesmos e para as pessoas ao nosso redor para saber disso. Você acredita que chegará ao centro da cidade em uma noite de sábado em no máximo vinte minutos,

---

17 A falácia do planejamento é uma subcategoria de viés de otimismo que surge de indivíduos que produzem planos e estimativas irrealisticamente próximos dos melhores cenários. O termo foi originalmente cunhado por Daniel Kahneman e Amos Tversky para descrever a tendência das pessoas de subestimar os tempos de conclusão das tarefas. Roger Buehler e seus colegas continuaram trabalhando seguindo essa definição. Posteriormente, o conceito foi ampliado para abranger a tendência de as pessoas, por um lado, subestimarem os custos, cronogramas e riscos das ações planejadas e, por outro, superestimarem os benefícios e as oportunidades dessas ações. Como os conceitos originais estreitos e posteriores mais amplos são tão fundamentalmente diferentes no escopo que cobrem, com Cass Sunstein sugeri o termo "falácia de planejamento ampliada" para o conceito mais amplo, de modo a evitar confundir os dois. Ver Daniel Kahneman and Amos Tversky, "Intuitive Prediction: Biases and Corrective Procedures", in *Studies in the Management Sciences: Forecasting*, vol. 12, eds. Spyros Makridakis and S. C. Wheelwright (Amsterdam: North Holland, 1979), 315; Roger Buehler, Dale Griffin, and Heather MacDonald, "The Role of Motivated Reasoning in Optimistic Time Predictions", *Personality and Social Psychology Bulletin* 23, no. 3 (March 1997): 238–47; Roger Buehler, Dale Wesley Griffin, and Michael Ross, "Exploring the 'Planning Fallacy': Why People Underestimate Their Task Completion Times", *Journal of Personality and Social Psychology* 67, no. 3 (September 1994): 366–81; Bent Flyvbjerg and Cass R. Sunstein, "The Principle of the Malevolent Hiding Hand; or, The Planning Fallacy Writ Large", *Social Research* 83, no. 4 (2017): 979–1004.

18 Douglas Hofstadter, *Gödel, Escher, Bach: An Eternal Golden Braid* (New York: Basic Books, 1979).

mas leva quarenta e agora está atrasado – assim como da última vez e na vez anterior. Você acha que seu filho dormirá após quinze minutos de histórias, mas leva meia hora, como de costume. Você tem certeza de que enviará o seu artigo alguns dias antes desta vez, mas acaba virando uma noite inteira trabalhando e entrega nos últimos minutos do prazo – como sempre.

Não se trata de erros de cálculo intencionais. Grande parte da volumosa pesquisa sobre o assunto envolve pessoas que não estão tentando conseguir um contrato, obter financiamento para um projeto ou construir um monumento para si mesmas, de modo que não há motivos para desacreditar suas estimativas. Mas ainda assim as estimativas são muito otimistas. Em um estudo, os pesquisadores pediram aos alunos que estimassem o tempo necessário para concluir várias tarefas acadêmicas e pessoais e, em seguida, pediram que dividissem seus companheiros por nível de confiança – o que significa que alguém poderia dizer que estava 50% confiante de terminar em uma semana, 60% confiante de finalizar em duas semanas, e assim por diante, até 99% de confiança. Curiosamente, quando as pessoas diziam haver uma probabilidade de 99% de que teriam concluído tudo – ou seja, praticamente uma certeza –, apenas 45% realmente terminavam naquele momento.[19]

Para estarmos tão frequentemente errados, devemos ignorar consistentemente a experiência. E fazemos isso, por várias razões. Quando pensamos no futuro, o passado pode simplesmente não vir à mente, e podemos não pensar em desenterrá-lo, porque é no presente e no futuro que estamos interessados. Se o passado vier à tona, podemos pensar "desta vez será diferente" e descartá-lo (uma opção que está sempre disponível, porque, de certa forma, cada momento da vida é único). Ou podemos apenas ser preguiçosos e preferir não nos dar ao trabalho de desenterrar o passado, uma preferência

---

19 Roger Buehler, Dale Griffin, and Johanna Peetz, "The Planning Fallacy: Cognitive, Motivational, and Social Origins", *Advances in Experimental Social Psychology* 43 (2010): 1–62.

bem documentada na obra de Kahneman. Todos fazemos isso. Pense em levar trabalho para casa no fim de semana. Pode apostar que conseguirá fazer menos do que planejou. E não apenas uma vez, repetidas vezes. Isso é você ignorando a sua experiência ao elaborar uma estimativa.

Então, *como* fazemos a estimativa? Você gera uma imagem mental de trabalhar em casa. A partir desse cenário, surge uma sensação de quanto trabalho você pode fazer no fim de semana de forma rápida e intuitiva. Parece verdade, então você acredita nisso. No entanto, esse julgamento muito provavelmente está errado. Ao construir o cenário, você só se imagina trabalhando. Essa visão estreita exclui todas as pessoas e coisas ao seu redor que poderiam interferir no seu tempo de trabalho. Em outras palavras, você está imaginando o "melhor cenário possível". Isso é muito comum. Quando pedimos para uma pessoa imaginar um palpite do cenário mais provável de determinada situação – o cenário com maior probabilidade de ocorrer –, o apresentado, geralmente, é exatamente "o melhor cenário possível".[20]

Usar "o melhor cenário possível" como base para uma estimativa é uma péssima ideia, porque raramente é a maneira mais provável de o futuro se desenrolar. Na verdade, é bem improvável. Há um número quase infinito de coisas que poderiam acontecer durante o fim de semana e comer o seu tempo de trabalho: uma doença, um acidente, insônia, o telefonema de um velho amigo, uma emergência familiar, encanamento quebrado, e assim por diante. Isso significa que o número de futuros que poderiam se desdobrar no fim de semana é vasto, mas em apenas um, no melhor cenário, não há complicações que reduzam seu tempo de trabalho. Portanto, você

---

20 Dale Wesley Griffin, David Dunning, and Lee Ross, "The Role of Construal Processes in Overconfident Predictions About the Self and Others", *Journal of Personality and Social Psychology* 59, no. 6 (January 1991): 1128–39; Ian R. Newby-Clark et al., "People Focus on Optimistic Scenarios and Disregard Pessimistic Scenarios While Predicting Task Completion Times", *Journal of Experimental Psychology: Applied* 6, no. 3 (October 2000): 171–82.

não deve se surpreender quando a manhã de segunda-feira chegar e não tiver feito tanto quanto esperava. Mas você provavelmente irá se surpreender de qualquer maneira.

Se esse tipo de previsão rotineira lhe parece muito distante das estimativas de custo e tempo dos grandes projetos, pense novamente. É comum que essas estimativas sejam feitas dividindo um projeto em tarefas, estimando o tempo e o custo de cada tarefa e, em seguida, somando os totais. A experiência – na forma de resultados passados de projetos semelhantes – é frequentemente ignorada, e pouca ou nenhuma atenção é dada às muitas maneiras como as previsões podem ser alteradas pelos acontecimentos. Trata-se de previsões baseadas em "melhores cenários possíveis" – e são tão improváveis quanto um palpite casual.

## UMA TENDÊNCIA CONTRA O PENSAMENTO

Uma preferência por agir em vez de falar – às vezes chamada de "tendência à ação" – é uma ideia tão difundida quanto necessária no mundo dos negócios. Perder tempo pode ser perigoso. "A velocidade é importante nos negócios", afirma um dos famosos princípios de liderança da Amazon, escrito por Jeff Bezos.[21] "Muitas decisões e ações são reversíveis e não precisam de um estudo extenso. Valorizamos assumir riscos calculados." Observe, no entanto, que Bezos limitou cuidadosamente a tendência à ação a decisões que são "reversíveis". Não gaste muito tempo refletindo sobre esse tipo de decisão, ele aconselha. Experimente algo novo. Se não funcionar, volte atrás e tente outra coisa. Isso é bastante razoável. Também é inaplicável a muitas decisões em grandes projetos porque são tão difíceis ou caros de reverter que são considerados irreversíveis: você não pode construir o Pentágono, depois derrubá-lo e construí-lo em outro lugar após descobrir que ele estragaria a vista.

---

21 "Leadership Principles", Amazon, https://www.amazon.jobs/en/principles.

Quando essa tendência à ação está difundida na cultura de uma organização, a ressalva de reversibilidade é geralmente perdida. O que resta é um slogan – "Just do it!" – que é aparentemente aplicável em todas as situações. "Quando entrevistamos alunos de nossas aulas de educação executiva, descobrimos que os gerentes se sentem mais produtivos executando tarefas do que as planejando", observaram os professores de negócios Francesca Gino e Bradley Staats. "Especialmente quando estão sob pressão por tempo, sentem que o planejamento é um esforço desperdiçado."[22] Para colocar isso em termos comportamentais mais gerais, as pessoas no poder, que incluem executivos que decidem sobre grandes projetos, preferem seguir o fluxo rápido da tendência à disponibilidade, em oposição ao lento esforço do planejamento.[23] Executivos em todos os lugares reconhecerão essa atitude. Não é uma tendência *à* ação promovida por Jeff Bezos. É uma tendência *contra* o pensamento.

Quando descrita dessa maneira, fica claro que se trata de uma péssima ideia. Mas lembre-se de que ela emerge de um desejo de começar um projeto, de ver o trabalho acontecer, de ter evidências tangíveis de progresso. Isso é bom. Todos os envolvidos em um projeto devem ter esse desejo. Essa abordagem só se torna um problema quando menosprezamos o planejamento, tratando-o como a

---

[22] Francesca Gino and Bradley Staats, "Why Organizations Don't Learn", *Harvard Business Review* 93, no. 10 (November 2015): 110–18.

[23] O viés de disponibilidade é a tendência de sobrepesar tudo o que vem à mente. A disponibilidade é influenciada pela atualidade das memórias e por quão incomuns ou emocionalmente carregadas elas podem ser, com memórias mais recentes, mais incomuns e mais emocionais sendo mais facilmente lembradas. Indivíduos poderosos demonstraram ser mais suscetíveis ao viés de disponibilidade do que indivíduos não poderosos. O mecanismo causal parece ser que os indivíduos poderosos são afetados mais fortemente pela facilidade de recuperação do que pelo conteúdo que recuperam porque são mais propensos a "seguir o fluxo" e confiar em sua intuição do que os indivíduos que não são poderosos. Ver Mario Weick and Ana Guinote, "When Subjective Experiences Matter: Power Increases Reliance on the Ease of Retrieval", *Journal of Personality and Social Psychology* 94, no. 6 (June 2008): 956–70; Flyvbjerg, "Top Ten Behavioral Biases in Project Management".

etapa irritante com a qual temos de lidar antes de *realmente* começar o projeto.

Planejar *é* trabalhar no projeto. O progresso no planejamento *é* o progresso no projeto – muitas vezes o progresso mais rentável que você pode alcançar. Ignoramos esses fatos por nossa conta e risco. Vamos ver o motivo.

## DETURPAÇÃO ESTRATÉGICA

O arquiteto francês Jean Nouvel, vencedor do Prêmio Pritzker de Arquitetura, uma espécie de Nobel da arquitetura, foi contundente sobre o objetivo da maioria das estimativas de custo para arquitetura. "Na França, muitas vezes há um orçamento apenas teórico, politicamente aprovado para realizar alguma coisa. Em três de cada quatro casos, essa soma não corresponde a nada em termos técnicos. É um orçamento feito porque poderia ser aceito politicamente. O preço real vem mais tarde. Os políticos tornam o preço real público onde e quando querem."[24] Essa é uma maneira polida de dizer que as estimativas não devem ser precisas; destinam-se a vender o projeto. Em uma palavra, são mentiras – ou inverdades, para usar uma linguagem mais educada.

Um político americano acabou colocando a boca no trombone em uma coluna de 2013 para o *San Francisco Chronicle* sobre a infraestrutura de transporte na área da baía. "A notícia de que o Terminal Transbay está algo em torno de US$ 300 milhões acima do orçamento não deveria ser uma surpresa para ninguém", escreveu Willie Brown, ex-prefeito de São Francisco e deputado estadual da Califórnia. "Sempre soubemos que a estimativa inicial estava abaixo do custo real. Assim como nunca tivemos um custo real para o metrô central ou para a ponte da baía, ou qualquer outro grande projeto de construção. Então, esqueçam isso. No mundo dos projetos públicos, *o primeiro orçamento é realmente apenas um adiantamento.*

---

24  Jean Nouvel, entrevista sobre DR-Byen em *Weekendavisen* (Copenhague), 16 de janeiro de 2009, 4.

Se as pessoas soubessem o custo real desde o início, nada seria aprovado."[25] Não preciso dizer que Brown estava aposentado da política quando escreveu isso.

Um experiente consultor de transportes certa vez me confidenciou que os tão elogiados "estudos de viabilidade" servem mais como disfarce para os engenheiros do que como uma análise imparcial. "Em praticamente todos os casos, ficou claro que os engenheiros simplesmente queriam justificar o projeto e estavam olhando para as previsões de tráfego para ajudar no processo." O único objetivo era colocar o projeto em andamento. "Certa vez, perguntei a um engenheiro por que suas estimativas de custo eram sempre subestimadas, e ele simplesmente respondeu: 'Se déssemos os verdadeiros custos esperados, nada seria construído.'"[26] Não é por acaso que as palavras desse engenheiro foram tão semelhantes às de Brown.

Executivos de diversas áreas me contaram sobre deturpação estratégica, mas principalmente em conversas particulares. O editor de uma importante revista de arquitetura e design dos EUA até rejeitou um artigo que escrevi sobre deturpação estratégica, alegando que mentir sobre projetos é tão comum que seus leitores tomam isso como certo, portanto o artigo não seria interessante. "Nosso país está repleto de grandes projetos que se encaixam na sua descrição", disse ele.[27] Mas falou isso em uma conversa particular. Em público, é raro que as pessoas o digam tão abertamente.

Planejamento apressado e superficial não é problema para a criação de uma estimativa-base. Na verdade, pode ser extremamente útil. Problemas e desafios negligenciados são problemas e desafios que não aumentarão a estimativa.

Também ajuda a expressar confiança inabalável nas estimativas, como fez o prefeito de Montreal Jean Drapeau quando prometeu

---

25 Willie Brown, "When Warriors Travel to China, Ed Lee Will Follow", *San Francisco Chronicle*, July 27, 2013.

26 Comunicação pessoal, arquivo do autor.

27 Ibid.

que os Jogos Olímpicos de 1976 não custariam mais do que o orçado. "A Olimpíada de Montreal pode ter um déficit no orçamento tanto quanto um homem pode dar à luz um bebê", disse ele.[28] Aquele que fala dessa maneira deve esperar um grande constrangimento no futuro. Mas isso é para mais tarde. Depois de conseguir o que quer. E talvez após se aposentar.

## "COMECE CAVANDO UM BURACO"

Com os contratos assinados, o próximo passo é colocar as pás no chão. Rápido. "A ideia é seguir em frente", concluiu Willie Brown. "Comece a cavar um buraco e torne-o tão grande que não haja alternativa a não ser arranjar dinheiro para preenchê-lo."[29]

É uma história tão velha quanto Hollywood. "Minha tática era conhecida por diretores que fazem filmes fora do eixo comercial", escreveu o diretor de cinema Elia Kazan – então aposentado, naturalmente – quando explicou como conseguiu que a Columbia Pictures financiasse um filme que ele queria fazer no final da década de 1940. "Coloque o trabalho em andamento, contrate atores, construa cenários, reúna adereços e figurinos, mostre as primeiras filmagens e, assim, envolva o estúdio até o pescoço. Uma vez que alguma quantia significativa tivesse sido gasta, seria difícil para Harry [Cohn, presidente da Columbia Pictures] fazer qualquer coisa exceto gritar e berrar. Se ele suspendesse um filme que estava sendo filmado havia semanas, teria uma perda irrecuperável, não apenas de dinheiro, mas também de reputação. A única coisa a fazer era continuar filmando."[30]

Esse tipo de comportamento aconteceu no famoso estúdio United Artists. No final da década de 1970, o jovem diretor Michael Cimino queria rodar *O portal do paraíso*, um western épico, como *Lawrence da Arábia*, ambientado em Wyoming. Custaria US$ 7,5

---

28  George Radwanski, "Olympics Will Show Surplus Mayor Insists", *The Gazette*, January 30, 1973.

29  Brown, "When Warriors Travel to China, Ed Lee Will Follow".

30  Elia Kazan, *A Life* (New York: Da Capo Press, 1997), 412–13.

milhões (cerca de US$ 30 milhões em 2021), o limite do que os filmes custavam naquela época, mas razoável para um épico. A United Artists perguntou se ele poderia cumprir o cronograma de entrega proposto. Ele disse que sim. O estúdio assinou os contratos.

A produção começou. Nos primeiros seis dias de filmagem, o projeto ficou cinco dias atrasado. Cimino queimou vinte mil metros de filme, ao custo de US$ 900 mil, e com isso produziu "aproximadamente um minuto e meio de material utilizável", observou Steven Bach, o executivo da United Artists responsável pelo filme, em seu livro *Final Cut: Art, Money, and Ego in the Making of Heaven's Gate, the Film That Sank United Artists* (Versão final: arte, dinheiro e ego na criação de O portal do paraíso, o filme que afundou a United Artists), que é um dos olhares mais detalhados e surpreendentes já escritos sobre uma produção de Hollywood.[31] Isso deveria ter disparado alarmes na United Artists. Estar tão fora da rota em apenas uma semana sugere que as estimativas originais não valiam o papel em que foram escritas.

Mas depois as coisas só pioraram. O tempo se arrastava. Os custos explodiram. Os executivos do estúdio finalmente exigiram que Cimino agilizasse a produção – e ele os mandou às favas. Faria as coisas à sua maneira, disse ele, e os executivos ficariam calados e pagariam as contas. Se não gostassem, poderiam rasgar os contratos, e ele levaria o projeto para outro estúdio. Os executivos recuaram. Estavam furiosos e aterrorizados pelo fato de que o filme estava se transformando em um fiasco, mas estavam envolvidos demais para deixar o projeto. Cimino fez exatamente o que Kazan descreveu.

Hoje, *O portal do paraíso* é famoso em Hollywood, mas não no bom sentido. Em última análise, custou cinco vezes a estimativa inicial e estreou com um ano de atraso. A reação da crítica foi tão selvagem que Cimino retirou o filme, reeditou-o e lançou-o novamente

---

31  Steven Bach, *Final Cut: Art, Money, and Ego in the Making of* Heaven's Gate, *the Film That Sank United Artists* (New York: Newmarket Press, 1999), 23.

seis meses depois. As bilheterias não tiveram um bom resultado. E a United Artists foi exterminada.

A fama de Cimino despencou como resultado do fracasso de *O portal do paraíso*, mas muitas vezes os custos de projetos fracassados não recaem sobre aqueles que os realizam. Quando a Olimpíada de Montreal ficou 720% acima do orçamento, um cartunista desenhou o prefeito Drapeau grávido. Mas e daí? Drapeau conseguiu a Olimpíada. E embora tenha demorado mais de trinta anos para Montreal pagar a montanha de dívidas, o ônus recaiu sobre os contribuintes de Montreal e de Quebec. Drapeau nem foi retirado do cargo. Ele se aposentou em 1986.[32]

## DIRIGINDO EM UMA NEVASCA

No entanto, ainda há uma questão incômoda sobre por que a deturpação estratégica funciona. Willie Brown não estava totalmente correto quando afirmou que, uma vez que um buraco é cavado, "não há alternativa" a não ser continuar pagando pelo projeto. Em teoria, o projeto poderia ser descartado, e o local de construção, vendido. Em teoria, a United Artists poderia ter abandonado *O portal do paraíso* e se afastado quando os gastos saíram de controle. Mas, na prática, Brown tem razão. Mais uma vez, os estudiosos chamam esse fenômeno de "*lock-in*", ou "escalada de comprometimento".[33] Se a escalada de comprometimento vem após a falácia

---

[32] Bent Flyvbjerg and Allison Stewart, "Olympic Proportions: Cost and Cost Overrun at the Olympics, 1960–2012", *Saïd Business School Working Papers*, University of Oxford, 2012.

[33] Escalada de comprometimento é a tendência de justificar o aumento do investimento em uma decisão com base no investimento cumulativo anterior, apesar de novas evidências sugerindo que a decisão pode estar errada e custos adicionais não serão compensados por benefícios adicionais. A escalada de comprometimento se aplica a indivíduos, grupos e organizações inteiras. Foi descrita pela primeira vez por Barry M. Staw em 1976, com trabalhos posteriores de Joel Brockner, Barry Staw, Dustin J. Sleesman et al. e Helga Drummond. Os economistas usam termos relacionados, como *falácia do custo irrecuperável* (Arkes and Blumer, 1985) e *lock-in* (Cantarelli et al., 2010) para descrever fenômenos semelhantes. A escalada do comprometimento

do comprometimento, há um compromisso de segundo grau. Isso normalmente significa desastre, ou, pelo menos, um resultado muito inferior ao que poderia ter sido alcançado com uma abordagem mais ponderada.

O que faz as pessoas entrarem nesse ciclo de desastre é uma questão imensamente importante que psicólogos, economistas, cientistas políticos e sociólogos estudam há décadas. Uma análise de 2012 da literatura incluiu 120 citações mesmo depois de excluir as muitas análises não quantitativas.[34] Como era de se esperar, não há uma explicação simples. Mas um elemento central para qualquer conta é a "falácia do custo irrecuperável".

O dinheiro, o tempo e o esforço gastos previamente para avançar um projeto estão perdidos no passado. Não se pode recuperá-los. Eles são "irrecuperáveis". Logicamente, ao se avaliar se compensa ou não despejar mais recursos em um projeto, deve-se considerar apenas se isso faz sentido *na hora*. Os custos irrecuperáveis não devem

---

é capturada em expressões populares como "Throwing good money after bad" e "In for a penny, in for a pound". Em sua definição original, a escalada de comprometimento é irrefletida e não deliberada. Tal como acontece com outros vieses cognitivos, as pessoas não sabem que estão sujeitas ao viés. No entanto, depois de entender o mecanismo, ele pode ser usado deliberadamente. Ver Barry M. Staw, "Knee-Deep in the Big Muddy: A Study of Escalating Commitment to a Chosen Course of Action", *Organizational Behavior and Human Resources* 16, no. 1 (1976): 27–44; Joel Brockner, "The Escalation of Commitment to a Failing Course of Action: Toward Theoretical Progress", *Academy of Management Review* 17, no. 1 (1992): 39–61; Barry M. Staw, "The Escalation of Commitment: An Update and Appraisal", em *Organizational Decision-Making*, ed. Zur Shapira (Cambridge, UK: Cambridge University Press, 1997), 191–215; Dustin J. Sleesman et al., "Cleaning up the Big Muddy: A Meta-analytic Review of the Determinants of Escalation of Commitment", *Academy of Management Journal* 55, no. 3 (2012): 541–62; Helga Drummond, "Is Escalation Always Irrational?", originalmente publicado em *Organization Studies* 19, no. 6 (1998), citado em *Megaproject Planning and Management: Essential Readings*, vol. 2, ed. Bent Flyvbjerg (Cheltenham, UK: Edward Elgar, 2014), 291–309; Helga Drummond, "Megaproject Escalation of Commitment: An Update and Appraisal", in *The Oxford Handbook of Megaproject Management*, ed. Bent Flyvbjerg (Oxford, UK: Oxford University Press, 2017), 194–216; Flyvbjerg, "Top Ten Behavioral Biases in Project Management".

34 Sleesman et al., "*Cleaning Up the Big Muddy*".

ser um fator importante nessa decisão – mas provavelmente serão, porque a maioria das pessoas acha muito difícil tirá-los da cabeça.

Considere dois amigos com ingressos para um jogo de basquete profissional em um local muito distante de suas casas. No dia do jogo, há uma grande tempestade de neve. Quanto maior o preço que os amigos pagaram pelos ingressos – seus custos irrecuperáveis –, maior a probabilidade de enfrentarem a nevasca e tentarem dirigir até o jogo, investindo mais tempo, dinheiro e risco. Por outro lado, a abordagem mais racional seria desconsiderar o que eles já investiram e ficar em casa. A falácia do custo irrecuperável se aplica a indivíduos, grupos e organizações inteiras.[35]

"Dirigir em uma nevasca" é particularmente comum na política. Às vezes, acontece porque os próprios políticos caem nessa. Mas mesmo os políticos mais sagazes entendem que o público será provavelmente influenciado pelos custos irrecuperáveis, então seguir com um projeto iniciado é politicamente mais seguro do que tomar uma decisão lógica. Certamente, quando o governador da Califórnia Gavin Newsom decidiu não descartar o projeto California High-Speed, apenas reduzi-lo, ele e seus assessores estavam pensando com muito cuidado sobre como os custos irrecuperáveis pesariam para a opinião pública, e sabiam que descartar o projeto seria interpretado pelo público como "jogar fora" bilhões de dólares já investidos. Como resultado dessa decisão, os contribuintes do estado foram obrigados a continuar pagando e gastar bilhões a mais em uma versão encolhida do projeto, que nunca teria sido aprovado caso tivesse sido apresentado a eles dessa maneira.

Espero que o "trem-bala para lugar nenhum" da Califórnia um dia seja a ilustração padrão do livro didático da falácia do custo irrecuperável e da escalada do comprometimento.

---

35 Richard H. Thaler, *Misbehaving: How Economics Became Behavioural* (London: Allen Lane, 2015), 20.

## ESPIRAL DE SOMERVELL

Não podemos saber com certeza qual força – psicológica ou política – levou Brehon Somervell a apressar o planejamento do Pentágono. Mas, como de costume com grandes projetos, há razões para pensar que ambas desempenharam algum papel.

Como Willie Brown, Somervell era um político astuto. Ele muitas vezes "ajustou" seu plano, reduzindo o custo esperado, o número de andares ou a metragem quadrada, a fim de se adequar ao que as pessoas poderosas queriam ouvir para dar-lhe a aprovação necessária para começar. Isso inevitavelmente produziria uma grande diferença entre o que foi dito e o que foi feito, mas "Somervell estava pouco preocupado com os custos excedentes", como Steve Vogel observou.[36] E, como Willie Brown, Somervell estava determinado a "começar a cavar um buraco", sabendo que a existência de um buraco grande o suficiente garantiria o futuro de seu projeto. Somervell também estava mergulhado em uma cultura de engenharia do Exército que valorizava a decisão do Sistema Um e uma ideia de "acima de tudo, entregar o projeto".

Devemos ter cuidado para não enxergar a psicologia e a política como forças separadas. Elas podem se reforçar mutuamente e normalmente estão unidas em grandes projetos.[37] Quando se alinham em favor de um plano superficial e de um início rápido, é provavelmente o que ocorrerá – com consequências previsíveis.

Quando um grupo de críticos do plano de Somervell pressionou para mudar o local do projeto, Somervell reagiu. Ele rechaçou essas opiniões e insistiu que somente a Fazenda Arlington era o local apropriado. Enquanto ele pressionava sua equipe para começar a construção na Fazenda Arlington, os críticos demandavam que o presidente interviesse. Ele fez isso, obrigando Somervell a mudar o

---

36 Vogel, *The Pentagon*, 24.
37 Bent Flyvbjerg, Massimo Garbuio, and Dan Lovallo, "Delusion and Deception in Large Infrastructure Projects: Two Models for Explaining and Pre-venting Executive Disaster", *California Management Review* 51, no. 2 (2009): 170–93.

local da construção. Incrivelmente, Somervell não parou por aí. Em um carro com o presidente a caminho de visitar o local do Quartermaster Depot, ele insistiu obstinadamente que apenas a Fazenda Arlington era adequada e que o presidente deveria mudar de ideia. "Meu caro general", Roosevelt finalmente disse, "eu ainda sou o comandante do Exército." Caso não tenha sido claro o suficiente, o presidente encerrou a visita apontando para o local e dizendo: "Vamos construir o prédio do Departamento de Estado ali".[38] Isso finalmente encerrou a discussão. Somervell engoliu seco e aceitou o inevitável.

Para ser justo, a culpa pelo plano inicial malfeito não foi inteiramente do general. Nem mesmo a maior parte da culpa. Naquela primeira semana apressada, Somervell apresentou seu plano ao secretário de guerra, a um subcomitê do Congresso e ao gabinete da Casa Branca, incluindo o presidente. A cada apresentação, não foram feitas perguntas investigativas que revelassem as falhas do plano. E a cada vez, o plano era rapidamente aprovado. Os superiores de Somervell simplesmente não fizeram o seu trabalho. O fato de a falha ter sido finalmente exposta e o plano ter parado – em parte porque um dos críticos do plano era simplesmente o tio do presidente – ressalta a arbitrariedade da decisão.

Tais falhas na tomada de decisões infelizmente não são uma exclusividade do Pentágono. O planejamento superficial é comum e só será exposto se aqueles com autoridade para supervisionar e aprovar planos – incluindo o público em geral, quando se trata de projetos governamentais – exercerem esse poder adequadamente, submetendo os planos a sérios questionamentos. Muitas vezes, eles não o fazem, preferindo aceitar uma história simplista e "dirigir em uma nevasca", como Somervell fez. É muito mais fácil. E pode servir a seus interesses individuais. Mas o resultado inferior falará por si diante do que poderia ter sido alcançado.

---

38  Vogel, *The Pentagon*, 102.

## COMPROMETA-SE A NÃO SE COMPROMETER

Mas vamos deixar de lado a história e os generais. A lição para nós é tão simples quanto o erro inicial de Somervell: não presuma que sabe tudo o que há para saber. Se você é um líder de projeto e as pessoas da sua equipe fazem essa suposição – o que é comum –, eduque-as ou tire-as da equipe. Não permita que você mesmo ou elas tirem conclusões óbvias. Esse tipo de compromisso prematuro o coloca em risco de não perceber não apenas erros gritantes, mas também oportunidades que podem tornar seu projeto muito melhor do que o que você tem em mente agora.

No próximo capítulo, passaremos de megaprojetos para um projeto de casa e veremos como outra conclusão prematura transformou uma simples reforma de cozinha em um desastre e em anos de sofrimento para a família envolvida – e como um dos edifícios mais famosos e bem-sucedidos do mundo começou com uma mente aberta, curiosidade e perguntas.

O processo que apresento é anti-Somervell. Ele encontra as falhas e as oportunidades. Se você sente vontade de se comprometer – e provavelmente, de fato, sente –, comprometa-se a concluir esse processo antes de tirar conclusões sobre seu grande projeto.[39] A princípio, comprometa-se a ter uma mente aberta; ou seja, comprometa-se a não se comprometer.

---

[39] Uma descoberta clássica da psicologia social é que as pessoas tentam ser pelo menos um pouco consistentes em suas palavras e ações, portanto, se assumirmos um compromisso – particularmente um compromisso público –, tendemos a nos comportar subsequentemente de maneira consistente com esse compromisso; ver Rosanna E. Guadagno e Robert B. Cialdini, "Preference for Consistency and Social Influence: A Review of Current Research Findings", *Social Influence* 5, no. 3 (2010): 152–63; Robert B. Cialdini, *Influence: The Psychology of Persuasion*, new and expanded edition (New York: Harper Business, 2021), 291–362. Comprometer-se publicamente a concluir um processo antes de tirar conclusões pode ser uma ajuda para manter a mente aberta.

# 3
# PENSE DA DIREITA PARA A ESQUERDA

*Os projetos geralmente são iniciados saltando diretamente para uma solução, até mesmo quando se trata de uma tecnologia específica. Esse não é um bom lugar para começar. Você deve começar fazendo perguntas e considerando alternativas. Ao iniciar um projeto, suponha sempre que há mais a aprender. Comece com a pergunta mais básica de todas: por quê?*

O grande projeto de David e Deborah era reformar a cozinha. Pode parecer um projeto pequeno, mas a cozinha era ainda menor.

David e Deborah vivem nos dois primeiros andares de uma casa de tijolos de quatro andares do século 19 em Cobble Hill, um charmoso bairro do Brooklyn que se parece com o cenário de todos os filmes já feitos em Nova York. As casas em Cobble Hill são altas, mas apertadas, com escadas estreitas e quartos pequenos. O apartamento inteiro de David e Deborah tinha cerca de 110 metros quadrados, e a cozinha era tão pequena que poderia ser a cozinha de um veleiro. Renová-la dificilmente parecia um desafio maior do que construir o Empire State Building. No entanto, ao contrário do Empire State Building, o modesto projeto de David e Deborah sofreu atrasos e foi concluído acima do orçamento. E não por pouco. Foram oito meses de atraso na entrega – e mais de meio milhão de dólares de estouro no orçamento.

A causa desse resultado surpreendente não foi a pressa para iniciar o projeto. Na verdade, David e Deborah fizeram o oposto de Brehon Somervell. Desde por volta de 2011, eles passaram anos meditando sobre a reforma da cozinha. Quando finalmente decidiram começar, não puseram a mão na massa. Contrataram um arquiteto experiente. O arquiteto sugeriu que eles derrubassem uma parede entre a cozinha e uma pequena sala para dobrar o tamanho da cozinha. Eles concordaram com a modesta expansão. O arquiteto passou meses preparando desenhos detalhados antes de finalmente revelar os planos. "Ele tinha uma grande quantidade de esboços", lembrou David, "e meticulosamente nos mostrava oito diferentes projetos possíveis, falando longamente sobre cada um deles e depois explicando por que, no entanto, aquela não era exatamente a abordagem ideal. Então, ele pegava a folha seguinte e nos mostrava um design diferente, e concluía: 'Mas, na verdade, essa também não é a solução perfeita, então deixe-me mostrar outra versão.'"

O custo estimado do projeto cuidadosamente detalhado foi de US$ 170 mil. É um valor muito alto, mas tudo em Nova York é caro, então David e Deborah decidiram ir em frente. Eles saíram de casa, com a expectativa de voltar em três meses.

"O projeto começou a se transformar e se revelar logo no início", lembrou David com um suspiro. De pé na cozinha, o empreiteiro saltou para cima e para baixo para testar as tábuas do assoalho. Ele não gostava do que sentia. Quando desmontou a velha cozinha e deu uma olhada no que estava por baixo, ele entendeu o porquê: "Devido à construção de má qualidade na década de 1840, que nunca havia sido reparada, não havia suporte estrutural para sustentar esse edifício". Todo o piso teria que ser removido, e vigas de aço e suportes precisariam ser instalados no porão.

Quando superaram o choque, David e Deborah pensaram nas tábuas de madeira existentes. Eram velhas e feias. Se as tábuas tivessem que ser removidas de qualquer maneira, talvez devessem substituí-las, em vez de colocá-las de volta? O chão da cozinha seria trocado de qualquer forma: "E o que se vai fazer, ter madeira nova em uma metade do chão e não na outra?". Eles concordaram em substituir todas as tábuas do assoalho. David e Deborah pensaram também sobre a lareira de tijolos da sala de estar. Era um trabalho feio, um "faça você mesmo" moderno. Por que não aproveitar a oportunidade para substituí-la?

E a lareira não era o pior elemento da sala de estar. Havia um pequeno lavabo sob as escadas diretamente ao lado da sala de estar. A mãe de David disse que aquilo era "vulgar". David e Deborah pensaram que seria ótimo tirar aquilo e fácil de fazer enquanto estava sem piso. "Então o arquiteto voltou e redesenhou tudo", lembrou David.

E uma vez que haveria trabalho a ser feito no porão, por que não redirecionar as escadas para criar uma pequena lavanderia? "Então isso significa mais design, mais desenhos arquitetônicos, mais atrasos." Cada novo plano também tinha de ser arquivado na famosa burocracia bizantina nova-iorquina.

Não havia nada extravagante em nenhuma das mudanças. Cada uma era razoável. Cada uma conduzia à seguinte. Além disso, os valores dos imóveis na vizinhança haviam disparado, então eles receberiam de volta pelo menos parte do dinheiro investido no apartamento quando o vendessem.

Aos poucos, o projeto se expandiu para além da cozinha até que o primeiro andar fosse totalmente destruído, redesenhado e reformado. Mas não parou por aí. O banheiro principal no segundo andar estava horrível e mofado. Se você se mudou de casa e tem empreiteiros trabalhando no local, disse a mãe de David, por que não consertar agora, para não ter que passar por isso novamente no futuro? Outro argumento razoável. E, outra vez, essa mudança conduziu a outras. Que conduziu a outras. Até que o segundo andar também foi totalmente destruído, redesenhado e reformado.

"Os US$ 170 mil se transformaram em US$ 400 mil, então em US$ 600 mil e US$ 700 mil." David estima o total final em cerca de US$ 800 mil. É uma conta tão grande que ele provavelmente terá de adiar sua aposentadoria. E esse montante não inclui os gastos da mudança temporária. Em vez dos três meses que esperavam, David e Deborah voltaram um ano e meio depois de saírem de casa.

Quando o trabalho finalmente foi concluído, todos concordaram que o apartamento totalmente reformado estava lindo. Mas era um prêmio de consolação muito pequeno. Se o projeto tivesse sido planejado desde o início como a reforma completa que se tornou, haveria um plano, uma autorização da prefeitura, e o empreiteiro poderia ter executado tudo na ordem mais eficiente. O custo – em dinheiro, tempo e aborrecimento – teria sido muito menor do que David e Deborah tiveram que pagar. Não importa como você o olha, o projeto foi um desastre.

## POR QUÊ?

O pensamento de David era indiscutivelmente lento, e o trabalho do arquiteto era meticuloso. No entanto, o plano – vou ser educado – não era bom. Isso ressalta um ponto crítico sobre meu conselho "pense devagar".

O ritmo lento não é suficiente por si só. Como David e Deborah, as pessoas podem passar anos sonhando com um projeto, mas não ter nada mais do que devaneios para mostrar, assim como as organizações podem gastar enormes quantidades de tempo realizando reuniões repletas de discussões que nunca vão a lugar nenhum. Além disso, uma análise cuidadosa como a feita pelo arquiteto de David pode ser trabalhosa e levar muito tempo, mas, se for bastante focada, não revelará falhas fundamentais ou lacunas no plano, muito menos irá corrigi-las. E por seus detalhes impressionantes, pode dar a falsa impressão de que o plano geral é melhor do que realmente é, como uma bela fachada sem estrutura por trás. Governos e corporações burocráticas são bons em produzir esse tipo de análise. É uma das principais razões pelas quais o projeto da ferrovia de alta velocidade da Califórnia conseguiu passar mais de uma década sendo "planejada" antes do início da construção, produzindo quantidades impressionantes de papel e números sem entregar um plano digno do nome.

Por outro lado, um bom planejamento explora, imagina, analisa e testa. Isso leva tempo. Assim, a lentidão é uma consequência de fazer o planejamento certo, não uma causa. As origens do bom planejamento são o alcance e a profundidade das perguntas que ele faz e a imaginação e o rigor das respostas que oferece. Observe que coloco "perguntas" antes de "respostas". É evidente que as perguntas vêm antes das respostas. Ou melhor, *deveria* ser evidente. Infelizmente, não é. Frequentemente, os projetos começam com respostas, não com perguntas.

O projeto de David e Deborah começou com "renovar a cozinha". Isso é uma resposta, não uma pergunta. Como tantas vezes acontece, o objetivo do projeto parecia óbvio, algo evidente. A única questão era quando ir em frente com a ideia, e, uma vez que isso foi decidido, era hora de começar um planejamento detalhado. A falha em fazer perguntas sobre o objetivo do projeto foi a causa do seu fracasso.

Frank Gehry, sem dúvida um dos arquitetos mais consagrados do mundo, nunca começa com respostas. "Cresci com o Talmude", disse ele quando o entrevistei em 2021, "e o Talmude começa com uma pergunta. Isso é típico do judaísmo", acrescentou ele. "Os judeus questionam tudo."[1]

O que Gehry quer dizer com questionar não é duvidar ou criticar, muito menos atacar ou destruir. Ele está falando de fazer perguntas com um desejo genuíno de aprender. Isso é, em uma palavra, exploração. "Você está sendo curioso", diz. Isso é o oposto da inclinação natural de pensar que o que você vê é tudo o que existe (WYSIATI), a falácia que vimos no capítulo anterior. Em contraste, Gehry pressupõe que *deve* haver sempre mais para aprender. Ao fazer essa suposição, ele evita a armadilha da falácia.

Com esse pensamento, a primeira coisa que Gehry faz quando se encontra com clientes em potencial é se envolver em longas

---

1 Entrevista do autor com Frank Gehry, 5 de março de 2021.

conversas. Não se trata de jogar conversa fora, ser gentil, e não envolve palestrar sobre teoria arquitetônica ou falar sobre ideias que borbulham em sua imaginação. Em vez disso, ele faz perguntas. Movido pela curiosidade, explora as necessidades do cliente, as aspirações, os medos e todas as outras razões que o trouxeram à sua porta. Toda conversa começa com uma pergunta simples: "Por que está fazendo esse projeto?".

Poucos projetos começam dessa maneira. Todos deveriam começar assim.

## A CAIXA DA DIREITA

O edifício mais famoso de Frank Gehry – aquele que o levou ao auge no mundo da arquitetura – é o Museu Guggenheim de Bilbao. Galeria de arte contemporânea em Bilbao, na Espanha, é um edifício espetacular e brilhante, diferente de tudo que você já viu, semelhante às obras de arte expostas em seu interior.

Inevitavelmente, o Guggenheim Bilbao é muitas vezes retratado como produto de nada além da imaginação e genialidade do arquiteto. Observadores mais cínicos veem isso como um exemplo do fenômeno "*starchitect*", no qual arquitetos famosos fazem criações inspiradas em seus egos inflados e suas peculiaridades. Ambas as representações estão erradas.

Quando Gehry foi abordado pela primeira vez na década de 1990 para considerar o projeto, ele viajou para Bilbao e se reuniu com funcionários do governo do País Basco, uma região autônoma no norte da Espanha. O governo era o possível cliente, tendo criado um plano no qual pagaria à Fundação Solomon R. Guggenheim para criar e administrar um Museu Guggenheim em Bilbao, a maior cidade local. As autoridades escolheram um edifício elegante, mas abandonado, originalmente construído em 1909 como um armazém de vinhos, para ser a futura sede do museu. Será que Gehry consideraria conduzir a reforma?

Outro arquiteto poderia simplesmente dizer "Não, obrigado" e ir embora. Ou "Sim" e começado a trabalhar – assim como o arquiteto de David e Deborah. Mas Gehry, não. Ele fez perguntas, começando com a principal: "Por que estão fazendo esse projeto?".

Ele havia sido informado de que o País Basco já fora um centro de indústria pesada e transporte marítimo. Mas isso foi no passado. "Bilbao não era tão ruim quanto Detroit, mas quase", lembrou ele anos depois. "A indústria do aço já era. A indústria marítima, também. Parecia muito triste."[2] Bilbao estava enferrujada e vazia, e poucos estrangeiros ouviam falar dela, por isso a região não se beneficiava do enorme fluxo de turistas que inundava anualmente o sul da Espanha e Madri. O Museu Guggenheim, esperavam as autoridades, atrairia visitantes para Bilbao e revigoraria a economia. Os responsáveis disseram a Gehry que queriam um prédio que pudesse fazer por Bilbao e pelo País Basco o que a Ópera de Sydney havia feito pela cidade e pela Austrália: colocá-los no mapa e trazer de volta o crescimento econômico.[3]

Gehry inspecionou o antigo armazém. Ele gostou do edifício, mas não para um projeto com esse objetivo. O prédio teria que ser demolido e substituído, disse ele. E isso seria uma pena, já que poderia ser usado de outra forma.

No entanto, Gehry teve outra ideia. Ele havia visto um prédio industrial abandonado à beira do rio que tinha uma bela vista em várias direções. Esqueçam a reforma, disse ele. Construam um museu novo e deslumbrante naquele local ribeirinho.[4]

Os responsáveis concordaram. E por uma boa razão. O objetivo deles de impulsionar a economia era ambicioso, exigindo aumento no turismo. Em teoria, um novo Guggenheim em um edifício

---

[2] Academy of Achievement, "Frank Gehry, Academy Class of 1995, Full Interview", YouTube, July 19, 2017, https://www.youtube.com/watch?v= wTElCmNkkKc.

[3] Paul Goldberger, *Building Art: The Life and Work of Frank Gehry* (New York: Alfred A. Knopf, 2015), 290-94.

[4] Ibid., 290.

renovado talvez pudesse entregar esses benefícios. Mas qual era a probabilidade disso? Alguma reforma, por mais brilhante que fosse, já criou um frisson global capaz de atrair pessoas de todo o mundo em grande número? É difícil lembrar de alguma. Mas edifícios novos e espetaculares, em locais impressionantes, conquistam a atenção global. Alguns até atraíram visitantes em grande número, como a Opera House, em Sydney. Ainda seria um enorme desafio, mas essa abordagem parecia mais propensa a entregar o que os bascos queriam, argumentou Gehry.

O edifício resultante emocionou os críticos de arquitetura e as pessoas comuns, e o Guggenheim Bilbao tornou-se uma sensação da noite para o dia. Os turistas inundaram a cidade. E levaram o dinheiro. Nos primeiros três anos de operação, quase quatro milhões de pessoas visitaram esse canto outrora obscuro da Espanha, injetando pouco menos de US$ 1 bilhão (em dólares de 2021) na economia da região.[5]

A imaginação, o gênio e o ego de Frank Gehry estiveram certamente envolvidos na criação do Guggenheim Bilbao. Mas o edifício foi moldado de acordo com o objetivo do projeto. Como mostra o histórico de Gehry, ele é perfeitamente capaz de projetar edifícios modestos e discretos em comparação ao que fez em Bilbao. Na verdade, Gehry até fez uma reforma discreta em um museu na Filadélfia, anos depois.[6] Mas o que o cliente queria em Bilbao exigia muito mais do que um projeto despretensioso. Um projeto arrojado permitiu que os desejos do cliente fossem atendidos e o local se tornasse a atração turística que se tornou.

---

[5] Ibid., 303. O sucesso em Bilbao foi tão significativo que deu origem à expressão "efeito Bilbao" para descrever a revitalização econômica resultante da criação de um novo edifício espetacular. Mas o que aconteceu em Bilbao apenas repetiu o que a Sydney Opera House havia feito pela primeira vez em Sydney, um precedente que estava muito presente nas mentes das autoridades bascas, que pediram explicitamente a Gehry que o reproduzisse. Então, o fenômeno pode ser mais bem chamado de "efeito Sydney". Seja qual for o nome, é algo raro. Muitas cidades tentaram replicá-lo, mas, fora Sydney e Bilbao, o histórico de tentativas foi de decepção.

[6] Jason Farago, "Gehry's Quiet Interventions Reshape the Philadelphia Museum", *The New York Times*, May 30, 2021.

Os projetos não são objetivos em si mesmos. Os projetos são a forma como os objetivos são alcançados. As pessoas não constroem arranha-céus, realizam conferências, desenvolvem produtos ou escrevem livros por si só. Fazem essas coisas a fim de realizar outras coisas.

Essa é uma ideia simples e evidente, mas facilmente esquecida quando a falácia WYSIATI do capítulo 2 nos leva a uma conclusão que parece tão óbvia que nem vale a pena discuti-la. Se eu tivesse perguntado a David e Deborah no início do projeto qual era o objetivo deles, provavelmente teriam encolhido os ombros e dito algo como: "Ter uma boa cozinha". Isso é o que as pessoas dizem quando confundem meios e fins.

No início de um projeto, precisamos interromper o ímpeto psicológico que nos leva a uma conclusão prematura, separando meios e fins e pensando com cuidado sobre o que exatamente queremos realizar. A pergunta de Frank Gehry, "Por que você quer fazer esse projeto?", faz isso.

Imagine políticos que querem ligar uma ilha ao continente. Quanto custaria uma ponte? Onde deveria estar localizada? Quanto tempo levaria para construí-la? Se eles discutirem tudo isso em detalhes, provavelmente sentirão que fizeram um excelente planejamento quando, na verdade, começaram com uma resposta – uma ponte é a melhor solução – e prosseguiram a partir daí. Se eles, em vez disso, explorassem *por que* querem conectar a ilha ao continente – para reduzir o tempo de deslocamento, aumentar o turismo, fornecer acesso mais rápido a cuidados de saúde de emergência, seja o que for –, se concentrariam primeiro nos *fins* e só então passariam a discutir os *meios* para alcançar esses fins, o que seria a ordem certa das coisas. É assim que surgem novas ideias: que tal um túnel? Balsas? Um heliporto? Há muitas maneiras de conectar uma ilha com o continente e atender a uma necessidade. Dependendo do objetivo, uma conexão física pode nem ser necessária. Um excelente serviço de banda larga pode fazer o que é necessário, e mais, por uma fração do custo. "Conectar" a ilha pode nem ser necessário ou aconselhável. Se o acesso a cuidados de saúde de emergência for a preocupação, por exemplo, a melhor opção pode ser instalar esse serviço na ilha. Mas nenhuma dessas opções virá à tona se a discussão começar com uma resposta.

Desenvolver uma compreensão clara de qual é o objetivo e por que – e nunca o perder de vista do início ao fim – é a base de um projeto bem-sucedido.

No planejamento de projetos, uma ferramenta padrão é um fluxograma que estabelece, da esquerda para a direita, o que precisa ser feito e quando, com o projeto sendo concluído quando a meta é alcançada na caixa final à direita. Esse conceito simples também é valioso nos estágios iniciais de planejamento, porque pode nos ajudar a visualizar um projeto não como um fim em si, mas como um meio para um fim: o objetivo é a caixa na direita. É aí que o planejamento do projeto deve começar, fazendo a pergunta de Frank Gehry e explorando cuidadosamente o que deve estar nessa caixa. Uma vez que isso esteja definido, você pode considerar o que deve ser colocado nas caixas à esquerda – os meios que melhor o levarão ao seu objetivo.

Chamo isso de "pensar da direita para a esquerda". Mas muitas outras pessoas que trabalham em diferentes campos identificaram noções semelhantes e usaram uma linguagem diferente para descrever o que é fundamentalmente a mesma ideia.

"*Backcasting*" é usado no planejamento urbano e ambiental. Originalmente desenvolvido pelo professor da Universidade de Toronto John B. Robinson para lidar com problemas de energia, o *backcasting* começa desenvolvendo uma descrição detalhada de um estado futuro desejável. A partir disso, você trabalha para descobrir o que precisa acontecer para que esse futuro imaginado se torne realidade.[7] Um exercício de *backcasting* que analisou as necessi-

---

7  John B. Robinson, "Futures Under Glass: A Recipe for People Who Hate to Predict", *Futures* 22, no. 8 (1990): 820–42.

dades de água da Califórnia começou imaginando uma Califórnia ideal 25 anos no futuro, depois perguntou o que teria de acontecer – abastecimento, taxas de consumo, conservação, e assim por diante – para tornar esse resultado real.[8]

"Teoria da mudança" é um processo semelhante frequentemente usado por agências governamentais e organizações não governamentais (ONGs) que buscam mudanças sociais, como aumentar as taxas de alfabetização, melhorar o saneamento ou proteger melhor os direitos humanos. Mais uma vez, começa-se definindo o objetivo e somente depois consideram-se os cursos de ação que poderiam produzir esse resultado.

O Vale do Silício está longe desses mundos, mas a mesma ideia é amplamente utilizada nos círculos tecnológicos. "Você tem que começar com a experiência do cliente e trabalhar de trás para a frente com a tecnologia", disse Steve Jobs ao público na Conferência Mundial de Desenvolvedores da Apple de 1997. "Você não pode começar com a tecnologia e tentar descobrir como vai tentar vendê-la. Cometi esse erro provavelmente mais do que qualquer um nesta sala e tenho as cicatrizes para provar isso."[9] Hoje, "trabalhar de trás para a frente" é um mantra no Vale do Silício.

## PERDENDO DE VISTA A DIREITA

A maneira mais comum de falhar ao pensar da direita para a esquerda é perder de vista a direita, o objetivo. Mesmo Steve Jobs cometeu esse erro depois de insistir no oposto: que os projetos têm de começar com a experiência do cliente e trabalhar de trás para a frente com a tecnologia. O exemplo mais famoso foi o

---

8 Peter H. Gleick et al., *"California Water 2020: A Sustainable Vision"*, *Pacific Institute*, May 1995, http://s3-us-west-2.amazonaws.com/ucldc-nuxeo-ref-media/dd359729-560b-4899-aaa2-1944b7a42e5b.

9 Os comentários completos de Steve Jobs, que foram motivados por uma pergunta difícil do público, estão disponíveis no seguinte vídeo: 258t, "Steve Jobs Customer Experience", YouTube, October 16, 2015, https://www.youtube.com/watch?v=r2O-5qKZlI50.

Power Mac G4 Cube, da Apple. Lançado em 2000, o G4 era um cubo translúcido que ainda hoje parece lindamente futurista. Não tinha interruptor de energia. Você apenas acenava com a mão, e ele ligava. Tão incrível. Tão Steve Jobs. E esse foi o problema. O G4 não tinha sido projetado de acordo com os clientes da Apple e o que lhes serviria melhor. Sua combinação de custo, capacidades e estética foi moldada pelas paixões de Steve Jobs, e, por mais impressionante que a máquina fosse, era um produto estranho para os clientes. O G4 fracassou, e a Apple o descartou um ano depois, com um grande custo.[10]

Mas "trabalhar de trás para a frente" também falha quando os planejadores não se comprometem em realizar o que está na caixa do fluxograma final à direita e são forçados a pensar da direita para a esquerda. Sem isso, é fácil ser consumido pelo excesso de detalhes e dificuldades que surgem durante o planejamento de qualquer projeto, enquanto o objetivo, que era apenas vagamente compreendido, desaparece de vista. Depois disso, o projeto pode desviar-se em direções imprevisíveis, como a renovação da cozinha de David e Deborah.

Jeff Bezos estava bem ciente desse perigo e criou uma maneira elegante de manter a Amazon focada nos clientes, o principal lema da empresa. Bezos observou que, quando um projeto é concluído com sucesso e está pronto para ser anunciado publicamente, a última etapa convencional é fazer com que o departamento de comunicação escreva dois documentos. Um deles é um comunicado de imprensa muito curto (PR) que resume o que é o novo produto ou serviço e por que ele é valioso para os clientes. O outro é um documento de "perguntas frequentes" (FAQ) com mais detalhes sobre custos, funcionalidade e outras preocupações. A ideia de Bezos era

---

10 Steven Levy, "20 Years Ago, Steve Jobs Built the 'Coolest Computer Ever'. It Bombed", *Wired*, July 24, 2020; https://www.wired.com/story/20-years-ago-steve-jobs-built-the-coolest-computer-ever-it-bombed/.

transformar a *última* etapa de um projeto convencional na *primeira* etapa dos projetos da Amazon.[11]

Para apresentar um novo projeto na Amazon, você deve primeiro escrever um PR e FAQ, colocando o objetivo nas frases iniciais do comunicado de imprensa. Tudo o que acontece posteriormente é realizado de trás para a frente a partir do PR/FAQ, como é chamado na Amazon. A linguagem de ambos os documentos deve ser simples. "Chamei isso de 'fala da Oprah'", diz Ian McAllister, um ex-executivo da Amazon que escreveu vários PRs/FAQs para Jeff Bezos.[12] "Sabe, Oprah recebia alguém em seu programa que dizia alguma coisa complicada, e ela explicava aquilo para seu público de uma forma muito simples que qualquer pessoa poderia entender." Com uma linguagem como essa, os erros não podem ser escondidos atrás de jargões, slogans ou termos técnicos. A ideia é desnudada. Se uma ideia é difusa, mal analisada ou sem lógica, ou mesmo baseada em suposições, um leitor cuidadoso irá perceber.

Os projetos são apresentados em uma reunião de uma hora com os principais executivos. A Amazon proíbe apresentações em PowerPoint e todas as ferramentas usuais do mundo corporativo. Então cópias do PR/FAQ são entregues, e todos leem, lenta e cuidadosamente, em silêncio. Em seguida, eles compartilham suas considerações iniciais, com os funcionários mais experientes falando por último, para evitar influenciar prematuramente os outros. Por fim, o autor lê o documento linha por linha, e qualquer pessoa pode falar a qualquer momento. "Essa discussão dos detalhes é a parte mais importante da reunião", escreveram Colin Bryar e Bill Carr, dois ex-executivos da Amazon. "As pessoas fazem perguntas difíceis. Um

---

11 Colin Bryar and Bill Carr, *Working Backwards: Insights, Stories, and Secrets from Inside Amazon* (New York: St. Martin's Press, 2021), 98–105; Charles O'Reilly and Andrew J. M. Binns, "The Three Stages of Disruptive Innovation: Idea Generation, Incubation, and Scaling", *California Management Review* 61, no. 3 (May 2019): 49–71.
12 Entrevista do autor com Ian McAllister, 12 de novembro de 2020.

debate intenso se inicia, e eles discutem as ideias-chave e a forma como essas ideias são apresentadas."[13]

O autor do PR/FAQ então leva o feedback em consideração, escreve outro rascunho e o leva de volta ao grupo. O mesmo processo se desenrola novamente. E outra vez. E outra vez. Tudo referente à proposta é testado e fortalecido em diversas discussões. Por ser um processo participativo com as pessoas relevantes profundamente envolvidas desde o início, garante que o conceito que finalmente surge seja visto com igual clareza na mente de todos, desde a pessoa que propôs o projeto até o CEO. Todos em conjunto desde o início.

Mas nenhum processo é infalível. Quando Jeff Bezos sonhou com a ideia de uma tela de celular 3D que permitisse o controle por gestos no ar (a mão acenando novamente!), ele se apaixonou pelo conceito. Mais tarde, foi coautor do PR/FAQ que lançaria o projeto Amazon Fire Phone. Bill Carr, ex-vice-presidente de mídia digital da Amazon, lembrou-se de se perguntar, quando ouviu falar pela primeira vez sobre o Fire Phone, em 2012, por que alguém iria querer um display 3D que drenasse a bateria de um telefone.[14] Mas o projeto seguiu adiante, ocupando mais de mil funcionários. Quando o Fire Phone foi lançado, em junho de 2014, por US$ 200, não havia procura. O preço foi cortado pela metade. Depois, o telefone era de graça. A Amazon não conseguia se livrar dele. Um ano mais tarde, foi descontinuado, gerando prejuízo de centenas de milhões de dólares. "O Fire Phone falhou por todas as razões pelas quais dissemos que iria falhar – isso é o mais louco nesse projeto", disse um engenheiro de software. Perguntar "por quê?" só funciona onde as pessoas se sentem livres para falar o que pensam e os tomadores de decisão realmente escutam. "Muitos funcionários que trabalharam no Fire Phone tinham sérias dúvidas sobre ele", concluiu o jornalista e autor Brad Stone, que escreveu histórias sobre a Amazon, "mas

---

13  Bryar and Carr, *Working Backwards*, 106–9.
14  Ibid., 158–60.

ninguém, ao que parecia, foi corajoso ou inteligente o suficiente para se impor e ganhar uma discussão com seu líder determinado".[15]

Pensar da direita para a esquerda é difícil porque não é natural. O natural é pensar por meio do raciocínio WYSIATI – o que você vê é o que há para ver – e focar exclusivamente no que está à sua frente. E quando você está obcecado por uma ideia legal, interessado em realizar o projeto ou enterrado em mil e um detalhes, a caixa à direita não é a prioridade. É aí que os problemas começam.

Robert Caro pode ajudar com isso.

Caro é o maior biógrafo americano vivo, famoso por livros longos, pesquisados à exaustão e complexos sobre o presidente Lyndon B. Johnson e Robert Moses, o homem que construiu Nova York. Seus livros chegam a levar uma década ou mais para ser escritos. Ele começa todos os seus projetos colossais da mesma maneira: preenche a caixa à direita.

"Sobre o que é esse livro?", ele se pergunta. "Qual é o objetivo?" Ele se obriga a "resumir o livro em três parágrafos, dois, ou um".[16] Esses parágrafos expressam o tema narrativo com perfeita simplicidade.

Mas não confunda simplicidade com facilidade. Caro escreve um rascunho e o joga fora. Depois outro. E outro, em repetições aparentemente intermináveis. Isso pode durar semanas, pois ele compara seu resumo com sua volumosa pesquisa. "O tempo todo, digo a mim mesmo: 'Não, não é exatamente isso que você está tentando fazer neste livro.'" Ele fica de mau humor. "Chego em casa, e [minha esposa] nem quer me ver nas primeiras horas." Mas todo esse esforço vale a pena. Quando ele finalmente tem seus preciosos

---

15 Brad Stone, *Amazon Unbound: Jeff Bezos and the Invention of a Global Empire* (New York: Simon & Schuster, 2021), 40–41.

16 Robert A. Caro, *Working: Researching, Interviewing, Writing* (New York: Vintage Books, 2019), 197–99. A partir de uma entrevista originalmente publicada em *Paris Book Review*, 2016.

parágrafos, prende-os à parede atrás de sua mesa, onde é literalmente impossível perder de vista seu objetivo.

Nos anos seguintes, enquanto escreve seu livro, aprofundando-se cada vez mais em sua pesquisa, arriscando se perder em sua complexidade, Caro constantemente olha para o resumo e o compara com o que está escrevendo atualmente. "Isso se encaixa nesses três parágrafos?", ele se pergunta. "Como se encaixa? O que você escreveu é bom, mas não se encaixa. Então você precisa jogá-lo fora ou encontrar uma maneira de encaixá-lo."

Com o objetivo sempre em vista, não há como se perder. Isso é pensar da direita para a esquerda.

## DE VOLTA A COBBLE HILL

Imaginemos que estamos em 2011. David e Deborah estão sentados em sua pequena cozinha, bebendo café e falando sobre a reforma. Como deveria ser essa conversa para dar uma base sólida ao projeto? Deve começar com a pergunta de Frank Gehry: "Por que vocês estão realizando esse projeto?".

Eles provavelmente começariam com o óbvio, algo como: "Seria bom passar mais tempo aqui cozinhando". Mas essa é uma resposta superficial. Precisam ir mais fundo. Para quem vão cozinhar? Se são convidados, são familiares próximos? Amigos? Colegas de trabalho? Por que eles querem fazer mais isso?

Então, o que deve entrar na caixa à direita? Isso não pode ser decidido sem entrar em muitos detalhes sobre as vidas, aspirações e prioridades de David e Deborah. Mas uma possibilidade é: "queremos receber pessoas mais frequentemente em nossa casa". Essa ideia deve ser elaborada. Por que querem recebê-las mais? O projeto precisa de um objetivo claro e explícito. É algo que não pode ser resolvido de forma leviana. É a razão de todo o projeto e deve ser tratada de acordo com isso.

Se o objetivo é receber pessoas com mais frequência em casa, como David e Deborah fariam isso melhor? Eles não podem fazê-lo sem uma reforma na cozinha. Mas será que isso os levará ao seu objetivo? Os convidados usarão não apenas a cozinha, mas também a sala de estar, com a lareira feia improvisada e aquele lavabo horrível. Se esse pensamento os fizer estremecer, eles descobrirão que a bagunça da cozinha não é a única barreira para seu objetivo. Eles também precisam consertar o lavabo e refazer a lareira.

Ao trabalhar cuidadosamente com o que deve ser feito para chegar ao objetivo, a ideia que surgiu no meio da construção e convenceu David e Deborah a fazer expansões no projeto, em vez disso, aparecerá antes em uma conversa sobre quais outras reformas eles podem considerar. Se uma grande reforma está em andamento e o casal tem que sair de qualquer maneira, não faz sentido considerar também outra reforma que talvez queiram fazer no futuro? Fazer tudo logo. Além disso, é mais barato ter trabalhadores vindo ao local uma vez e fazendo várias reformas, em vez de voltar diversas vezes.

Se o escopo do projeto se expandir dessa maneira – em conversa, lembre-se, não na realidade –, certamente a questão do dinheiro será levantada. Eles podem pagar por isso? É algo que depende não somente de suas finanças atuais, mas também de seus planos futuros. Os valores dos imóveis estão muito altos desde que se mudaram, então eles poderiam recuperar parte do dinheiro quando venderem o apartamento. Mas será que *vão* vender o apartamento? Eles pretendem ficar lá até o fim das suas carreiras? Onde vão morar quando se aposentarem? Essas decisões podem estar muito longe de ser motivo de preocupação, ou podem ser considerações importantes. Isso só pode ser esclarecido se essas questões forem formuladas e discutidas.

Talvez a conversa levasse David e Deborah a expandir um pouco o projeto. Ou muito. Talvez decidissem que o projeto deveria ter um objetivo mais ambicioso – algo como "tornar o tempo em casa mais agradável em todos os aspectos e elevar o valor do apartamento a todo o seu potencial de mercado" – e concluíssem que deveriam fazer uma renovação completa.

Ou talvez olhassem para o custo, suas finanças e seus planos de aposentadoria e optassem por reduzir o projeto. Talvez decidissem que seria muito caro fazer tudo e que não valeria a pena fazer parcialmente, então escolhessem cancelar a coisa toda.

Talvez decidissem aplicar o dinheiro na casa do campo onde passam os verões. Ou que, em vez de fazerem melhorias, deveriam investir o dinheiro.

Mas de duas coisas podemos ter certeza: se tivessem feito essas perguntas, David e Deborah jamais teriam tocado a reforma da maneira que fizeram. E cada uma das abordagens possíveis teria produzido um resultado superior ao que eles obtiveram. O planejamento seria feito apenas uma vez. Os planos teriam sido apresentados uma vez. O trabalho teria sido conduzido na ordem mais eficiente, de modo mais rápido. E de uma só vez. O projeto teria custado a David e Deborah muito menos dinheiro, tempo e dor de cabeça.

E o mais importante, o projeto não teria saído do controle e teria permanecido o produto de escolhas conscientes. Em vez de algo que aconteceu com eles, teria sido algo que eles fizeram acontecer.

## PÓS-ESCRITO

Ao escrever este capítulo, omiti uma parte substancial da história de David e Deborah. Lembre-se de que a casa deles tem quatro andares, mais um porão. David e Deborah são proprietários apenas dos dois andares inferiores e do porão. Os vizinhos são donos dos dois andares superiores. David e Deborah eram legalmente obrigados a ter a aprovação dos vizinhos na reforma da cozinha, e tiveram. Porém, as duas famílias não discutiram seriamente seu plano, muito menos o que poderiam fazer em conjunto dentro do que é, afinal, um único pequeno edifício.

Isso foi lamentável, porque, depois que David e Deborah passaram por dezoito meses de um verdadeiro inferno, seus vizinhos viram o apartamento reformado, gostaram da aparência e decidiram fazer igual, da mesma maneira. Assim como David e Deborah, os vizinhos não decidiram cuidadosamente qual objetivo deveria entrar na caixinha à direita. Como David e Deborah, não pensaram com cuidado sobre as melhores maneiras de atingir os seus objetivos. Eles até contrataram o empreiteiro de David e Deborah.

O resultado foi o mesmo, exceto que foi prolongado por mais dois anos de agonia. O trabalho no andar de cima enchia o andar de baixo de poeira e ocasionalmente causava danos. Deborah não aguentava mais. Ela se mudou de lá. A certa altura, David passou três meses no escuro porque folhas de compensado cobriam suas janelas. Ele finalmente se cansou e ficou na casa de um amigo por um ano. O trabalho que havia sido feito na primeira reforma teve que ser arrancado e refeito na segunda. O momento mais sombrio foi quando os vizinhos descobriram que a fachada de tijolos do edifício estava correndo o risco de desmoronar, o que exigia que todos os tijolos fossem removidos e realinhados. A parte de David e Deborah nessa conta chegou a US$ 180 mil.

Pelos cálculos de David, ele, Deborah e seus vizinhos gastaram um total de cerca de US$ 1 milhão *cada* renovando a pequena casa. Se alguém tivesse sugerido fazer algo assim no início, diz ele, teria chamado essa pessoa de "louca". Mas foi aí que eles chegaram, paradoxalmente, porque começaram o projeto "presos a uma visão limitada do que queríamos alcançar", nas palavras de David. Isso não teria acontecido se David e Deborah tivessem começado seu projeto com perguntas no estilo Gehry e pensado da direita para a esquerda, incluindo os vizinhos na discussão. Mas não.

Afinal, era apenas uma pequena reforma na cozinha. O que poderia dar errado?

# 4
# PLANEJAMENTO DA PIXAR

*As pessoas costumam ter muita dificuldade de acertar as coisas na primeira vez. Mas somos ótimos em fazer ajustes. Planejadores sábios aproveitam ao máximo essa característica da natureza humana. Tentam, aprendem e fazem de novo. Eles planejam como a Pixar e Frank Gehry.*

Este é um conto de duas obras-primas.

A primeira fica em um local rochoso do porto de Sydney, na costa australiana. A Sydney Opera House é um conjunto de curvas brancas graciosas que lembram velas ondulantes, nuvens ou asas de pássaros. Desafiando massa e escala, o edifício traz uma sensação de elevação. Parece leve e alegre, como se pudesse simplesmente levantar voo. Quando foi concluído, há meio século, impressionou o mundo todo. Não existia nada assim. A Opera House transformou-se em um símbolo de orgulho nacional e um tesouro internacional. "Ele se destaca como uma das obras-primas indiscutíveis da criatividade humana", declarou um relatório de avaliação de especialistas encomendado pela Unesco. Em 2007, foi tombado como Patrimônio Mundial da Unesco, ao lado do Taj Mahal e da Grande Muralha da China. Foi a primeira vez que um edifício cujo arquiteto ainda estava vivo recebeu esse título.[1]

Já falamos sobre a segunda obra-prima. É o Museu Guggenheim Bilbao. O renomado escultor americano Richard Serra o chamou de

---

1 "World Heritage List: Sydney Opera House", Unesco, https://whc.unesco.org/en/list/166.

"uma das maiores realizações da arquitetura no século 20".[2] Quando uma pesquisa de 2010 pediu aos principais arquitetos e especialistas em arquitetura do mundo para citar as obras mais importantes desde 1980, o Guggenheim Bilbao foi de longe o mais citado.[3]

Muitas pessoas consideram a Sydney Opera House e o Museu Guggenheim Bilbao os mais importantes edifícios do século passado. Concordo.

O design da Sydney Opera House é obra de um gênio. O arquiteto foi Jørn Utzon, relativamente desconhecido quando ganhou o concurso internacional para conceber o projeto.

O Guggenheim Bilbao foi também produto de um gênio. Projetado por Frank Gehry, é indiscutivelmente o maior trabalho de um arquiteto tão original que a única categoria em que pode ser colocado é a sua própria.

Mas há uma diferença entre esses dois edifícios. E é grande.

A construção de Sydney foi um fiasco completo. Houve uma sucessão de problemas. Os custos explodiram. Foi programada para durar cinco anos, mas levou catorze. Por fim, os custos ficaram 1.400% acima da estimativa inicial, um dos maiores custos excedentes da história. Pior do que isso, a Sydney Opera House destruiu a carreira de Jørn Utzon.

O Guggenheim Bilbao foi entregue dentro do prazo e do orçamento. Para ser preciso, custou 3% *menos* do que o esperado.[4] E, como vimos no capítulo anterior, produziu os benefícios esperados e muito mais, dando ao empreendimento um lugar seleto entre apenas 0,5% dos grandes projetos que cumprem todas as promessas. Esse sucesso levou Frank Gehry ao topo dos arquitetos do mundo,

---

2 Cristina Bechtler, *Frank O. Gehry/Kurt W. Forster* (Ostfildern-Ruit: Hatje Cantz, 1999), 23.

3 Matt Tyrnauer, "Architecture in the Age of Gehry", *Vanity Fair*, June 30, 2010.

4 Paul Goldberger, *Building Art: The Life and Work of Frank Gehry* (New York: Alfred A. Knopf, 2015), 299; Bent Flyvbjerg, "Design by Deception: The Politics of Megaproject Approval", *Harvard Design Magazine*, no. 22 (Spring–Summer 2005): 50–59.

trazendo muito mais projetos e um vasto e distinto histórico de trabalhos em todo o mundo.

Há muito a aprender a partir desse contraste.

## *EXPERIRI*

"Planejamento" é um conceito com bagagem. Para muitos, isso sugere uma atividade passiva: sentar, pensar, olhar para o nada, abstrair o que você fará. Em sua forma mais institucional, o planejamento é um exercício de escritório no qual o planejador escreve relatórios, colore mapas e gráficos, programa atividades e preenche fluxogramas. Tais roteiros, muitas vezes, parecem horários de trem, mas são ainda menos interessantes.

Muitos planejamentos se encaixam nessa descrição. E isso é um problema porque é um erro grave tratar o planejamento como um exercício de pensamento e cálculo abstratos e burocráticos. O que diferencia um bom planejamento do resto é algo completamente diferente. É bem sintetizado por um verbo em latim, *experiri*. *Experiri* significa "tentar", "testar", ou "provar". É a origem de duas palavras maravilhosas: *experimento* e *experiência*.

Pense em como as pessoas normalmente aprendem: fazemos ajustes. Tentamos isso. Tentamos aquilo. Vemos o que funciona e o que não funciona. Repetimos. Então, aprendemos. O que vemos aqui é a experimentação criando experiência. Ou, para usar a frase dos teóricos, é o "aprendizado experimental". Somos bons em aprender ajustando – o que é uma sorte, porque somos terríveis em acertar as coisas na primeira vez.

Aprimorar um projeto às vezes requer tenacidade, mas sempre demanda grande disposição para aprender com o fracasso. "Eu não falhei dez mil vezes", disse Thomas Edison. "Encontrei com sucesso dez mil maneiras que não vão funcionar." Isso não foi uma hipérbole. Simplesmente para descobrir como fazer um filamento de baixo custo e longa duração para uma lâmpada, Edison teve que fazer centenas de experimentos com diferentes substâncias antes de encontrar aquela que funcionou – o bambu carbonizado.[5]

A experimentação no planejamento requer uma simulação do projeto por vir. Dessa forma, você pode fazer alterações na simulação e ver o que acontece. Mudanças que funcionam – mudanças que o levarão à caixa da direita – são mantidas. Aquelas que não funcionam são descartadas. Com muitas repetições e testes sérios, a simulação evolui para um plano criativo, rigoroso e detalhado, ou seja, um plano *confiável*.

A vantagem da nossa espécie, no entanto, é que podemos aprender não apenas com a nossa própria experiência, mas com a dos outros também. O próprio Edison começou seus experimentos com filamentos de lâmpadas estudando os resultados de muitos outros cientistas e inventores que tentaram criar uma lâmpada eficiente antes dele. E uma vez resolvido o problema, qualquer um poderia pular os experimentos, estudar o que ele havia feito e fazer uma lâmpada que funcionasse.

Ainda assim, mesmo que eu conheça a solução de Edison para o problema da lâmpada, minha primeira tentativa de fazer uma lâmpada que funcione quase certamente será uma luta. Será um processo lento, e minha lâmpada pode não funcionar bem. Por isso, repito a tentativa e me saio um pouco melhor. E faço isso de novo e de novo e de novo. E já estou muito melhor. Isso é chamado de "curva de aprendizagem positiva": as coisas ficam mais fáceis, mais baratas e mais eficazes a cada repetição.[6] Isso também é experiência, e é inestimável. Como diz o velho ditado em latim, *"Repetitio est mater studiorum"*—"A repetição é a mãe do aprendizado".

Um bom plano é aquele que aplica cuidadosamente experimentação ou experiência. Um plano excelente é aquele que aplica

---

5     Paul Israel, *Edison: A Life of Invention* (New York: John Wiley & Sons, 1998), 167–77.
6     Para saber mais sobre curvas de aprendizado positivas e negativas, consulte Bent Flyvbjerg, "Four Ways to Scale Up: Smart, Dumb, Forced, and Fumbled", *Saïd Business School Working Papers*, University of Oxford, 2021.

rigorosamente ambos. Neste capítulo, analisarei como usar a experimentação no planejamento; no próximo capítulo, a experiência.

## "UM RABISCO MAGNÍFICO"

Um plano ruim é aquele que não aplica nem a experimentação, nem a experiência. O planejamento para a Sydney Opera House era *muito* ruim.

O crítico de arte australiano Robert Hughes descreveu a proposta de Jørn Utzon na competição de design como "nada mais do que um magnífico rabisco".[7] Isso é um pouco exagerado, mas não muito. A proposta de Utzon era tão estranha que nem satisfazia todos os requisitos técnicos estabelecidos pelos organizadores, mas seus esboços simples eram indiscutivelmente brilhantes – talvez brilhantes demais. Seus desenhos hipnotizaram o júri e eliminaram qualquer objeção, deixando uma série de perguntas sem resposta.

O principal mistério estava nas conchas curvas no coração da ideia de Utzon. Elas eram bonitas em papel bidimensional, mas que construções tridimensionais as colocariam de pé? De que materiais seriam feitas? Como seriam construídas? Nada disso tinha resposta. Utzon nem consultou engenheiros.

Nesse ponto, os organizadores da competição deveriam ter agradecido Utzon por sua ideia e pedido que ele usasse o tempo necessário para testá-la e aproveitasse a experiência de outros para desenvolver um plano sério. Com isso em mãos, estimativas de custo e tempo poderiam ter sido feitas, orçamentos autorizados e a construção iniciada. Essa teria sido uma abordagem "Pense devagar, aja rápido". Mas não foi isso que aconteceu. Aconteceu exatamente o oposto. A Sydney Opera House é um caso exemplar de "Pense rápido, aja devagar".

A principal força por trás do projeto foi Joe Cahill, o primeiro-ministro do estado de Nova Gales do Sul. Cahill ocupou o cargo por muitos anos e estava com câncer. Como tantos políticos, seus

---

7   Peter Murray, *The Saga of the Sydney Opera House* (London: Routledge, 2003), 7–8.

pensamentos voltaram-se para o legado que iria deixar. E como outros políticos, decidiu que as políticas públicas que ele havia criado não eram suficientes, que seu legado deveria assumir a forma tangível de um grande edifício. Mas os colegas do Partido Trabalhista Australiano de Cahill não compartilhavam de seu sonho. Nova Gales do Sul enfrentava uma grave escassez de moradias e escolas, e despejar dinheiro público em uma sala de concertos parecia loucura.

Diante de um dilema político clássico, Cahill escolheu uma estratégia política clássica: ele reduziu o custo, ajudado em parte por uma estimativa preparada para os juízes do concurso que simplesmente preencheu os grandes espaços em branco no plano com suposições otimistas e concluiu que o projeto de Utzon era o mais barato de todos.

E Cahill apressou o passo. Ele decretou que a construção começaria em fevereiro de 1959, independentemente do estado do planejamento. Não por acaso, uma eleição estava prevista para março de 1959. Ele instruiu seus funcionários a começar a obra e "fazer de tal modo que ninguém que me suceda possa impedir a construção".[8] Foi a estratégia de "começar a cavar um buraco", discutida no capítulo 2. E funcionou para Cahill. Em outubro de 1959, ele estava morto, mas a Sydney Opera House estava viva e em construção – embora ninguém soubesse exatamente o que eles estavam construindo, porque o projeto final não havia sido decidido e desenhado.

Enquanto Jørn Utzon trabalhava, percebeu que os desafios à frente eram muitos e assustadores, e que seria melhor se o projeto existisse apenas em sua mesa de desenho. Mas com a construção em andamento, era apenas uma questão de tempo até que problemas e surpresas desagradáveis viessem à tona e mergulhassem o projeto cada vez mais em sucessivos atrasos e correções. Utzon trabalhou arduamente e finalmente desvendou o quebra-cabeça de como construir as conchas curvas, substituindo-as por um projeto engenhoso,

---

8   Flyvbjerg, "Design by Deception".

mas substancialmente mais reto do que aquele que havia esboçado inicialmente.[9] Mas já era tarde demais para evitar o desastre.

Graças principalmente ao início apressado da construção, a única coisa que subiu rapidamente foram os custos. Parte do trabalho concluído até teve de ser dinamitada para que pudessem começar de novo. Inevitavelmente, o projeto tornou-se um escândalo político. O novo ministro encarregado, que detestava Utzon, intimidou-o e até mesmo reteve o seu pagamento. Em 1966, Utzon foi afastado e substituído no meio da construção, ainda com as conchas parcialmente erguidas e nenhum trabalho interior feito.[10] Sua família e ele deixaram a Austrália em segredo, partindo a bordo de um avião poucos minutos antes de as portas se fecharem, para evitar a imprensa.

Quando a Sydney Opera House foi finalmente inaugurada pela rainha Elizabeth II, em outubro de 1973, era acusticamente inadequada para apresentações musicais e apresentava muitos problemas internos, graças ao processo desordenado de sua construção e à demissão de seu idealizador. O homem que havia criado a estrutura ascendente sequer esteve presente nas cerimônias, e seu nome não foi mencionado.[11]

---

9   Na época, os engenheiros concluíram que o projeto original das conchas de Utzon não poderia ser construído. Décadas depois, a equipe de Frank Gehry provou que poderia de fato ter sido construído se o modelo de projeto Catia 3D de Gehry estivesse disponível para Utzon e sua equipe. A raiz do problema não era que o projeto de Utzon não pudesse ser construído, mas sim que a tecnologia para projetar e construí-lo ainda não havia sido desenvolvida.

10  Philip Drew, *The Masterpiece: Jørn Utzon, a Secret Life* (South Yarra, Victoria, Austrália: Hardie Grant Books, 2001).

11  Costuma-se dizer que Jørn Utzon não foi convidado para a cerimônia de abertura da Sydney Opera House. É uma boa história, e provavelmente é por isso que persiste, inclusive na Wikipedia ("Sydney Opera House", acessado em 9 de julho de 2022). Mas é falsa. Utzon foi convidado. Ele recusou, porém, alegando que sua presença poderia causar constrangimento ao reabrir a polêmica sobre o prédio, o que seria lamentável, dada a presença da rainha Elizabeth. A inauguração deve ser uma ocasião de alegria e celebração, não de antagonismo, argumentou Utzon. Ele também queria evitar a mídia e sabia que, se fosse para Sydney, isso seria impossível. Ele explicou que, dadas as circunstâncias, não comparecer era a coisa mais diplomática que ele poderia fazer (Drew, *The Masterpiece*, 432–433). Recusar o convite pode ter irritado os anfitriões, no entanto. Durante minha pesquisa, entrevistei funcionários da Sydney Opera Hou-

Utzon nunca mais voltou para a Austrália. Ele morreu em 2008, jamais tendo visto sua obra-prima completa com os próprios olhos. É uma tragédia digna de ópera.

## A PROTUBERÂNCIA QUE REDEFINIU A ARQUITETURA

A história de como o Museu Guggenheim Bilbao surgiu é muito menos dramática – e muito mais feliz. Embora tenha sido Gehry quem convenceu as autoridades de Bilbao a construir um novo museu à beira do rio, ele ainda precisava vencer a competição para projetá-lo. Para desenvolver o projeto, ele passou por um período intensivo do que chama de "jogo" – experimentando ideias. Em forma simples, Gehry esboça ideias no papel com rabiscos que confundiriam qualquer um que não soubesse no que ele estava trabalhando. Mas trabalha principalmente com modelos, começando com blocos de construção de madeira de vários tamanhos que ele empilha primeiro de uma maneira, depois de outra, procurando algo que pareça funcional e visualmente agradável. Trabalhando com Edwin Chan, um arquiteto de sua empresa, Gehry começou com um modelo preliminar de blocos, e em seguida adicionou pedaços de papel branco torcidos em várias formas. Ele estudou cada mudança atentamente e discutiu se deveria ser mantida ou removida. Os assistentes construíram um modelo novo de madeira e papelão, e o processo foi repetido. "Muitas vezes, havia vários modelos em um único dia, pois Frank testava e rejeitava várias ideias seguidas", escreveu

---

se. Eles me disseram que, por décadas após a inauguração, foram instruídos a não mencionar o nome de Utzon durante os passeios guiados pelo prédio (o que acontece várias vezes ao dia). Em vez disso, Peter Hall, o arquiteto australiano contratado para terminar o espaço, foi nomeado o arquiteto. Somente na década de 1990, quase trinta anos depois de Utzon ter deixado a Austrália, o mundo acordou para o abandono e de repente começou a cobri-lo de prêmios, incluindo o Wolf Prize, em Israel, o Sonning Prize, na Dinamarca, e o Pritzker Architecture Prize, no Estados Unidos. Por fim, chegou-se a uma espécie de reconciliação quando as autoridades da casa de ópera convidaram Utzon para preparar diretrizes de projeto para trabalhos futuros no edifício e Utzon aceitou o convite, em agosto de 1999, com a condição de que seu filho Jan Utzon o representasse na Austrália; ver ibid., xiv–xv.

Paul Goldberger, biógrafo de Gehry.[12] Duas semanas desses testes criaram o projeto vencedor de Gehry – após o qual o processo continuou: tentar, aprender e repetir.

Gehry trabalhou com modelos durante toda a carreira. Seu estúdio é cheio deles. Na verdade, ele tem um armazém inteiro contendo décadas de modelos. Começa por uma escala. Então, para ver o projeto em uma perspectiva diferente, ele normalmente tenta outra e depois outra, e assim por diante. Ele se concentra em algum aspecto do projeto em uma escala específica e se afasta para ver o todo em outra, aumentando e diminuindo o zoom até ficar satisfeito por entender como o edifício será de todos os pontos de vista. E está sempre experimentando novas ideias, discutindo os resultados com sua equipe e com os clientes, decidindo o que funciona e o que não funciona. E esse é apenas o início do seu processo.

Depois de conseguir o contrato para projetar o Guggenheim Bilbao, Gehry e Chan passaram a maior parte dos dois anos seguintes trabalhando com experimento após experimento, com o trabalho passando do mundo analógico de blocos de construção e papelão para uma sofisticada simulação digital usando um software chamado Catia.[13] Originalmente desenvolvido em 1977 pela gigante aeroespacial francesa Dassault para projetar jatos, foi modificado para projetar edifícios em toda a sua complexidade tridimensional. O nível de detalhe e precisão que o Catia fornece é surpreendente. Esse software fortaleceu o trabalho e a imaginação de Gehry como nenhuma outra ferramenta.

---

12 Goldberger, *Building Art*, 291–92.
13 Catia significa aplicação interativa tridimensional auxiliada por computador. É um conjunto de software para design auxiliado por computador (CAD), manufatura assistida por computador (CAM), engenharia auxiliada por computador (CAE), modelagem 3D e gerenciamento do ciclo de vida do produto (PLM), desenvolvido pela empresa francesa Dassault Systèmes. É usado em uma variedade de indústrias, incluindo aeroespacial e de defesa. Foi adaptado à arquitetura por iniciativa de Frank Gehry e sua prática. Mais tarde, Gehry renomeou sua adaptação como "Projeto Digital".

No início da carreira, Gehry trabalhou principalmente com linhas retas e formas semelhantes a caixas, mas, quando suas ideias se voltaram cada vez mais para as curvas, descobriu que o que imaginava, uma vez construído, o fazia estremecer. Ele me mostrou uma foto de um de seus primeiros edifícios com curvas, o Vitra Design Museum em Weil am Rhein, na Alemanha, concluído em 1989. É um belo edifício, mas o telhado da escada em caracol na parte de trás da estrutura tem uma protuberância que não parece intencional.[14] Isso porque realmente não foi. Gehry não podia fazer com que os construtores visualizassem suas ideias apenas com seus desenhos bidimensionais. Então eles não puderem materializá-las. Mesmo não tendo culpa disso. A visão de Gehry simplesmente não poderia ser traduzida para o mundo real. Mas o Catia foi criado para trabalhar com curvas tão sutis quanto as linhas da fuselagem de um jato e elementos de física tão ardilosos quanto a aerodinâmica em aeronaves que voam na velocidade do som. Pela primeira vez, Gehry e sua equipe puderam fazer experimentos com todo tipo de formas, confiantes em quais poderiam ser construídas.

Três anos depois de fazer esse telhado pesado na Alemanha, Gehry construiu o Peixe Olímpico, em Barcelona, para os Jogos Olímpicos de Verão de 1992. Esse foi seu primeiro projeto inteiramente idealizado no software Catia, e apenas por isso sua realização foi possível. Agora, as curvas fluíam. Apenas cinco anos depois, em 1997, o Museu Guggenheim Bilbao foi inaugurado. A transformação da protuberância na Alemanha para as curvas elegantes de Bilbao apenas oito anos depois é nada menos do que excepcional tanto tecnologicamente quanto esteticamente. Trata-se de uma transformação de estilo arquitetônico ímpar na história da arquitetura.

O Catia trouxe inesgotáveis possibilidades para a arquitetura. Gehry e sua equipe podiam alterar uma curva aqui ou uma forma ali, e o computador calculava rapidamente as implicações para

---

14 Para uma foto do Vitra Design Museum com a escada em espiral na parte de trás do edifício, consulte https://bit.ly/3n7hrAH.

todos os outros aspectos do edifício, desde a integridade estrutural (será que vai ficar de pé?) até a funcionalidade dos sistemas elétricos e hidráulicos (funcionará?) e o orçamento (podemos pagar?). O processo se tornou muito mais prático e preciso. Gehry aproveitou ao máximo as capacidades do software, testando ainda mais ideias. O edifício de Guggenheim primeiro foi inteiramente construído com sucesso em um computador. Somente após a conclusão de seu "gêmeo digital" – um termo que seria cunhado anos depois da criação de Gehry – a construção começou no mundo real.

Essa abordagem permitiu não apenas ousadia artística, mas também uma eficiência surpreendente, como Gehry e sua equipe demonstraram quando mais tarde iniciaram a construção do 8 Spruce Street, em Nova York, um prédio de 76 andares. Gehry teve a brilhante ideia de fazer a fachada de aço inoxidável inchar e recuar para se assemelhar a um tecido ondulando ao vento. Mas para fazer isso, cada peça da fachada seria diferente, feita em uma fábrica e depois montada no local. Tudo tinha que se encaixar perfeitamente e fazer todo o trabalho prático que uma fachada deve fazer, criando a maravilhosa ilusão de um tecido ondulante. E não poderia custar muito mais do que uma fachada comum. Fazer isso exigia testes exaustivos. "Se você fizer isso manualmente, poderá obter duas ou três tentativas no período de design permitido", observou Tensho Takemori, arquiteto da empresa de Gehry.[15] Mas, graças à simulação digital, "tivemos milhares de opções como teste. E por causa disso fomos realmente capazes de aprimorar a coisa para uma eficiência tão grande que poderíamos essencialmente reduzir o custo para quase o mesmo que uma parede plana. A prova disso é que não houve mudança alguma durante a execução, e esse é um resultado bastante inédito para uma torre de 76 andares".

---

15 "Looking Back at Frank Gehry's Building-Bending Feats", *PBS News Hour*, September 11, 2015, https://www.pbs.org/newshour/show/frank-gehry; entrevista do autor com Craig Webb, 23 de abril de 2021.

Anos depois de ter ficado mundialmente famoso pelo Guggenheim Bilbao, Gehry fez uma aparição em um episódio de *Os Simpsons*: Marge envia uma carta ao renomado arquiteto pedindo-lhe para projetar uma sala de concertos para Springfield. Gehry amassa a carta e a joga no chão, mas depois suspira quando vê sua forma. "Frank Gehry, você é um gênio!", ele grita. Corta para Gehry antes de enviar um modelo da nova sala de concertos de Springfield, que se parece muito com o Guggenheim Bilbao.[16] Gehry chegou a se arrepender do episódio. Ele fez como uma piada, mas as pessoas levaram a sério. "Isso me assombrou", explicou a um entrevistador de TV. "As pessoas que viram *Os Simpsons* acreditam nisso."[17] Frank Gehry é de fato um gênio, mas todas as teorias de como isso funciona estão erradas. Na verdade, isso é o oposto da verdade.

O grau de cuidado e precisão que Gehry trouxe para o planejamento do Guggenheim Bilbao foi, e é, totalmente incomum no mundo da arquitetura – e em outras áreas. Falei com Gehry várias vezes ao longo dos anos, em seu estúdio, em Oxford, onde o convidei para palestras, e ele está convencido de que o planejamento preciso é essencial. "Em nossa prática, não permitimos que o cliente inicie a construção até termos certeza de que estamos fazendo um edifício que está dentro do seu orçamento e atende aos seus requisitos. Usamos toda a tecnologia disponível para quantificar da maneira mais exata os elementos da construção, para que não haja muita adivinhação", ele me disse.[18] Em outra ocasião, ele afirmou: "Quero garantir que podemos construir essa ideia. E quero garantir que podemos construí-la a um preço que o proprietário possa pagar".[19]

---

16  "The Seven-Beer Snitch", *Os Simpsons*, April 3, 2005.
17  Goldberger, *Building Art*, 377–78.
18  Comunicação pessoal com Frank Gehry, arquivos do autor.
19  Architectural Videos, "Frank Gehry Uses Catia for His Architecture Visions", YouTube, November 2, 2011, https://www.youtube.com/watch?v=UEn53Wr6380.

O contraste entre o planejamento do Guggenheim Bilbao e o da Sydney Opera House é gritante. O primeiro é um exemplo perfeito de "Pense devagar, aja rápido", ou seja, de como realizar projetos. O último é um exemplo doloroso de "pense rápido, aja devagar", isto é, como *não* realizar projetos. Nesse sentido, esse conto de duas obras-primas vai muito além da arquitetura.

## O JEITO PIXAR

Hoje, Pete Docter é um diretor três vezes vencedor do Oscar pelos filmes de animação *Up*, *Divertidamente* e *Soul*. Ele também é diretor criativo da Pixar, o renomado estúdio por trás de uma longa série de filmes que definiram uma era, começando com o primeiro longa-metragem de animação por computador do mundo, *Toy Story*, em 1995. Mas quando Docter foi para a Pixar em 1990, o estúdio era pequeno. A animação digital estava na infância. E Docter era jovem e ingênuo.

"Eu imaginava que pessoas como Walt Disney ficavam deitadas na cama e de repente gritavam '*Dumbo!*'", disse ele, rindo. "A coisa toda estava na cabeça deles, e eles poderiam contar a história do começo ao fim."[20] Com a experiência, ele descobriu que as histórias que os cineastas contam não surgem tão facilmente. "Tudo começa como uma bolha cinzenta", disse ele.

Em uma longa conversa, Docter detalhou o processo que a Pixar usa para ir de "bolha cinzenta" a um filme vencedor do Oscar nos cinemas. Eu estava preparado para ouvir algo bem diferente do que Gehry fez para planejar o Guggenheim Bilbao. Afinal, um filme de animação é tão diferente de um museu de arte como um teatro de ópera é de um parque eólico. No entanto, fundamentalmente, o processo que Docter descreveu tem estreita semelhança com o de Gehry.

---

20 Entrevista do autor com Pete Docter, 7 de janeiro de 2021.

Começa com tempo. A Pixar dá aos seus diretores meses para explorar ideias e desenvolver um conceito para um filme. Nesse ponto, é uma ideia mínima, não mais do que uma semente que poderá se tornar uma árvore. "Um rato francês que ama cozinhar", por exemplo. "Um velho rabugento." Ou "dentro da cabeça de uma menina". Nada além disso. "Tudo o que quero é uma ideia cativante e intrigante", disse Docter.[21]

O primeiro pequeno passo é um esboço de cerca de doze páginas explicando como a ideia pode ser a base de uma história. "É principalmente uma descrição do que acontece. Onde estamos? O que está acontecendo? Como é a história?", explicou Docter. Isso é enviado a um grupo de diretores, escritores, artistas e executivos da Pixar. "As pessoas leem e voltam com críticas, perguntas, preocupações. E então, normalmente, a pessoa (o diretor) irá refazer o esboço novamente." Depois disso, pode haver outra rodada de comentários e reformulação.

Uma vez que "podemos ver que vai dar em algo", disse Docter, a escrita do roteiro se inicia. O primeiro esboço tem cerca de 120 páginas e passa pelo mesmo processo, provavelmente com "cerca de duas rodadas de análise". Docter enfatizou que não é obrigatório que o diretor responda ao feedback de ninguém, nessa fase ou mais tarde. "É apenas: ei, que tal essa ideia? Você pode usá-la ou não. A única coisa necessária é que o roteiro fique melhor."

Essa parte do processo deve ser muito familiar para qualquer pessoa que tenha escrito um roteiro. Mas, uma vez que há um roteiro decente em mãos, a Pixar faz algo incomum: o diretor e uma equipe de cinco a oito artistas transformam todo o roteiro em *storyboards* detalhados que são fotografados e reunidos em um vídeo que simula o filme que está por vir. Com cada *storyboard* cobrindo cerca de dois segundos, um filme de noventa minutos requer

---

21    Ibid.

aproximadamente 2,7 mil desenhos. O diálogo lido pelos funcionários é adicionado, juntamente com efeitos sonoros simples.

Agora o filme inteiro já existe em esboço. O processo até esse ponto leva cerca de três ou quatro meses. "Então é um investimento bastante grande", Docter me disse. Mas ainda é pequeno em comparação ao custo de produção real.

Em seguida, os funcionários da Pixar, incluindo muitos não envolvidos no projeto, assistem ao vídeo. "Você pode realmente sentir quando cativou o público e quando não. Sem que ninguém diga nada", observou Docter. "Muitas vezes, já sei o que quero mudar." O diretor também se reúne com um pequeno grupo de outros cineastas da Pixar que analisam o filme. "Eles vão dizer: 'Eu não entendi alguma coisa, eu não gostei do seu personagem principal, eu estava gostando, mas depois me confundiu'. Tanto faz. Uma ampla gama de observações."

Invariavelmente, após a primeira exibição, "uma porcentagem significativa do filme é descartada", disse Docter. O texto é substancialmente reescrito. Novos *storyboards* são desenhados, fotografados e editados juntos, novas vozes são gravadas, e efeitos sonoros são adicionados. Esse segundo esboço do filme é exibido para um público, incluindo os funcionários da empresa, e o diretor recebe um novo feedback.

O processo é repetido.

Então, eles fazem isso mais uma vez. E outra vez. E outra vez.

Um filme da Pixar geralmente passa pelo ciclo do roteiro ao feedback da audiência *oito vezes*. A quantidade de mudanças entre as versões um e dois "é geralmente enorme", disse Docter. "Da segunda para a terceira, é bastante coisa. E então, com o passar do tempo, o que se espera é que haja elementos suficientes que funcionem para que as mudanças se tornem cada vez menores."

Na versão do vencedor do Oscar *Divertidamente*, lançado nos cinemas, a história se passa principalmente dentro da mente de uma garota, com personagens chamados Alegria, Tristeza, Raiva e outros que representam as emoções que ela experimenta. Nas primeiras versões do filme, o elenco era muito maior, com personagens representando toda a gama de emoções que Docter havia aprendido em discussões com psicólogos e neurocientistas. Mesmo Schadenfreude e Tédio estavam lá. E os personagens receberam nomes humanos normais. Esperava-se que a audiência soubesse qual emoção o personagem representava apenas observando seu comportamento. Isso não funcionou. "Vimos que isso era muito confuso para as pessoas", disse Docter com uma risada. Então ele eliminou vários personagens e simplificou os nomes dos que ficaram. Foi uma grande cirurgia. Mas funcionou.

Em uma rodada posterior, quando Docter estava trabalhando em um nível com muito mais detalhes, o roteiro tinha a Alegria perdida nas regiões mais profundas do cérebro, longe de sua sala de controle, onde as decisões são tomadas, e dizendo algo como "Eu tenho que voltar para a sala de controle!" várias vezes. Essas falas eram importantes. Elas informavam ao público qual era o objetivo e ressaltavam sua urgência. Mas o feedback revelou a Docter que essas falas faziam a Alegria parecer presunçosa, portanto desagradável. A solução de Docter? Colocar essas falas em outros personagens. "Então, a Tristeza diz: 'Alegria, você precisa chegar lá em cima!'" Isso é um pequeno ajuste, "mas acaba tendo um efeito bastante significativo sobre como você se sente em relação a esse personagem".

Após cerca de oito rodadas desse processo exaustivo, o diretor tem uma prova de conceito extremamente detalhada e rigorosamente testada. O filme foi simulado tanto quanto Gehry simula seus edifícios com modelos físicos e softwares. Então a verdadeira animação começa, usando os computadores de última geração da Pixar. As cenas são criadas um quadro de cada vez. Atores famosos fazem a dublagem. Uma trilha sonora é gravada. Os efeitos sonoros são elaborados. Todos os elementos são reunidos, e o filme que lotará os cinemas e será visto nas televisões de todo o mundo é finalmente criado. "No momento em que você vê o filme", disse Docter, "é algo como a nona versão dele."

## POR QUE A REPETIÇÃO FUNCIONA

Esse processo envolve "uma quantidade insana de trabalho", argumentou Docter. Mas um processo repetitivo como o da Pixar vale o trabalho exaustivo que implica, por quatro razões.

Primeiro, a repetição permite que as pessoas experimentem, como Edison fez com tanto sucesso. "Eu preciso da liberdade de tentar um monte de porcarias. E muitas vezes não funciona", disse-me Docter. Com esse processo, tudo bem. Ele pode tentar de novo. E outra vez. Até que tenha algo brilhante, como a lâmpada de Edison. "Se eu soubesse que tenho que fazer isso apenas uma vez e acertar, provavelmente usaria coisas que eu sei que funcionam." E para um estúdio baseado na criatividade, isso seria um desastre.

Em segundo lugar, o processo garante que literalmente todas as partes do plano, desde o esboço inicial até os detalhes finos, sejam examinadas e testadas. Nada é deixado para trás, não há surpresas quando ocorre a estreia do filme. Essa é uma diferença básica entre o bom e o mau planejamento. No mau planejamento, é comum deixar problemas, desafios e incógnitas para serem resolvidos mais tarde. Foi assim que a Sydney Opera House ficou em apuros. Nesse caso, Jørn Utzon acabou por resolver o problema, mas era tarde demais. O orçamento havia explodido, a construção estava anos atrasada, e Utzon foi demitido com sua reputação destruída. Em muitos projetos, o problema *nunca* é resolvido.

Esse erro é tão comum no Vale do Silício que existe até um nome para ele. "Vaporware" é um software que foi divulgado publicamente, mas nunca lançado, porque os desenvolvedores não conseguem descobrir como tornar o *hype* algo real. O Vaporware normalmente não é uma fraude, ou pelo menos não começa assim, pois muitas vezes há um otimismo honesto no trabalho e toda a intenção de entregar. Mas a partir de certo ponto, pode se tornar uma fraude.

O repórter do *Wall Street Journal* e autor John Carreyrou acredita que essa dinâmica está por trás de um dos piores escândalos da história do Vale do Silício. A Theranos, uma empresa fundada por sua carismática CEO de dezenove anos, Elizabeth Holmes – com ex-secretários de Estado George Shultz e Henry Kissinger como membros do conselho –, arrecadou US$ 1,3 bilhão de investidores depois de afirmar ter desenvolvido uma nova tecnologia espetacular de teste sanguíneo.[22] Foi apenas uma miragem, e a Theranos entrou em colapso em meio a uma tempestade de acusações de fraude e ações judiciais.[23]

Em terceiro lugar, um processo de testes repetidos como o da Pixar corrige um viés cognitivo básico que os psicólogos chamam de "ilusão de profundidade explicativa".

Você sabe como funciona uma bicicleta? A maioria das pessoas tem certeza de que sabe, mas é incapaz de completar um desenho simples que mostre como uma bicicleta funciona. Mesmo quando grande parte da bicicleta já está desenhada, elas não conseguem terminá-la. "As pessoas sentem que entendem fenômenos complexos com muito mais precisão, coerência e profundidade do que realmente entendem", concluíram os pesquisadores. Para os planejadores, a ilusão de profundidade explicativa é muito perigosa. Mas os pesquisadores também descobriram que, ao contrário de muitos outros vieses, há uma solução relativamente fácil: quando as pessoas tentam e não conseguem explicar o que elas erroneamente pensam que entendem, a ilusão se dissolve. Ao exigir que os diretores de cinema da Pixar passem por cada passo, do grande ao pequeno, e mostrem exatamente o que farão, o processo da Pixar os obriga a explicar o que querem

---

22 Sophia Kunthara, "A Closer Look at Theranos' Big Name Investors, Partners, and Board as Elizabeth Holmes' Criminal Trial Begins", *Crunchbase News*, September 14, 2021, https://news.crunchbase.com/news/theranos-elizabeth-holmes-trial-investors--board/.

23 John Carreyrou, *Bad Blood: Secrets and Lies in a Silicon Valley Startup* (New York: Alfred A. Knopf, 2018), 299; *U.S. v. Elizabeth Holmes, et al.*, https:// www.justice.gov/usao-ndca/us-v-elizabeth-holmes-et-al.

fazer. As ilusões evaporam muito antes do início da produção, que é quando elas se tornariam perigosas e caras.[24]

Isso nos leva à quarta razão pela qual os processos repetidos funcionam, que também mencionei no capítulo 1: planejar é barato. Não em termos absolutos, talvez. Os esboços de vídeos que a Pixar produz exigem um diretor que lidere uma pequena equipe de escritores e artistas. Manter todo esse esquema em funcionamento por anos tem um custo significativo. Mas quando comparamos com o custo de produzir animação digital para os cinemas, que requer centenas de pessoas qualificadas usando a tecnologia mais avançada do mundo, estrelas de cinema fazendo vozes e compositores criando trilhas sonoras, fazer vídeos experimentais repetidas vezes parece barato.

Essa diferença de custo é importante pela simples razão de que em um grande projeto os problemas são inevitáveis. A única questão é: quando eles surgirão? Um processo de esboços sucessivos aumenta muito a probabilidade de que a resposta a essa pergunta seja "no planejamento". Isso pode fazer toda a diferença. Se um problema sério é descoberto na versão cinco de um filme da Pixar e cenas inteiras precisam ser jogadas fora e refeitas, a quantidade de tempo e dinheiro perdidos é relativamente modesta. Se o mesmo problema é descoberto quando o filme está em produção e cenas inteiras precisam ser refeitas, pode ser muito caro, criar atrasos perigosos e afundar todo o projeto.

Essa simples distinção se aplica na maioria dos campos: o que quer que possa ser feito no planejamento deve ser feito, e o planejamento deve ser lento e rigorosamente repetitivo, baseado em *experiri*. Claro, há muito mais na trajetória de sucesso da Pixar do que seu notável processo de desenvolvimento, mas não há dúvida de

---

24 Leonid Rozenblit and Frank Keil, "The Misunderstood Limits of Folk Science: An Illusion of Explanatory Depth", *Cognitive Science* 26, no. 5 (2002): 521–62; Rebecca Lawson, "The Science of Cycology: Failures to Understanding How Everyday Objects Work", *Memory & Cognition* 34, no. 8 (2006): 1667–75.

que esse processo contribui muito para um histórico de sucesso diferente de qualquer outro na história de Hollywood. A Pixar não só criou filmes que ganharam elogios da crítica, arrecadaram fortunas em bilheteria e se tornaram referências culturais, como também o fez com uma consistência sem precedentes. Quando a Pixar lançou *Toy Story*, seu primeiro longa-metragem, em 1995, o estúdio era um novato pouco conhecido. Uma década depois, a Disney, gigante do entretenimento, pagou US$ 9,7 bilhões (em valores atualizados para 2021) para comprar a empresa. A Disney pediu a Ed Catmull, então CEO da Pixar, para assumir o controle da Pixar e da Disney Animation, o famoso estúdio que havia muito tempo estava em maus lençóis.

Foi uma jogada inteligente. Catmull transformou a Disney Animation enquanto continuava a série de sucessos da Pixar. Catmull agora está aposentado da Pixar e da Disney; sob sua liderança, a Pixar entregou com sucesso 21 dos 22 projetos que ele iniciou, enquanto a Disney entregou dez dos onze. Nenhum outro estúdio na história de mais de cem anos de Hollywood teve uma taxa de sucesso semelhante.

Trata-se de um processo que realmente funciona.

## TESTAR, TESTAR...

Qualquer pessoa familiarizada com o funcionamento do Vale do Silício tem provavelmente nutrido uma objeção desde o primeiro capítulo deste livro. A capital da tecnologia da informação dos Estados Unidos é indiscutivelmente o centro de negócios mais bem-sucedido e influente da história, e seus empreendedores e capitalistas de risco são famosos por não planejarem lenta e meticulosamente seus projetos. Na verdade, eles muitas vezes desprezam as palavras *plano* e *planejamento*.

No Vale do Silício, a abordagem padrão para startups é lançar um produto rapidamente, mesmo que esteja longe de ser perfeito, e continuar desenvolvendo-o em resposta ao feedback do consumidor. Esse é o modelo de "startup enxuta", que ficou famoso pelo empreendedor Eric Ries em seu livro de 2011 com o mesmo nome.[25] Parece muito com a pressa de colocar os projetos em andamento antes de terem sido cuidadosamente planejados – o mesmo que condenei como uma das principais causas do fracasso na primeira página deste livro. O sucesso do Vale do Silício parece ser uma repreensão a toda a minha abordagem.

Na verdade, o modelo de startup enxuta se encaixa bem com o que acredito. A contradição só surge se tivermos uma visão restrita da natureza do planejamento.

Planejar, a meu ver, não é apenas se sentar e pensar, muito menos um exercício burocrático de programação baseado em regras. É um processo *ativo*. Planejar é *fazer*: é tentar alguma coisa, ver se funciona e tentar outra coisa à luz do que aprendeu. Planejamento é repetição e aprendizado antes de entregar em escala total, com testes cuidadosos, exigentes e extensivos, produzindo um plano que aumenta as chances de a conclusão ocorrer de maneira suave e rápida.

Foi o que Frank Gehry fez para o Guggenheim Bilbao e em todos os seus projetos desde então. É o que a Pixar faz para realizar cada um dos seus filmes. É o que os parques eólicos e solares de rápido crescimento fazem em uma tentativa global de superar os combustíveis fósseis, como veremos mais adiante. E é o núcleo do modelo da startup enxuta.

Ries escreveu que as startups operam em um ambiente de "extrema incerteza", no qual é impossível saber se o produto que desenvolveram será valorizado pelos consumidores. "Devemos descobrir o que os clientes realmente querem", ele aconselhou, "não o que eles dizem que querem ou o que achamos que eles deveriam querer." A única maneira de fazer isso é "experimentar". Crie um "produto mínimo viável", coloque-o na frente dos consumidores e veja o que acontece. Com as lições aprendidas, altere o produto, envie-o novamente e repita o ciclo.

---

25  Eric Ries, *The Lean Startup* (New York: Currency, 2011).

Ries chamou isso de fase de construção, pois várias repetições gradualmente constroem o produto final. Eu chamaria isso de fase de planejamento, à medida que o design do produto evolui seguindo o ditado "Tente, aprenda, repita". Semântica à parte, a única diferença real é o método de teste.

Se não houvesse outras considerações envolvidas, como dinheiro, segurança e tempo, o método de teste ideal seria simplesmente fazer o que quer que você esteja pensando em fazer no mundo real com pessoas reais e ver o que acontece. Isso foi o que a Nasa efetivamente fez com o Projeto Apollo, pois realizou missões individuais para testar cada uma das etapas necessárias para ir à Lua e voltar: entrar em órbita, manobrar para outra espaçonave, acoplar. A Nasa só começou a trabalhar na etapa seguinte quando dominou a anterior. E só depois de ter dominado o maior número de passos que pôde testar foi que enviou a Apollo 11 para a Lua. Mas esse tipo de teste quase nunca é possível para grandes projetos, porque é muito caro. O Projeto Apollo custou cerca de US$ 180 bilhões em dólares de 2021.[26] E pior do que isso, pode ser perigoso. Todos os astronautas do Projeto Apollo sabiam que estavam arriscando a vida. Três deles morreram.

O modelo de "produto mínimo viável" se aproxima do ideal, fazendo testes suficientes para levar o produto ao padrão de "mínimo viável" antes de lançá-lo no mundo real para obter o feedback valioso. Mas isso só pode ser feito com um conjunto limitado de projetos. Você não pode construir um arranha-céu, ver se as pessoas gostam, depois derrubá-lo e construir outro. Também não é possível colocar um avião de passageiros em funcionamento para ver se ele cai.

Como John Carreyrou observou, uma razão pela qual a Theranos teve problemas foi o fato de ter usado um modelo do Vale do Silício comumente aplicado a softwares, que podem se dar ao luxo

---

26  United States Congress, House Committee on Science and Astronautics, "1974 Nasa Authorization Hearings," 93rd Congress, first session, on H.R. 4567, US Government Printing Office, 1, 271.

de ter problemas e falhas iniciais, para testes médicos, que não podem aceitar falhas. Mesmo para empresas baseadas em softwares, o modelo da startup enxuta pode ser facilmente levado ao extremo, como quando *glitches* de produtos causam danos à reputação, riscos de segurança, violações de privacidade e escândalos, como o uso de dados pessoais pela Cambridge Analytica. Ou quando o Instagram é prejudicial à autoimagem das adolescentes. Ou quando o Facebook e o Twitter contribuíram para o ataque de 2021 ao Capitólio dos EUA. Aqui, um lema como "*Move fast and break things*", do Facebook, parece totalmente irresponsável. Usuários e formuladores de políticas recuam e insistem que o Vale do Silício descubra o que há de errado com seus produtos e os corrija antes de lançá-los no mundo real.

## PRODUTO VIRTUAL MÁXIMO

Quando uma abordagem mínima de produto viável não for possível, experimente fazer um "produto virtual máximo" – um modelo hiper-realista e detalhado como aqueles que Frank Gehry fez para o Guggenheim Bilbao e todos os seus edifícios desde então e aqueles que a Pixar faz para cada um de seus longas-metragens antes de filmar.

No entanto, a criação de um produto virtual máximo requer acesso à tecnologia necessária. Se isso não estiver disponível, procure ferramentas menos sofisticadas, até mesmo tecnologia no extremo oposto do espectro da sofisticação. Lembre-se de que Gehry desenvolveu o design básico do Guggenheim Bilbao e de tantos outros edifícios de renome usando esboços, blocos de madeira e modelos de papelão – tecnologias disponíveis até em uma sala de aula do jardim de infância. Os vídeos de teste da Pixar podem usar tecnologia mais avançada, mas fotografar desenhos, gravar vozes e combiná-las em um vídeo bruto é algo que uma criança de doze anos pode fazer – e faz – com um iPhone.

O fato é que uma ampla gama de projetos – eventos, produtos, livros, reformas de casas etc. – pode ser simulada e testada até mesmo por amadores em casa. A falta de tecnologia não é o verdadeiro obstáculo para adotar essa abordagem; a barreira é pensar no planejamento como um exercício estático, abstrato e burocrático. Assim que você fizer a mudança conceitual e passar a enxergar o planejamento como um processo ativo e iterativo de tentar, aprender e tentar novamente, todos os tipos de maneiras de "brincar" com as ideias, como Gehry e a Pixar fazem, irão surgir.

É por isso que Pete Docter é lúcido e humilde sobre o planejamento da Pixar. A Pixar coloca mais de US$ 100 milhões em cada projeto. Tem os melhores funcionários do mundo e uma tecnologia de ponta. Mas na sua essência, Docter disse, o processo de planejamento da Pixar não é diferente do que você faria se estivesse projetando um descascador de cenoura em casa. "Você tem uma ideia, faz algo com ela, oferece-a a um amigo para tentar. O amigo se corta. 'Ok, devolva. Vou ajustar isso. Aqui, tente outra vez.' Está bem melhor!"[27]

Tente, aprenda, tente outra vez. Seja qual for o projeto ou a tecnologia, é o caminho mais eficaz para um plano que dá certo.

---

27 Entrevista do autor com Pete Docter, 7 de janeiro de 2021.

# 5
# VOCÊ TEM EXPERIÊNCIA?

*A experiência é algo inestimável. Mas muitas vezes é negligenciada ou descartada por outras considerações. Ou é simplesmente incompreendida e marginalizada. Vamos ver como evitar isso.*

Há um detalhe que não mencionei ao comparar o planejamento e a construção da Opera House de Sydney e do Museu Guggenheim de Bilbao: Jørn Utzon (nascido em 1918) tinha 38 anos quando ganhou a competição para construir seu edifício visionário, enquanto Frank Gehry (nascido em 1929) tinha 62 quando ganhou o seu.

Em outro contexto, essa discrepância da idade seria irrelevante. Nesse caso, é fundamental. A idade significa tempo, e tempo significa experiência. A diferença de idade entre os dois arquitetos visionários quando realizaram as obras que moldariam suas vidas nos mostra que havia uma grande distinção entre suas experiências.

E, na verdade, a diferença de idade subestima a diferença de experiência. Utzon era dinamarquês e se formou na escola de arquitetura durante a Segunda Guerra Mundial, quando a Dinamarca foi ocupada pela Alemanha nazista. Havia pouco trabalho a ser feito durante e depois da guerra, então Utzon não trabalhou em nenhum grande projeto antes de começar a projetar a Sydney Opera House. Gehry, por outro lado, passou o início da carreira em Los Angeles, no pós-guerra, onde assumiu uma longa lista de projetos pequenos, mas cada vez mais ambiciosos. No momento em que iniciou o Guggenheim Bilbao, ele tinha mais experiência do que a maioria dos arquitetos no final da vida. A lacuna de experiência – ou melhor, o abismo de experiência – entre os dois arquitetos é outra das principais razões pelas quais a criação da Sydney Opera House foi um fiasco, enquanto a do Guggenheim Bilbao continua sendo um modelo a seguir.

Todos sabemos que a experiência é valiosa. Igualando todas as outras circunstâncias, um carpinteiro experiente será melhor do que um inexperiente. Devemos concordar que, no planejamento e na entrega de grandes projetos, a experiência deve ser considerada sempre que possível – contratando o carpinteiro mais experiente, por exemplo. Não deveria ser necessário dizer isso.

Mas *é* necessário dizê-lo – em voz alta e insistentemente –, porque, como veremos, grandes projetos rotineiramente *não* dão o devido valor à experiência. Na verdade, a experiência muitas vezes é menosprezada. Isso acontece quando damos prioridade a outras considerações. Uma delas é a política. A ambição de ser o primeiro, o maior, o mais alto ou algum outro superlativo é outra.

Essencialmente, não tiramos o máximo proveito da experiência porque não sabemos seu real valor e o quanto a experiência pode enriquecer e melhorar o planejamento e a liderança do projeto. Aristóteles disse que a experiência é "o fruto dos anos" e argumentou ser a fonte do que ele chamou de *"phronesis"* – a "sabedoria prática" que nos permite ver o que é bom para as pessoas e fazer isso acontecer. Aristóteles considerava-a a mais alta "virtude intelectual".[1]

Deveríamos fazer mais uso dessa antiga sabedoria.

## MARGINALIZANDO A EXPERIÊNCIA

No capítulo 1, mencionei a história de meu pai resmungando – com razão, como se viu – sobre o governo dinamarquês contratar um empreiteiro inexperiente para perfurar um túnel submarino. Não por acaso, a empresa era liderada por dinamarqueses. Políticos em todos os lugares sabem que conceder contratos a empresas

---

[1] Aristóteles, *The Nicomachean Ethics*, traduzido por J. A. K. Thomson, revisado com notas e apêndices por Hugh Tredennick, introdução e bibliografia por Jonathan Barnes (Harmondsworth, UK: Penguin Classics, 1976).

nacionais é uma boa maneira de fazer amigos influentes e ganhar apoio público com promessas de empregos, mesmo que a empresa nacional seja inexperiente e não tenha um desempenho tão bom quanto seu concorrente estrangeiro. Quando isso acontece – e acontece frequentemente –, os responsáveis colocam outros interesses à frente do objetivo do projeto. No mínimo, essa abordagem é economicamente duvidosa e, às vezes, também pode ser antiética e perigosa. E os políticos eleitos não são os únicos a fazer isso. Grandes projetos envolvem muito dinheiro e grandes interesses. E como "quem ganha mais" é o cerne da política, há política em todos os grandes projetos, sejam públicos ou privados.

Esse fato ajuda a explicar por que o projeto da ferrovia de alta velocidade da Califórnia se tornou uma bagunça. Não existem ferrovias de alta velocidade nos Estados Unidos, o que sugere quanta experiência as empresas americanas têm em construí-las. Quando a Califórnia começou a considerar seriamente esse tipo de ferrovia, empresas estrangeiras com muita experiência – notadamente a SNCF, a Companhia Ferroviária Nacional Francesa – estabeleceram escritórios na Califórnia na esperança de conseguir um contrato ou pelo menos serem grandes parceiras no desenvolvimento do projeto. Mas o estado decidiu não ir por esse caminho. Em vez disso, contratou muitos empreiteiros, em sua maioria inexperientes, principalmente norte-americanos, e os supervisionou com gerentes que também tinham pouca ou nenhuma experiência com trens de alta velocidade.[2] Essa é a receita do fracasso. Mas é comum – porque faz parte do mundo político.

Há um exemplo canadense ainda mais emblemático. Quando o governo canadense decidiu comprar dois quebra-gelos, não os comprou de fabricantes estrangeiros mais experientes em sua construção; preferiu dar os contratos a empresas canadenses. A tal da política nacional. Mas, em vez de fechar com uma empresa para

---

2   Entrevista do autor com Lou Thompson, presidente do California High-Speed Rail Peer Review Group, 4 de junho de 2020.

que ela construísse um navio, aprendesse com a experiência e entregasse o segundo navio com mais eficiência, o governo decidiu fechar um navio com uma empresa, e outro, com outra. Dividir o contrato "não trará as melhorias naturais de aprendizado", observou um relatório do funcionário do orçamento parlamentar Yves Giroux – que constatou que o custo estimado dos quebra-gelos havia subido de C$ 2,6 bilhões (dólares canadenses) para C$ 7,25 bilhões. Então, por que fizeram isso? Uma empresa está localizada em uma região politicamente importante em Quebec, a outra em uma região importante na Columbia Britânica. Dividir os contratos significava ganhar o dobro da recompensa política – ao custo da experiência e de bilhões de dólares.[3]

## SENDO O PRIMEIRO

A ambição de ser o primeiro em algo é outra maneira de negligenciar a experiência. Há duas décadas, presenciei pessoalmente o quanto essa ambição pode ser perigosa. A Administração do Tribunal dinamarquês, o órgão que governa os tribunais municipais, os tribunais regionais e o supremo tribunal da Dinamarca, estava considerando a criação de dois grandes novos sistemas de TI, um dos quais digitalizaria todos os registros imobiliários no país e outro que tornaria a administração dos tribunais inteiramente digital, incluindo todos os documentos legais. Eu era membro do conselho de administração dos tribunais que tomaria essa decisão.[4] Na época, eu estudava grandes projetos havia cerca de uma década e, embora ainda não tivesse estudado TI, o plano me deixou nervoso. Não havia registro de nenhuma tentativa como a que estávamos planejando. E se meus estudos haviam provado alguma coisa, era que ser o primeiro em algo é muito arriscado. Por isso, sugeri que uma equipe

---

3  Lee Berthiaume, Skyrocketing Shipbuilding Costs Continue as Estimate Puts Icebreaker Price at $7.25B, *The Canadian Press,* December 16, 2021.

4  O nome dinamarquês da Administração do Tribunal Dinamarquês é Domstolsstyrelsen. Eu fazia parte do conselho, que detém a responsabilidade final de administrar os tribunais.

da administração do tribunal visitasse outros países para investigar. Se descobríssemos que outros já haviam feito tal coisa, poderíamos aprender com eles. Se não houvesse alguma experiência anterior, poderíamos esperar.

Só que não foi isso que aconteceu. A equipe de fato viajou para vários países e discutiu as descobertas em uma reunião do conselho. Mais alguém havia feito isso? "Não!", foi a resposta imediata. "Nós seremos os primeiros no mundo!" Pensei que meus colegas do conselho concordariam que ser o primeiro a fazer algo era um forte argumento *contra* seguir em frente. Na verdade, eles tomaram isso como uma razão para avançar. O desejo de fazer o que nunca foi feito antes pode ser admirável. Mas também pode ser bastante problemático.

Mesmo sendo muito caros, os dois projetos de TI foram autorizados e rapidamente se transformaram em dois desastres. Os prazos foram repetidamente adiados, e os orçamentos, superados. Quando concluídos, os novos sistemas estavam com *bugs* e funcionavam mal. Tornaram-se um escândalo político que apareceu nas primeiras páginas dos jornais durante anos. Vários funcionários tiveram colapsos nervosos e saíram em licença médica.

A única vantagem desse infortúnio era que aqueles que viessem em segundo, terceiro e quarto lugar poderiam estudar nossa experiência e se sair melhor. Mas será que isso aconteceu? Provavelmente, não. Projetos de TI semelhantes e em larga escala continuam a ser muito problemáticos. Os consultores de planejamento não valorizam a experiência como deveriam, porque geralmente sofrem com outro viés comportamental: o "viés de singularidade", o que significa que tendem a ver seus projetos como empreendimentos únicos e especiais, com pouco ou nada a aprender com projetos anteriores.[5]

---

5 O viés de singularidade foi originalmente identificado por psicólogos como a tendência dos indivíduos de se verem mais singulares do que realmente são; por exemplo, singularmente saudável, inteligente ou atraente. No planejamento e gerenciamento de projetos, usei o termo pela primeira vez em meu artigo de 2014 "What You Should

Esses exemplos são do setor público. Aqueles que trabalham no setor privado podem argumentar que, sim, a experiência é boa e não há vantagem em ser o primeiro sistema judicial a digitalizar seus registros. Mas uma empresa que desenvolve o primeiro dispositivo e é a primeira a trazê-lo para o mercado tem uma vantagem, a famosa "vantagem do primeiro a se mover".[6] Certamente essa vantagem compensa a desvantagem de não poder aprender com a experiência dos outros.

Mas a vantagem do primeiro movimento é exageradamente valorizada. Em um estudo, os pesquisadores compararam o destino de empresas "pioneiras" que foram as primeiras a explorar um mercado e "colonas", que seguiram os passos das pioneiras do mercado. Com base em dados de quinhentas marcas em cinquenta categorias de produtos, eles descobriram que quase metade das pioneiras falhou, em comparação a 8% das colonas. As empresas pioneiras sobreviventes tomaram 10% de seu mercado, em média, em comparação com 28% para as colonas. Segundo os pesquisadores, entrar em um mercado antes da concorrência era realmente importante – "os primeiros líderes de mercado têm muito mais sucesso no longo prazo" –, mas esses "primeiros" líderes de mercado "entram em média treze anos depois dos pioneiros".[7] O consenso dos pesquisadores hoje

---

Know About Megaprojects and Why", no *Project Management Journal*, no qual defini viés de singularidade como a tendência de planejadores e gerentes de verem seus projetos como singulares. É um viés geral, mas acaba sendo particularmente recompensador como objeto de estudo em gerenciamento de projetos, porque planejadores e gerentes de projetos são sistematicamente preparados para ver seus projetos como únicos; ver Bent Flyvbjerg, "What You Should Know About Megaprojects and Why: An Overview", *Project Management Journal* 45, no. 2 (April–May 2014): 6–19; Bent Flyvbjerg, "Top Ten Behavioral Biases in Project Management: An Overview", *Project Management Journal* 52, no. 6 (2021), 531–46; Bent Flyvbjerg, Alexander Budzier, Maria D. Christodoulou, and M. Zottoli, "So You Think Projects Are Unique? How Uniqueness Bias Undermines Project Management", em análise.

6   Marvin B. Lieberman and David B. Montgomery, "First-Mover Advantages", *Strategic Management Journal* 9, no. 51 (Summer 1988): 41–58.

7   Peter N. Golder and Gerard J. Tellis, "Pioneer Advantage: Marketing Logic or Marketing Legend?", *Journal of Marketing Research* 30, no. 2 (May 1993): 158–70.

é que, sim, ser o primeiro no mercado pode conferir vantagens em certas circunstâncias específicas, mas tem o terrível custo de uma incapacidade de aprender com a experiência dos outros. É melhor ser – como a Apple seguindo o Blackberry em smartphones – um "seguidor rápido" e aprender com o primeiro a se mover.[8]

## MAIOR, MAIS ALTO, MAIS LONGO E MAIS RÁPIDO

A ambição não apenas nos incentiva a ser o primeiro, mas também pode nos levar a querer ser o maior. O mais alto. O mais longo. O mais rápido. Essa busca por outros superlativos pode ser tão perigosa quanto o desejo de ser o primeiro, e pela mesma razão.

Por exemplo, o túnel da rodovia estadual 99, em Seattle. Há cerca de uma década, quando Seattle anunciou que abriria um túnel sob sua orla para substituir uma rodovia na superfície, não era a primeira vez que se fazia algo do tipo, então havia muita experiência relevante para observar. Mas Seattle decidiu que seu túnel seria o maior desse tipo no mundo, com espaço suficiente para duas pistas, cada uma com duas faixas de tráfego. Os políticos se vangloriaram. "Maior" é tão emocionante quanto "primeiro". Isso pode levar o projeto às manchetes de notícias, algo que a maioria dos políticos considera útil.

Mas para abrir o maior túnel do mundo, você precisa da maior máquina de perfuração do mundo. Tal máquina não havia sido construída e usada antes. Seria a primeira. Seattle fez um pedido personalizado, e a máquina foi devidamente projetada, construída e entregue. Ao custo de US$ 80 milhões, mais que o dobro do preço de uma máquina de perfuração padrão. Depois de perfurar 300 metros de um túnel que teria 2,7 mil metros de comprimento, a broca quebrou e se tornou a maior rolha do mundo em uma

---

[8] Fernando F. Suarez and Gianvito Lanzolla, "The Half-Truth of First-Mover Advantage", *Harvard Business Review* 83, no. 4 (April 2005): 121–27; Marvin Lieberman, "First-Mover Advantage", in *Palgrave Encyclopedia of Strategic Management*, eds. Mie Augier and David J. Teece (London: Palgrave Macmillan, 2018), 559–62.

garrafa. Extraí-la do túnel, repará-la e colocá-la de volta ao trabalho levou dois anos e custou outros US$ 143 milhões. É claro que a nova rodovia subterrânea de Seattle foi concluída com atraso e acima do orçamento, com litígios pendentes ameaçando prováveis novos atrasos. Se a cidade tivesse optado por perfurar dois túneis de tamanho padrão, poderia ter usado equipamentos de perfuração prontos para uso que já haviam sido amplamente utilizados e, portanto, eram mais confiáveis. Além disso, poderiam ter contratado equipes experientes na operação dessas máquinas. Mas os políticos não teriam como se gabar do tamanho do túnel.

Além das preocupações políticas habituais, uma das razões pelas quais erros como o de Seattle acontecem é que muitas vezes pensamos que apenas pessoas podem ter experiência, não coisas, e que, portanto, usar novas tecnologias não é como contratar um carpinteiro inexperiente. Isso é um erro, porque é a mesma coisa, sim.

Lembra-se de Pete Docter, da Pixar, explicando o design de um novo descascador de cenouras no final do capítulo anterior? Ele faz um. Um amigo testa e se corta. Então ele altera o design, e o amigo testa novamente. Dessa forma, o processo de tentar e aprender de forma constante melhora o design do descascador. O descascador de cenouras incorpora a experiência que o criou, e Docter quer um descascador que incorpore a melhor experiência, assim como seus filmes na Pixar.

Isso também não termina quando o processo de design acaba. Se o descascador de cenoura de Docter se tornasse um sucesso, vendesse milhões, fosse usado por gerações de cozinheiros e seu design nunca fosse alterado, porque funcionava perfeitamente, toda essa experiência subsequente poderia ser considerada incorporada no objeto como forma de validação. Trata-se de uma tecnologia confiável.

## EXPERIÊNCIA CONGELADA

O filósofo alemão Friedrich von Schelling chamou a arquitetura de "música congelada".[9] É uma bela frase, por isso vou adaptá-la: a tecnologia é "experiência congelada".

Se enxergamos a tecnologia dessa maneira, é certo que, em igualdade de condições, os planejadores devem preferir uma tecnologia bem estabelecida pela mesma razão que os construtores de casas devem preferir carpinteiros experientes. Mas muitas vezes não vemos a tecnologia dessa maneira. Muitas vezes, supomos que quanto mais novo, melhor. Ou pior, pressupomos o mesmo de algo personalizado, que elogiamos como "único", "sob medida" ou "original". Se os responsáveis pelas decisões avaliassem a experiência corretamente, desconfiariam de novas tecnologias, porque não foram experimentadas o bastante. E qualquer coisa que seja verdadeiramente "única" deve gerar certa preocupação. Mas muitas vezes os termos "novo" ou "único" são tratados como apenas mais um chamariz para vendas, não algo a ser evitado. É um grande erro. Planejadores e tomadores de decisão fazem isso o tempo todo. É uma das principais razões pelas quais projetos têm fraco desempenho.

## FRACASSOS OLÍMPICOS

Combine todos os erros descritos nas passagens anteriores e você terá as Olimpíadas.

Desde 1960, o custo total de sediar os Jogos – seis semanas de competições, incluindo as Paraolimpíadas, realizadas uma vez a cada quatro anos – cresceu absurdamente e agora está nas dezenas de bilhões de dólares. Segundo os dados disponíveis, todos os Jogos Olímpicos desde 1960, verão e inverno, ultrapassaram o orçamento. A superação média é de 157% em termos reais. Somente o armazenamento de resíduos nucleares tem custos excedentes mais altos

---

[9] *Oxford Dictionary of Quotations*, 8th ed., ed. Elizabeth Knowles (New York: Oxford University Press, 2014), 557.

entre as mais de vinte categorias de projetos que minha equipe e eu estudamos. Mais assustador ainda, os excessos seguem uma distribuição de lei de potência, o que significa que os excessos realmente extremos são surpreendentemente comuns. A atual detentora do recorde olímpico que ninguém quer – os custos excedentes – é Montreal, que ficou 720% acima do orçamento em 1976. Mas graças à lei de potência, é provável que seja apenas uma questão de tempo até que alguma cidade azarada se torne a nova campeã olímpica.[10]

Há muitas razões para o triste recorde das Olimpíadas, mas grande parte da explicação está na maneira como os Jogos desprezam a experiência.

Não há nenhum anfitrião permanente para os Jogos. Em vez disso, o Comitê Olímpico Internacional (COI) pede às cidades que se candidatem a cada edição. O COI prefere mudar os Jogos de região para região, de continente para continente, porque essa é uma excelente maneira de promover a marca das Olimpíadas e, portanto, serve aos interesses da entidade – o que significa dizer que é uma excelente política. Mas isso também significa que, quando uma cidade e um país ganham o direito de sediar os Jogos, é provável que nem a cidade nem o país tenham experiência em fazê-lo. Ou, se já sediou uma Olimpíada antes, foi há tanto tempo que as pessoas que trabalharam no projeto estão aposentadas ou mortas. Londres, por exemplo, sediou Olimpíadas duas vezes – com 64 anos entre os eventos. Tóquio sediou duas vezes, com 57 anos entre os eventos. Los Angeles sediará duas vezes, com 44 anos entre cada edição. Uma solução seria que as cidades-sede olímpicas contratassem pessoas e empresas que fizeram o trabalho quatro ou oito anos antes, e isso acontece até certo ponto. Mas a política nunca permitiria que algo assim prevalecesse. A conta para sediar uma Olimpíada é enorme. Somente prometendo contratos lucrativos e empregos para os locais

---

10 Bent Flyvbjerg, Alexander Budzier, and Daniel Lunn, "Regression to the Tail: Why the Olympics Blow Up", *Environment and Planning A: Economy and Space* 53, no. 2 (March 2021): 233–60.

os governos podem ganhar apoio para se candidatar. E se os locais ou nômades olímpicos profissionais fizerem o trabalho, o anfitrião não terá experiência em liderar tal força de trabalho, pelas razões mencionadas anteriormente.

Como resultado, mesmo que os Jogos se repitam a cada quatro anos, o desempenho da sede não é impulsionado por uma curva de aprendizado positiva pela experiência. As Olimpíadas são sempre planejadas e entregues por iniciantes – uma deficiência incapacitante que chamo de "Síndrome do Iniciante Eterno".[11]

Além disso, vêm o orgulho e a busca pelo ouro. O lema olímpico é "mais rápido, mais alto, mais forte", e as cidades-sede aspiram receber seus próprios superlativos na construção de instalações. Em vez de usar projetos existentes ou repetir projetos bem-sucedidos testados em outro lugar, as sedes geralmente procuram construir algo que seja o primeiro, o maior, o mais alto, o mais incomum, o mais bonito, o único, em detrimento da experiência. Esse tipo de problema pode ser observado no recordista olímpico de custos excedentes, os Jogos de Montreal de 1976. "Todas as estruturas eram dramáticas, modernas e complexas", observou um estudo de caso de 2013 escrito por engenheiros, "principalmente o estádio principal".[12]

O arquiteto do estádio foi Roger Taillibert, amigo do prefeito Jean Drapeau, que imaginou uma concha com um buraco no teto sobre o qual uma torre alta e curva se inclinaria dramaticamente. Cabos de tração conectariam a torre ao estádio, permitindo que um telhado retrátil fosse levantado ou baixado. Nada como aquilo havia sido feito antes, fato que parecia encantar Drapeau e Taillibert, mas que deveria ter sido motivo de preocupação.

Os planos de Taillibert mostraram pouca atenção por meros aspectos práticos. "O projeto do estádio não considerou aspectos

---

11 Ibid.
12 Ashish Patel, Paul A. Bosela, and Norbert J. Delatte, "1976 Montreal Olympics: Case Study of Project Management Failure", *Journal of Performance of Constructed Facilities* 27, no. 3 (2013): 362–69.

práticos da execução, não deixando espaço para andaimes internos", escreveram os engenheiros revisores, o que deixou os trabalhadores sem escolha a não ser construir o estádio agrupando dezenas de guindastes tão próximos que eles interfeririam uns nos outros.[13]

Com os custos explodindo e a construção muito atrasada, o governo de Quebec afastou Drapeau e Taillibert, espalhou dinheiro tentando apagar o incêndio e mal conseguiu iniciar os Jogos no prazo. Não havia telhado no estádio, e a torre que deveria ser a suntuosa peça central ainda era apenas um mastro feio.[14]

Após os Jogos, os custos continuaram aumentando à medida que os engenheiros perceberam que a torre não poderia ser construída como Taillibert havia planejado. Um projeto alternativo foi desenvolvido, e o telhado foi finalmente instalado uma década depois. Seguiu-se uma ladainha de contratempos, mau funcionamento, reparos, substituições e mais aumentos de custos. Quando Roger Taillibert morreu, em 2019, o obituário no *Montreal Gazette* começou observando que o estádio olímpico custou tanto que "demorou trinta anos" para ser pago por Quebec. "E mais de quatro décadas depois, ainda é atormentado por um telhado que não funciona."[15]

Nos anos que antecederam os Jogos, a forma do estádio inspirou o apelido de "o grande O", mas rapidamente passou a ser chamado de "o Grande Ônus". Nesse sentido, o Estádio Olímpico de Montreal deve ser considerado a mascote não oficial dos Jogos Olímpicos modernos. Mas não está sozinho. Pesquise on-line por "locais olímpicos abandonados" e você encontrará muitos mais, e ainda piores, monumentos à loucura olímpica.

---

13 Ibid.
14 Para fotos e reportagens contemporâneas, veja Andy Riga, "Montreal Olympic Photo Flashback: Stadium Was Roofless at 1976 Games", *Montreal Gazette*, July 21, 2016.
15 Brendan Kelly, "Olympic Stadium Architect Remembered as a Man of Vision", *Montreal Gazette*, October 3, 2019.

## O MÁXIMO DA EXPERIÊNCIA

O oposto do Grande Ônus é o Empire State Building.

Como descrevi no início deste livro, o célebre edifício foi concluído em uma velocidade surpreendente, em grande parte devido ao foco do arquiteto William Lamb no desenvolvimento de um plano cuidadosamente testado que possibilitaria uma entrega suave e rápida. Mas outro fator foi sua insistência para que o projeto usasse tecnologias existentes e comprovadas, "para evitar a incerteza de métodos inovadores".[16] Isso incluía evitar o "trabalho manual" sempre que possível e substituí-lo por peças projetadas, "para que pudessem ser duplicadas em grande quantidade com precisão quase perfeita", escreveu Lamb, "trazidas para a construção e montadas como um automóvel na linha de montagem".[17] Lamb minimizou a variedade e a complexidade, inclusive no design dos andares, estruturados do modo mais semelhante possível. Como resultado, as equipes de construção poderiam aprender repetindo. Em outras palavras, os trabalhadores não construíram um edifício de 102 andares, mas sim 102 edifícios de um andar. O projeto todo disparou a curva de aprendizado, e o ritmo acelerado de construção só cresceu.[18]

Ainda assim, o plano poderia ter falhado se tivesse sido entregue a trabalhadores inexperientes. Mas as empreiteiras que ergueram o gigante foram a Starrett Brothers e a Eken, "empresas com um histórico comprovado de eficiência e velocidade na construção de arranha-céus", observou a historiadora Carol Willis.[19]

---

16  Rafael Sacks and Rebecca Partouche, "Empire State Building Project: Archetype of 'Mass Construction'", *Journal of Construction Engineering and Management* 136, no. 6 (June 2010): 702–10.

17  William F. Lamb, "The Empire State Building; Shreve, Lamb & Harmon, Architects: VII. O Projeto Geral", *Architectural Forum* 54, no. 1 (January 1931), 1–7.

18  Mattias Jacobsson and Timothy L. Wilson, "Revisiting the Construction of the Empire State Building: Have We Forgotten Something?", *Business Horizons* 61, no. 1 (October 2017): 47–57; John Tauranac, *The Empire State Building: The Making of a Landmark* (Ithaca, NY: Cornell University Press, 2014), 204.

19  Carol Willis, *Form Follows Finance: Skyscrapers and Skylines in New York and Chicago*

O fato de não ser a primeira vez que Lamb projetava o mesmo prédio também ajudou. Em Winston-Salem, Carolina do Norte, o Edifício Reynolds, antiga sede da R. J. Reynolds Tobacco Company, é uma elegante estrutura *art déco* que se parece muito com um Empire State em menor escala. Lamb o projetou em 1927, e o prédio foi inaugurado em 1929, um ano antes do início da construção do Empire State, angariando o Prêmio de Edifício do Ano da Associação Nacional de Arquitetura.[20] Ao projetar e erguer o Empire State Building, Lamb foi auxiliado pela melhor experiência que um arquiteto pode ter: melhorar um sucesso anterior.

O Empire State Building foi diminuído pelo fato de os elementos centrais de seu design terem sido usados em um projeto anterior? Ou porque o design é deliberadamente simples e repetitivo? Não vejo como alguém poderia defender isso. O prédio é icônico. Ele até alcançou um daqueles superlativos que as pessoas tanto desejam – "o mais alto do mundo" – sem correr riscos indevidos.

Qualquer pessoa com um grande projeto em mente deve esperar ter um sucesso equivalente. Maximizar a experiência é uma ótima maneira de aumentar as possibilidades de ter sucesso.

## SABEMOS MAIS DO QUE PODEMOS DIZER

Tão importante quanto a "experiência congelada" na realização de projetos é olhar para o tipo "descongelado" de experiência – a experiência vivida pelas pessoas. Isso porque a experiência é o que faz com que líderes de projeto – pessoas como Frank Gehry e Pete Docter – se destaquem do resto. E tanto no planejamento como na entrega, não há melhor trunfo para um grande projeto do que um líder experiente comandando uma equipe experiente..

---

(Princeton, NJ: Princeton Architectural Press, 1995), 95.
20  Catherine W. Bishir, "Shreve and Lamb (1924–1970s)", North Carolina Architects & Builders: A Biographical Dictionary, 2009, https://ncarchitects.lib.ncsu.edu/people/P000414.

Como a experiência torna as pessoas melhores no seu trabalho? Faça essa pergunta a alguém, e você provavelmente ouvirá que, com experiência, as pessoas sabem mais. Até certo ponto, isso é verdade. As pessoas que trabalham com uma ferramenta aprendem como usá-la, então adquirem conhecimentos como "A trava de segurança deve ser baixada antes que a ferramenta possa ser utilizada".

Você não precisa de experiência para obter esse tipo de conhecimento. Alguém pode simplesmente lhe dizer, ou você pode encontrar essa informação em um manual. Trata-se de um "conhecimento explícito". Mas, como o cientista e filósofo Michael Polanyi mostrou, grande parte do conhecimento mais valioso que podemos obter não se adquire assim. É um "conhecimento implícito". *Sentimos* um conhecimento implícito. E quando tentamos traduzi-lo em palavras, elas nunca o capturam completamente. Como Polanyi escreveu: "Podemos saber mais do que podemos dizer".[21]

Quando um adulto dá a uma criança o que acha que são instruções completas sobre como andar de bicicleta ("coloque o pé no pedal, empurre, pressione o outro pedal"), a criança normalmente cai nas primeiras tentativas, porque as instruções *não* estão completas. E não podem estar. Muito do que o adulto sabe sobre como andar de bicicleta (por exemplo, como manter o equilíbrio durante uma curva a certa velocidade) é o conhecimento que ele sente. Não pode ser totalmente descrito em palavras, não importa quantas palavras ele use. Portanto, embora as instruções sejam úteis, a única maneira de a criança aprender a andar de bicicleta é tentar, falhar e tentar novamente. Ou seja, ela precisa desenvolver experiência e obter esse conhecimento implícito por si mesma.

Isso fica evidente no caso de atividades físicas, como andar de bicicleta ou jogar golfe, mas se aplica a muito mais. Polanyi

---

21   Michael Polanyi, *The Tacit Dimension* (Chicago: University of Chicago Press, 1966), 4.

desenvolveu o conceito de conhecimento implícito ao investigar como os cientistas fazem ciência.

Líderes de projetos experientes como Frank Gehry e Pete Docter transbordam conhecimento implícito sobre as muitas facetas dos grandes projetos que supervisionam. Melhora substancialmente a capacidade de julgamento deles. Frequentemente, eles *sentirão* que algo está errado ou que existe uma maneira melhor de fazer aquilo, sem serem capazes de dizer por quê. Como demonstram dados de muitas pesquisas, as intuições de tais especialistas são, sob as condições certas, bastante confiáveis. Elas podem até ser surpreendentemente precisas, como na famosa história dos especialistas em arte que logo sentiram, corretamente, que uma suposta estátua grega antiga era uma fraude, mesmo que ela tivesse passado por vários testes científicos e mesmo que eles não pudessem dizer por que sentiram o que sentiram.[22] Trata-se de uma "intuição hábil", e não de palpites comuns, que não são confiáveis. É uma poderosa ferramenta disponível apenas para verdadeiros especialistas – isto é, pessoas com longa experiência trabalhando em sua área de especialização.[23]

---

22 Malcolm Gladwell, *Blink: The Power of Thinking Without Thinking* (New York: Back Bay Books, 2007), 1–5.

23 Os psicólogos há muito tempo tendem a se dividir em duas escolas de pensamento aparentemente contraditórias sobre a intuição. Uma delas, conhecida como "heurística e preconceitos" e liderada por Daniel Kahneman, baseia-se principalmente em experimentos de laboratório para mostrar como o pensamento rápido da intuição pode enganar. A outra, conhecida como "tomada de decisão naturalista" (NDM), estuda como pessoas experientes tomam decisões nos locais de trabalho e mostrou que a intuição pode ser uma excelente base para julgamentos – como uma enfermeira experiente que sente que algo está errado com um bebê recém-nascido, embora instrumentos e protocolos sugiram que o bebê está bem. O psicólogo Gary Klein é o reitor desta última escola. Em 2009, Kahneman e Klein publicaram um artigo conjunto que concluiu que as duas escolas estão realmente em acordo fundamental. Eles também delinearam as condições necessárias para o desenvolvimento de uma intuição hábil. Ver Daniel Kahneman and Gary Klein, "Conditions for Intuitive Expertise: A Failure to Disagree", *American Psychologist* 64, no. 6 (September 2009): 515–26. Para uma visão geral da tomada de decisão naturalista e da pesquisa sobre intuição qualificada, consulte Gary Klein, "A Naturalistic Decision-Making Perspective on Studying Intuitive Decision Making", *Journal of Applied Research in Memory and Cognition* 4, no.

Quando um líder de projeto experiente usa um processo de planejamento altamente iterativo – o que chamei anteriormente de "planejamento Pixar" –, coisas boas acontecem. Ao escrever roteiros ou sonhar com imagens, Pete Docter disse: "Eu apenas mergulho e faço as coisas intuitivamente. Vou ser mais preciso. Eu me divirto com isso. É um momento muito verdadeiro". Mas Docter então coloca seus julgamentos intuitivos à prova, transformando os roteiros e as imagens em um modelo de vídeo e vendo como o público reage. Ele analisa o que está funcionando e o que não está, e ajusta de acordo com o feedback. Ao mudar de um modo para o outro, repetidas vezes, ele obtém o máximo da intuição e do pensamento racional.

Mas o valor da experiência não se limita ao planejamento. Quando Jørn Utzon venceu o concurso para projetar a Sydney Opera House, entrou em um ambiente político complexo e difícil, longe de seu território natal, onde uma série de figuras poderosas estava pressionando seus próprios interesses e assuntos. Sem experiência em navegar nesse ambiente, ele era como um bebê na floresta. E os lobos o apanharam.

Em contraste, a subida de Frank Gehry na escada da experiência deu-lhe um valioso aprendizado na política de grandes projetos. As lições mais difíceis vieram em sua maior comissão antes do Guggenheim Bilbao: o Walt Disney Concert Hall, em Los Angeles. Como a Sydney Opera House, foi concebido em um ambiente político difícil, com pessoas poderosas e visões diferentes, resultando em conflitos, um início apressado e um projeto que se arrastava sem parar, com custos cada vez mais altos.[24] Como no caso de Utzon,

---

3 (September 2015): 164–68; ver também Gary Klein, *Sources of Power: How People Make Decisions* (Cambridge, MA: MIT Press, 1999).

24 Deve-se enfatizar que os estouros de custo e cronograma no Walt Disney Concert Hall não foram devidos à falta de planejamento de Frank Gehry, embora ele fosse frequentemente culpado. Gehry foi forçado a sair do projeto do Disney Concert Hall após a fase de desenvolvimento, quando o cliente decidiu entregar o projeto a um arquiteto executivo que achava que seria melhor para produzir documentos de construção e fazer a administração da construção. O arquiteto executivo falhou, o que foi a

a reputação de Gehry saiu abalada. Gehry poderia ter tido o mesmo

---

principal causa dos atrasos e excedentes no Disney Concert Hall. Na verdade, quando Gehry foi trazido de volta, ele entregou o Disney Concert Hall dentro do orçamento, em comparação com o orçamento estimado no início da construção, de acordo com o biógrafo de Gehry, Paul Goldberger, e Stephen Rountree, presidente do Music Center, Los Angeles, e proprietário do Disney Concert Hall. Ver Paul Goldberger, *Building Art: The Life and Work of Frank Gehry* (New York: Alfred A. Knopf, 2015), 322; Stephen D. Rountree, "Carta ao Editor, Jan Tuchman, Engineering News Record", Music Center, Los Angeles, April 1, 2010.
O Walt Disney Concert Hall tem um lugar especial na carreira de Frank Gehry como seu quase inimigo e como o projeto que o ensinou a proteger seus projetos de serem prejudicados pela política e pelos negócios. O Disney Concert Hall foi a "experiência quase Utzon" de Gehry, no sentido de que ameaçava desfazer sua carreira, assim como a Sydney Opera House desfez a de Utzon. Houve uma grande diferença, no entanto, que salvou Gehry, mas apenas por pouco: quando o problema atingiu Gehry, ele não pôde fugir de volta para casa como Utzon fez, porque já estava em casa. Ele vivia e trabalhava em Los Angeles, a apenas alguns quilômetros da rodovia do Disney Concert Hall. Como consequência, quando o projeto deu errado, ele se tornou um pária em sua própria cidade natal. Durante anos foi martelado pela imprensa local. Não podia sair sem ser abordado por pessoas, que o culpavam pelo desastre do Disney Concert Hall ou expressavam empatia por seu destino infeliz, ambos os quais igualmente irritavam Gehry. "Eles ficavam atrás de mim aqui [em Los Angeles] porque eu sou o cara local", explicou mais tarde em uma entrevista, "então começou uma enxurrada vindo em minha direção" (citado em Frank Gehry, *Gehry Talks: Architecture + Process*, ed. Mildred Friedman [London: Thames & Hudson, 2003], 114). Quase dez anos após o fato, Gehry ainda chamou aquele período de os "tempos mais sombrios" de sua vida e disse: "Tenho muitas feridas do processo"; veja Frank O. Gehry, "Introduction", in *Symphony: Frank Gehry's Walt Disney Concert Hall*, ed. Gloria Gerace (New York: Harry N. Abrams, 2003), p. 15. O ponto mais baixo veio em 1997, quando, após nove anos de trabalho no Disney Concert Hall, os líderes políticos e empresariais no comando tentaram derrubar Gehry e mandar alguém completar seus desenhos. Essa foi a gota d'água. Por um tempo, Gehry pensou que o projeto estava encerrado para ele e considerou deixar Los Angeles completamente.
No entanto, a viúva de Walt Disney, Lillian Disney, era a principal patrocinadora do projeto, e a família Disney então interveio com seu poder e dinheiro ao lado de Gehry. O Disney Concert Hall havia se tornado um escândalo, com certeza, mas, depois que a poeira baixou, a posição de Gehry no projeto foi fortalecida, e ele finalmente ficou encarregado do design e dos desenhos finais. A porta-voz da família Disney, Lillian, e a filha de Walt Disney, Diane Disney Miller, emitiram um comunicado dizendo: "Prometemos a Los Angeles um prédio de Frank Gehry, e é isso que pretendemos entregar"; veja Richard Koshalek and Dana Hutt, "The Impossible Becomes Possible: The Making of Walt Disney Concert Hall", in *Symphony*, p. 57. Ao contrário de Utzon em Sydney, Gehry tinha apoiadores

poderosos em Los Angeles que o defenderam quando os ataques saíram do controle. Isso acabou salvando-o, assim como seus projetos para o Disney Concert Hall.

Mas Gehry também teve sorte em relação ao timing. Seu ponto mais baixo com o Disney Concert Hall coincidiu com sua ascensão ao estrelato internacional, com a inauguração, em 1997, do Museu Guggenheim em Bilbao, na Espanha. Aquele edifício foi imediata e globalmente reconhecido como uma sensação do design moderno, levando a arquitetura a novos patamares de expressão artística, como mencionado no texto principal. Por causa da controvérsia e dos atrasos com o Disney Concert Hall, embora o Guggenheim Bilbao tenha sido iniciado três anos depois do Disney Concert Hall, foi concluído seis anos antes dele. O Guggenheim Bilbao, portanto, forçou o ponto, com líderes políticos e empresariais em Los Angeles, com a mídia local e com o público em geral, de que, se Gehry podia construir arquitetura de classe mundial dentro do prazo e do orçamento na distante Bilbao, talvez pudesse fazer o mesmo em casa, em Los Angeles. Gehry finalmente recebeu a responsabilidade de concluir o Disney Concert Hall, e não houve novos estouros de custos e escândalos no projeto de US$ 274 milhões desde o momento em que seu escritório assumiu até a conclusão, em 2003. Tão importante quanto, o Walt Disney Concert Hall foi reconhecido instantânea e amplamente como "a mais surpreendente obra-prima da arquitetura pública já construída em Los Angeles"; veja Koshalek and Hutt, "The Impossible Becomes Possible", 58.

Então está tudo bem quando acaba bem? Essa é a visão convencional do escândalo na arquitetura. Afinal de contas, o edifício acabado, normalmente, permanecerá no local por um século ou mais, enquanto as dificuldades e os escândalos que ocorreram em sua construção logo serão esquecidos. As pessoas caem, os prédios ficam de pé. Desse ponto de vista, projetos como o Walt Disney Concert Hall e a Sydney Opera House são sucessos, apesar da turbulência e da dor que envolvem. Não para Gehry, no entanto. Aqui também ele não é convencional. Sua lição do Disney Concert Hall foi "Nunca mais!". Ele estava desconfortavelmente ciente de que a sorte e as circunstâncias o salvaram do destino de Utzon. Nunca mais arriscaria seu sustento e o de seus sócios. Nunca mais suportaria o abuso e a "escuridão" a que havia sido submetido pelo Disney Concert Hall. Durante o longo processo de gestação da casa de espetáculos, Gehry percebeu que não é inteligente nem necessário correr os riscos e aceitar o tipo de maus-tratos que havia sofrido. Custos excessivos, atrasos, controvérsias, danos à reputação e colocar a carreira e os negócios em risco não são ingredientes inevitáveis na construção de uma obra-prima, aprendeu Gehry. Lentamente – golpe a golpe no Disney Concert Hall, triunfo a triunfo em Bilbao e em outros lugares – Gehry percebeu que havia uma maneira diferente de organizar o projeto e a construção, na qual ele permaneceria no controle em vez de se tornar marginalizado e "infantilizado", como ele chama. Gehry cunhou um termo para a nova configuração que acabou desenvolvendo: "a organização do artista", publicado pela primeira vez na *Harvard Design Magazine*; veja Bent Flyvbjerg, "Design by Deception: The Politics of Megaproject Approval", *Harvard Design Magazine*, no. 22 (Spring-Summer 2005): 50-59. Gehry usou essa configuração em todos os projetos desde o Disney Concert Hall, para entregar uma arquitetura sublime dentro do prazo e do orçamento.

destino de Utzon se não fosse pela intervenção de apoiadores, principalmente da família Disney, cujo aporte de US$ 50 milhões havia iniciado o projeto e que condicionou seu apoio contínuo ao fato de Gehry continuar sendo o arquiteto quando seus detratores tentaram expulsá-lo do projeto. Quando foi finalmente concluído, o edifício era uma maravilha. Mas foi entregue com grande atraso e muito acima do orçamento, o que foi um susto para Gehry.

Por mais difícil que tenha sido a experiência, o processo de construção do Disney Concert Hall ensinou a Gehry uma série de lições que ele usou na construção do Guggenheim Bilbao e em outros projetos posteriores. Quem tem poder e quem não tem? Quais são os interesses e as pautas no trabalho? Como você pode atrair aqueles de que precisa e mantê-los no projeto? Como pode manter o controle do seu design? Essas questões são tão importantes quanto a estética e a engenharia para o sucesso de um projeto. As respostas não podem ser aprendidas em uma sala de aula ou lidas em um livro didático, porque não são fatos simples que podem ser totalmente explicados em palavras. Elas precisam ser desenvolvidas assim como você aprende a andar de bicicleta: tentando, falhando, tentando novamente. Foi o que Gehry fez, e Utzon, não. Um tinha experiência; o outro, não.

Quando Aristóteles discutiu a natureza da sabedoria, há mais de 2,3 mil anos, não desprezou o conhecimento que recebemos das salas de aula e dos livros didáticos. É essencial, disse ele. Mas a sabedoria prática, a sabedoria que permite que uma pessoa veja o que é certo fazer e o faça, requer mais do que conhecimento explícito, requer conhecimento que só pode ser adquirido por longa experiência – uma ideia apoiada por Michael Polanyi e por grande parte da pesquisa psicológica 2,3 mil anos depois. Como mencionado anteriormente, essa sabedoria prática é o que Aristóteles chamou de "*phronesis*". Aristóteles a tinha em maior conta do que qualquer outra virtude, "pois unicamente a posse da *phronesis* levará consigo a de todas as outras [isto é, todas as virtudes relevantes]", como ele enfatizou.[25]

Em suma, se você tem *phronesis*, tem tudo. Portanto, um líder de projeto com muita *phronesis* é o maior recurso que um projeto pode ter. Se você tiver um projeto, contrate um líder assim.

## DE VOLTA PARA *EXPERIRI*

Voltando ao ponto de partida do capítulo anterior: ao planejar, lembre-se da palavra em latim *experiri*, a origem das palavras *experimento* e *experiência*. Sempre que possível, o planejamento deve maximizar a experiência, tanto congelada quanto descongelada.

Em sua maioria os grandes projetos não são os primeiros, os mais altos, os maiores ou qualquer outra coisa do tipo. São rodovias e linhas ferroviárias relativamente comuns, prédios de escritórios, software, hardware, programas de mudança, infraestrutura, casas, produtos, filmes, eventos, livros ou reformas residenciais. As pessoas não esperam que eles sejam grandes marcos culturais e legados. Também não exigem que sejam extremamente criativos e incomuns. Mas querem que sejam excelentes. Querem que os projetos terminem dentro do orçamento e do prazo, façam o que devem, façam bem e de forma confiável, e que façam isso por um longo tempo. Para tais projetos, a experiência pode ser uma grande ajuda. Se houver um design – ou um sistema, um processo ou uma técnica – que já foi utilizado muitas vezes antes, use-o, ajuste-o ou misture-o com outros métodos similares. Use tecnologias prontas. Contrate pessoas com experiência. Confie no que for confiável. Não se arrisque, se possível. Não seja o primeiro. Remova as palavras *personalizado* e *sob medida* do seu

---

25 Aristóteles, *The Nicomachean Ethics*, traduzido por J. A. K. Thomson, revisado com notas e apêndices por Hugh Tredennick, introdução e bibliografia por Jonathan Barnes (Harmondsworth, UK: Penguin Classics, 1976), 1144b33–1145a11. Para um relato mais extenso da importância da *phronesis* no conhecimento e na ação humanos, veja Bent Flyvbjerg, *Making Social Science Matter: Why Social Inquiry Fails and How It Can Succeed Again* (Cambridge, UK: Cambridge University Press, 2001).

vocabulário. São adjetivos desejáveis apenas na alfaiataria italiana – se você puder pagar, claro –, mas não para grandes projetos.

Da mesma forma, sempre que possível, aposte na experimentação usando o processo repetitivo do "planejamento Pixar". Quaisquer que sejam os mecanismos relevantes de teste, desde simples tentativa e erro até esboços, modelos de madeira e papelão, vídeos de teste, simulações, produtos mínimos viáveis e produtos virtuais máximos, teste tudo, desde as grandes ideias até os pequenos detalhes. Usando bons mecanismos de teste que tornam a possibilidade de erro relativamente segura, assuma riscos calculados e experimente novas ideias. Mas reconheça que quanto menos comprovado algo é, mais deve ser testado.

Quando alguma coisa funcionar, fique com ela. Quando isso não acontecer, livre-se dela. Tente, aprenda, repita. E outra vez. E outra vez. Deixe o plano evoluir.

O teste é ainda mais decisivo para grandes projetos muito raros – como encontrar soluções para a crise climática, levar pessoas a Marte ou armazenar lixo nuclear permanentemente – que devem fazer o que nunca foi feito antes, porque esse é o coração do projeto. Eles começam com um profundo déficit de experiência. Para entregar o que almejam, no prazo e no orçamento, esse déficit deve ser transformado em superávit com a aplicação incansável de *experiri*.

Um bom plano, como eu disse, é aquele que maximiza a experiência ou a experimentação. Um plano excelente é aquele que faz as duas coisas. E o melhor plano? É aquele que valoriza a experiência e a experimentação – e é elaborado e entregue por um líder de projeto e uma equipe com *phronesis*.

Mas mesmo com tudo isso em mãos, você ainda tem que responder a algumas das perguntas mais difíceis em qualquer projeto: quanto vai custar? Quanto tempo vai levar? Mesmo planos excelentes entregues por excelentes líderes e equipes podem ser desfeitos se essas previsões estiverem erradas. E graças a um viés onipresente, isso acontece com frequência.

Vejamos esse viés – e como superá-lo.

# 6
# ENTÃO VOCÊ ACHA QUE SEU PROJETO É ÚNICO?

*Pense novamente. Entender que o seu projeto "é um daqueles" é fundamental para acertar as previsões e gerir os riscos.*

Em 2010, quando a China estava lançando gigantescos projetos de infraestrutura um após o outro, o Conselho Legislativo de Hong Kong aprovou um ambicioso megaprojeto até mesmo para os padrões chineses: o primeiro trem-bala totalmente subterrâneo do mundo, a ser conhecido como "XRL", incluindo a maior estação ferroviária subterrânea de alta velocidade do mundo, quatro estações profundas, dinamitadas em rocha, bem no centro de Hong Kong. A linha de 26 quilômetros reduziria pela metade o tempo de viagem entre Hong Kong e a cidade continental de Guangzhou, integrando ainda mais um dos portos e centros financeiros mais importantes do mundo com a maior aglomeração urbana da Terra, incluindo a Zona Econômica do Delta do Rio das Pérolas.

O XRL seria construído pela Mass Transit Railway (MTR), corporação que opera a gigantesca rede ferroviária de Hong Kong. A MTR tem um excelente histórico, tanto nas suas operações diárias como na entrega de grandes projetos. No entanto, logo teve problemas com o XRL. Quando a construção começou, em 2011, estava programada para ser concluída em 2015. Mas quando essa data chegou, menos da metade do trabalho havia sido feita, com mais da metade do orçamento gasto. Para piorar a situação, um túnel em construção havia inundado, com uma cara máquina de perfuração de túneis lá dentro. Uma bagunça.

O CEO da MTR e o diretor do projeto pediram demissão devido ao atraso. O projeto estava em colapso total. Foi quando recebi uma ligação da MTR, pedindo-me para viajar a Hong Kong e ajudar.

Minha equipe e eu nos reunimos com o conselho de administração da MTR na sala do 33º andar, diante de uma vista espetacular para os arranha-céus e o porto de Hong Kong.[1] O clima era tenso. Será que era possível limpar a bagunça?

Assegurei ao conselho que sim, era possível. Eu já tinha visto coisa pior. Mas não havia nenhuma margem para erros. O conselho já havia alertado o governo de que mais dinheiro e tempo seriam necessários. Agora teria que voltar e explicar exatamente o quanto, o que era terrível em uma cultura que enfatiza o perfeccionismo. Tivemos que nos certificar de que não haveria uma terceira vez, o que significava acertar o cronograma e o orçamento para a finalização do projeto – e entregar o que tivesse sido acertado. Todos concordaram.

Para fazer isso, primeiro era preciso entender como a bagunça havia sido criada. Como de costume, o primeiro passo era realizar uma autópsia. Não é algo muito bonito de se ver.

Quando perguntamos à MTR o que havia dado errado, recebemos uma lista de reclamações: os protestos da comunidade atrasaram o início. Surgiram problemas com as gigantescas máquinas de perfuração de túneis. Havia escassez de mão de obra. O tunelamento revelou condições subterrâneas inesperadas. O canteiro de obras foi inundado. As medidas de mitigação foram ineficazes. A administração sentiu que não fora devidamente informada. E assim por diante. Combinados, esses fatores criaram uma cadeia de atrasos

---

1 Realizei meu trabalho no XRL com uma equipe principal formada pelo professor Tsung-Chung Kao, Dr. Alexander Budzier e eu, auxiliados por uma equipe mais ampla de especialistas em MTR. O trabalho é relatado em Bent Flyvbjerg e Tsung-Chung Kao com Alexander Budzier, "Report to the Independent Board Committee on the Hong Kong Express Rail Link Project", in MTR Independent Board Committee, *Second Report by the Independent Board Committee on the Express Rail Link Project* (Hong Kong: MTR, 2014), A1–A122.

seguida por esforços fracassados para recuperar o tempo, seguidos por mais atrasos e mais esforços fracassados. A equipe ficou desmotivada, prejudicando ainda mais o desempenho. A situação piorou dia após dia.

Os detalhes importavam, mas a reclamação geral me era familiar. Qual era a causa? Mau planejamento? Entrega? Devemos culpar gerentes, trabalhadores, ou ambos? Por que uma organização anteriormente bem-sucedida falhou tanto nesse projeto em particular?

Quando a entrega falha, os esforços para descobrir os motivos tendem a se concentrar exclusivamente na entrega. Isso é compreensível, mas é um erro, já que a principal causa do atraso na entrega muitas vezes não está aí, mas na previsão, anos antes do momento da entrega.

Como a MTR soube que iria ter problemas com a entrega? Pelas discrepâncias no cronograma e no orçamento previstos. Mas essas discrepâncias foram medidas em relação às previsões da MTR de quanto tempo levariam e quão dispendiosas seriam as várias etapas do projeto. Se essas previsões estivessem erradas, uma equipe que estivesse trabalhando para atendê-las falharia, não importa o que fizessem. A entrega estaria condenada desde o princípio. Isso deveria ser óbvio. Mas quando as coisas dão errado e as pessoas ficam desesperadas, o óbvio muitas vezes é esquecido, e presume-se que, se a entrega falhar, o problema deve estar aí, quando, na verdade, está na previsão.

Quanto tempo vai levar? Quanto vai custar? A previsão é imprescindível para qualquer projeto. Neste capítulo, explicarei como obter estimativas corretas usando uma técnica de previsão surpreendentemente simples e altamente adaptável. No entanto, nem as melhores previsões conseguem lidar com reviravoltas nos acontecimentos, raras, mas desastrosas, como as inundações em Hong Kong, também conhecidas como "cisnes negros". Esse tipo de acontecimento requer mitigação de risco, não previsões. Mostrarei como. E então vamos colocar o XRL de volta nos trilhos. Esse trabalho começou com uma pergunta simples: "Como você faz as suas previsões?".

## É A ESTIMATIVA, ESTÚPIDO!

Conhecemos Robert Caro, o aclamado biógrafo, no capítulo 3, quando ele cuidadosamente preencheu a caixa à direita antes de iniciar um novo livro. Mas antes de Caro começar a escrever suas biografias ganhadoras do Prêmio Pulitzer, ele passou seis anos como repórter investigativo no jornal *Newsday* de Long Island. Após escrever uma série de histórias sobre uma proposta de ponte financiada por Robert Moses, um burocrata do estado, Caro percebeu que Moses era muito poderoso e decidiu escrever sua biografia. Ele sabia que era um projeto ambicioso. Moses vinha moldando a cidade de Nova York havia mais de quarenta anos e tinha construído mais megaprojetos do que qualquer outra pessoa na história. Ele também era reservado, preferindo ficar longe dos holofotes. Ainda assim, Caro estava bastante confiante de que poderia terminar seu livro em nove meses e certo de que finalizaria em no máximo um ano.[2]

Essa previsão era extremamente importante. Caro e sua esposa, Ina, tinham um filho pequeno e poucas economias. Seu adiantamento pelo livro foi de apenas US$ 2,5 mil (cerca de US$ 22 mil atualmente). Ele não tinha recursos suficientes para se dar ao luxo de atrasar o projeto.

Mas o trabalho se arrastava. Um ano se passou. Dois. Três. "Ano após ano, eu ainda não estava nem perto de terminar; convenci-me de que havia me desviado completamente", lembrou Caro, décadas depois. Em conversas, as pessoas inevitavelmente perguntavam quanto tempo fazia que ele trabalhava naquele livro. "Quando eu dizia três anos, ou quatro, ou cinco, elas rapidamente disfarçavam

---

[2] Robert Caro, *Working: Researching, Interviewing, Writing* (New York: Vintage Books, 2019), 71–77.

o olhar de incredulidade, mas não o suficiente para me impedir de vê-lo. Passei a ter medo dessa pergunta."[3]

Caro e sua esposa relatam: "vimos nossas economias acabarem, e vendemos nossa casa para continuar, e o dinheiro da venda acabou".[4] Eles passaram por momentos difíceis. Caro levou *sete* anos para terminar o livro. Mas uma história que parecia destinada a ser uma tragédia terminou em triunfo. Quando *The Power Broker: Robert Moses and the Fall of New York* foi finalmente publicado, em 1974, ganhou o Prêmio Pulitzer e tornou-se best-seller. O livro não apenas ainda está sendo impresso, como também é considerado uma das maiores descrições do poder político já escritas.

Para os nossos estudos, o que importa é saber *por que* houve uma lacuna tão grande e perigosa entre a previsão de Caro e quanto tempo o trabalho realmente levou. Existem duas explicações possíveis.

Uma coloca a culpa no trabalho de Caro. Nessa explicação, a previsão era razoável. O livro teria levado um ano ou menos para ser concluído se alguém mais experiente o tivesse escrito, mas Caro se atrapalhou tanto na pesquisa e na escrita que levou sete vezes mais tempo do que o necessário. Durante anos, ele suspeitou que fosse esse o caso, mas não conseguia descobrir o que estava fazendo de errado. E isso o atormentava.

A outra explicação é que a previsão foi uma subestimação ridícula, e ninguém poderia ter escrito a biografia que Caro tinha em mente em um ano. Cinco anos depois do início do projeto, quando parecia que o livro nunca terminaria, Caro descobriu que essa era de fato a explicação correta.

E essa descoberta foi por acaso. Após saber que a Biblioteca Pública de Nova York tinha uma sala com espaço de escritório dedicada para escritores trabalharem em seus livros, Caro se inscreveu e recebeu uma vaga. Pela primeira vez, ele se encontrou com outros autores de livros. Dois deles eram autores de grandes biografias

---

[3] Ibid., 74.
[4] Ibid., 72.

históricas que Caro amava e considerava modelos para seu próprio livro. Caro se apresentou, e eles conversaram. Inevitavelmente, surgiu a pergunta que Caro passara a temer: "Há quanto tempo trabalha no seu livro?". Com certa relutância, respondeu: "Há cinco anos". Mas os outros autores não ficaram chocados. Longe disso. "Ah, não é tanto tempo", disse um. "Estou trabalhando no meu Washington há nove anos." O outro disse que o seu livro sobre Eleanor e Franklin Roosevelt levara sete anos. Caro estava em êxtase. "Em algumas frases, esses dois homens – meus ídolos – eliminaram cinco anos de dúvidas."[5] A culpa não era do trabalho de Caro, era de sua previsão.

Então, como Caro se convenceu de que um livro que levaria sete anos para ser escrito poderia ser feito em um? Como repórter investigativo, ele estava acostumado a pesquisar e escrever um artigo em uma ou duas semanas, uma quantidade generosa de tempo para os padrões de uma redação. Ele poderia passar três semanas escrevendo um artigo particularmente longo ou uma série de artigos, cuja contagem de palavras seria aproximadamente equivalente à de um capítulo de livro. Um livro pode ter doze capítulos. Portanto, a estimativa foi fácil: 12 × 3 = 36 semanas, ou nove meses. Não ficou claro no início quantos capítulos o livro teria, mas, mesmo que chegasse a dezessete, o livro ainda poderia ser concluído em menos de um ano. Para um repórter de jornal, um ano é um período absurdamente longo para se dedicar a um projeto. Não admira, então, que Caro estivesse tão confiante.

Na psicologia, o processo que Caro usou para criar sua previsão é conhecido como "ancoragem e ajuste".[6] Sua estimativa começa

---

5   Ibid., 76–77.
6   Ancoragem é a tendência de confiar demais, ou "ancorar", em uma informação ao tomar decisões. O cérebro humano se ancorará em quase tudo, conforme ilustrado no texto principal, sejam números aleatórios, experiências anteriores ou informações falsas. Tem sido difícil evitar isso. Portanto, a maneira mais eficaz de lidar com a ancoragem parece ser não a evitar, mas garantir que o cérebro se ancore em informações relevantes antes de tomar decisões; por exemplo, em taxas básicas pertinentes à decisão em questão. Esse conselho é semelhante a recomendar que os jogadores conheçam as

com algum ponto fixo, doze capítulos de três semanas cada, no caso de Caro. Essa é a "âncora". Então você desliza o número para cima ou para baixo como parece razoável – para Caro, um ano. Esse é o "ajuste". Caro estava exatamente certo em chamar seu pensamento de "ingênuo, mas talvez não antinatural", porque, como muitas pesquisas mostram, ancorar e ajustar, particularmente quando a experiência imediata é usada como âncora, é uma maneira natural de pensar. É provável que a maioria das pessoas na posição de Caro, com sua experiência específica, tivesse feito a mesma previsão e chegado a um resultado semelhante.

Mas basear a previsão na ancoragem e no ajuste é complicado. Como os psicólogos já mostraram em inúmeros experimentos, as estimativas finais feitas dessa maneira são tendenciosas em relação à âncora, de modo que uma âncora baixa produz uma estimativa mais baixa do que uma âncora alta. Isso significa que a qualidade da âncora é decisiva. Use uma boa âncora e você melhorará muito a sua chance de fazer uma boa previsão; use uma âncora ruim e obterá uma previsão ruim.

Infelizmente, é fácil se basear em uma âncora ruim. Daniel Kahneman e Amos Tversky foram pioneiros nesse tipo de pesquisa em um famoso artigo de 1974 que incluía um dos experimentos mais estranhos da história da psicologia. Eles criaram uma "roda da fortuna" cujo mostrador exibia números de 1 a 100. Em pé na frente de participantes, eles giravam a roda uma vez, e ela parava

---

probabilidades objetivas do jogo para aumentar suas chances de ganhar e limitar suas perdas. É um bom conselho, mas muitas vezes passa despercebido. Ver Timothy D. Wilson et al., "A New Look at Anchoring Effects: Basic Anchoring and Its Antecedents", *Journal of Experimental Psychology: General* 125, no. 4 (1996): 387–402; Nicholas Epley and Thomas Gilovich, "The Anchoring-and-Adjustment Heuristic: Why the Adjustments Are Insufficient", *Psychological Science* 17, no. 4 (2006): 311–18; Joseph P. Simmons, Robyn A. LeBoeuf, and Leif D. Nelson, "The Effect of Accuracy Motivation on Anchoring and Adjustment: Do People Adjust from Provided Anchors?", *Journal of Personality and Social Psychology* 99, no. 6 (2010): 917–32; Bent Flyvbjerg, "Top Ten Behavioral Biases in Project Management: An Overview", *Project Management Journal* 52, no. 6 (2021): 531–46.

em um número. Eles então pediam às pessoas que estimassem a porcentagem de membros da ONU que são africanos. Mesmo que o número selecionado pela roda fosse totalmente irrelevante, isso fez uma grande diferença na estimativa final: quando a roda da fortuna parou, por exemplo, no número 10, o palpite médio foi de 25%; quando parou em 65, o palpite médio foi de 45%[7] (a resposta correta, na época do experimento, era 29%). Muitas pesquisas subsequentes revelaram que, antes de elaborar sua previsão, as pessoas usam como âncora quase qualquer número a que estejam expostas. Profissionais do marketing frequentemente fazem uso desse fenômeno. Quando você encontra uma placa de "limite de seis unidades por cliente" no supermercado, há uma boa chance de que essa placa esteja lá para expô-lo ao número seis, tornando-se a âncora quando você decide quantos itens comprar.

Diante disso, o processo de previsão de Robert Caro não parece tão incomum. Ele usou uma âncora ruim – sua experiência como escritor em um jornal – e produziu uma previsão falha que quase o levou à ruína. Mas, pelo menos, essa previsão fazia algum sentido.

Como acabei descobrindo, foi apenas uma previsão tão "sensata" quanto essa que colocou a MTR em apuros. Quando a MTR estava planejando o XRL, a empresa já tinha muita experiência em planejamento e entrega de grandes projetos de infraestrutura de transporte. Mas não tinha experiência alguma com transporte ferroviário de alta velocidade, que é algo excepcionalmente complexo e exigente, mesmo quando não envolve, como nesse caso, um sistema transfronteiriço e subterrâneo. Nesse sentido, a MTR estava em

---

[7] Amos Tversky e Daniel Kahneman, "Judgment Under Uncertainty: Heuristics and Biases", *Science* 185, no. 4157 (1974): 1124–31; ver também Gretchen B. Chapman e Eric J. Johnson, "Anchoring, Activation, and the Construction of Values", *Organizational Behavior and Human Decision Processes* 79, no. 2 (1999): 115–53; Drew Fudenberg, David K. Levine, and Zacharias Maniadis, "On the Robustness of Anchoring Effects in WTP and WTA Experiments", *American Economic Journal: Microeconomics* 4, no. 2 (2012): 131–45; Wilson et al., "A New Look at Anchoring Effects"; Epley and Gilovich, "The Anchoring-and-Adjustment Heuristic".

uma posição semelhante à do jovem Robert Caro quando decidiu escrever seu primeiro livro. E a MTR fez suas previsões da mesma forma que Caro, usando sua experiência anterior como âncora. O resultado também foi semelhante: a previsão da MTR para o XRL – a base de seu cronograma de entrega e orçamento – claramente subestimou quanto tempo um projeto como esse leva.

Por acaso, eu conhecia vários membros do governo de Hong Kong de trabalhos anteriores na região, que vi enquanto trabalhava para a MTR. Descobri, por meio do serviço público, que alguns funcionários haviam, de fato, questionado internamente a âncora do XRL e sugerido um ajuste ascendente. Em grandes organizações há quase sempre alguém com uma boa noção de realismo. Mas eram vozes solitárias. Outros estavam otimistas e tinham interesse em manter as estimativas menores, então o realismo era visto como pessimismo e ignorado. Tal comportamento é tão comum quanto a má ancoragem e acaba reforçando-a.

A verdade é que os gerentes e trabalhadores do XRL, por mais que trabalhassem, não conseguiam cumprir a meta que lhes fora dada. É improvável que qualquer um conseguisse. Desde o início, eles tinham certeza de que iria atrasar. Quando isso aconteceu, a MTR reagiu exatamente como Robert Caro – culpando o trabalho, não a previsão – e exigiu melhorias e mitigações que os gerentes e trabalhadores também não poderiam oferecer. Mais exigências foram feitas, mas sem sucesso. O projeto ficou cada vez mais atrasado. Depois, uma crise se instaurou.

O erro cometido pelos planejadores é tão básico quanto comum: quando experimentamos atrasos e custos excedentes, naturalmente procuramos coisas que estão desacelerando o projeto e elevando os custos. Contudo, esses atrasos e excessos são medidos em relação às referências de previsão. Mas os valores de referência são razoáveis? Logicamente, essa deve ser a primeira pergunta a ser feita, mas isso raramente acontece. Uma vez que enquadramos o problema como uma questão de tempo e dinheiro excedentes, podemos não aventar que a verdadeira fonte do contratempo não são os excedentes, mas aquilo que foi *subestimado*. Esse projeto foi condenado por uma grande subestimativa. E ela foi causada por uma âncora ruim.

Para criar uma estimativa de projeto bem-sucedida, você deve obter a âncora certa.

## "UM DAQUELES"

Em 2003 recebi um telefonema do governo do Reino Unido. Gordon Brown, que era então ministro das Finanças e encarregado do orçamento nacional e mais tarde se tornaria primeiro-ministro, teve um problema com grandes projetos. O governo estava tão acostumado a ver seus projetos ultrapassarem o tempo e o custo esperados que havia perdido a confiança em suas próprias previsões. E como grandes projetos compunham uma grande parte do orçamento britânico, o governo perdeu a confiança em seus próprios resultados. Naquela época, fazer um diagnóstico – vieses cognitivos mais deturpação estratégica equivalem a problemas – era relativamente fácil. Encontrar uma solução era mais trabalhoso.

Comecei com uma obscura expressão encontrada em um artigo que Daniel Kahneman e Amos Tversky publicaram em 1979 – não o famoso artigo de 1979 sobre "teoria do prospecto", que rendeu a Kahneman o Prêmio Nobel de Ciências Econômicas em 2002, mas outro artigo que a prolífica dupla publicou no mesmo ano. A expressão é "classe de referência".[8]

Para entender o que é classe de referência, tenha em mente que existem duas maneiras fundamentalmente diferentes de olhar para um projeto. A primeira é vê-lo como um empreendimento especial. Todos os projetos são especiais em algum grau. Mesmo que o projeto não seja algo tão criativo quanto fazer um filme da Pixar, ir a Marte ou combater uma pandemia, mesmo que seja tão comum quanto reformar uma casa suburbana ou construir uma pequena

---

[8] Daniel Kahneman and Amos Tversky, "Intuitive Prediction: Biases and Corrective Procedures", *Studies in Management Sciences* 12 (1979): 318.

ponte, desenvolver um programa de software ou organizar uma conferência, pelo menos alguns aspectos do projeto serão únicos. Talvez sejam as pessoas que farão o trabalho ou como o farão. Ou o local. Ou as circunstâncias econômicas. Ou uma combinação única desses fatores. Sempre haverá *algo* que torne esse projeto diferente de todos os outros.

As pessoas não têm dificuldade de entender isso. De fato, na minha experiência e segundo os resultados da ciência comportamental, as pessoas tendem não apenas a olhar para seus projetos dessa maneira, mas também a exagerar o quão incomum eles realmente são. Esse é o "viés de singularidade" que encontramos no capítulo anterior.[9] Todos nós somos influenciados por ele. Esse viés faz com que tenhamos amor por nossos filhos. Mas é prejudicial em algumas circunstâncias, porque nos cega de ver nosso projeto com imparcialidade.

A antropóloga cultural Margaret Mead supostamente disse a seus alunos: "Vocês são absolutamente únicos, assim como todos os outros". Os projetos são assim. Seja o que for que diferencie um projeto, ele compartilha outras características com projetos da sua classe. Uma casa de ópera pode ser única devido a seu design e sua localização, mas ainda tem muito em comum com outras construções do mesmo tipo. Também podemos aprender bastante sobre como construir uma casa de ópera específica olhando para essas

---

9 Flyvbjerg, "Top Ten Behavioral Biases in Project Management"; Bent Flyvbjerg, Alexander Budzier, Maria D. Christodoulou, and M. Zottoli, "So You Think Projects Are Unique? How Uniqueness Bias Undermines Project Management", em análise. Veja também Jerry Suls and Choi K. Wan, "In Search of the False Uniqueness Phenomenon: Fear and Estimates of Social Consensus", *Journal of Personality and Social Psychology* 52 (1987): 211–17; Jerry Suls, Choi K. Wan, and Glenn S. Sanders, "False Consensus and False Uniqueness in Estimating the Prevalence of Health-Protective Behaviors", *Journal of Applied Social Psychology* 18 (1988): 66–79; George R. Goethals, David M. Messick, and Scott Allison, "The Uniqueness Bias: Studies in Constructive Social Comparison", in *Social Comparison: Contemporary Theory and Research*, eds. Jerry Suls and T. A. Wills (Hillsdale, NJ: Erlbaum, 1991), 149–76.

construções em geral. Mesmo que ainda considerando a nossa "uma daquelas". A categoria casas de ópera é a classe de referência.

Kahneman e Tversky apelidaram essas duas perspectivas de "visão interna" (olhar para o projeto individual em sua singularidade) e "visão externa" (olhar para um projeto como parte de uma classe de projetos, como "um daqueles"). As duas perspectivas são válidas. Mas são muito diferentes. Embora haja pouco perigo de que alguém encarregado de fazer o planejamento ignore a visão interna, negligenciar a visão externa é algo rotineiro. Isso é um erro terrível.

Para produzir uma previsão confiável, você precisa da visão externa.

## A VISÃO EXTERNA

Considere um cenário que é tão comum quanto simples: você está pensando em renovar sua cozinha, mesmo depois de ler sobre o pesadelo de David e Deborah no capítulo 3, e deseja estimar o custo disso. Será um trabalho de "faça você mesmo", então não precisa incluir os custos de mão de obra. Como você fará uma previsão?

Se você é como quase todas as outras pessoas, incluindo muitos empreiteiros, começa medindo cuidadosamente todo o espaço. Qual será o tamanho do espaço? Das paredes? Do teto? Que tamanho de armários e bancadas você quer? Então você decide o tipo de piso, paredes, teto, armários, gavetas, bancadas, pias, torneiras, geladeira, forno, luzes, e assim por diante. Você descobre o preço dessas coisas e, em seguida, usa as medidas e os custos unitários para calcular o que deve gastar em cada item. Acrescente tudo e terá a sua estimativa de custo, simples e fácil. E graças ao cuidado que teve em medir e contar tudo até o menor detalhe e pesquisar os melhores preços, deve obter como resultado uma estimativa de custos confiável. Ou pelo menos é o que você supõe.

Você começa o projeto arrancando o piso existente. E descobre mofo.

Então você arranca o *drywall*. E descobre uma fiação antiga que viola o código de construção atual.

Mais tarde, suas lindas bancadas de granito são entregues. Você escorrega enquanto carrega uma parte e acaba quebrando-a em duas.

De repente, a sua estimativa sai pelo ralo. Você está prestes a exceder a estimativa de custos.

Talvez ache que não estou sendo razoável com essa ilustração. Afinal, cada uma das surpresas desagradáveis que imaginei é improvável. Isso é verdade. Mas mesmo em um projeto tão simples como uma reforma de cozinha, o número de possíveis surpresas, cada uma improvável, é assustador. Muitas pequenas probabilidades somadas equivalem a uma grande probabilidade de que pelo menos algumas dessas surpresas desagradáveis realmente aconteçam. A sua previsão não levou isso em consideração. Isso significa que sua previsão, que parecia perfeitamente razoável e confiável, era, na verdade, um cenário totalmente irreal, como o melhor cenário possível que descrevi no capítulo 2. E as coisas quase *nunca* saem de acordo com o plano. Em grandes projetos, nem chegam perto disso.

Você pode pensar, como a maioria das pessoas, que a solução é olhar mais de perto para a reforma da sua cozinha, identificar todas as coisas que poderiam dar errado e trabalhá-las em sua previsão. Essa não é a solução. Identificar maneiras pelas quais as coisas podem dar errado é importante porque permite reduzir ou eliminar riscos ou mitigá-los, como discutirei a seguir. Mas isso não lhe dará a previsão infalível que você deseja, pela simples razão de que, não importa quantos riscos possa identificar, sempre há muitos mais que você não pode. São as "incógnitas desconhecidas", para usar o termo que Donald Rumsfeld, então secretário de Defesa dos EUA, tornou famoso.[10]

Mas há uma maneira de contorná-las. Você só precisa começar de novo com uma perspectiva diferente: veja o seu projeto como parte de uma classe de projetos semelhantes já realizados, como "um daqueles". Use dados dessa classe – custo, tempo, benefícios ou qualquer outra coisa que você queira prever – como sua âncora. Em seguida, ajuste para cima ou para baixo, se necessário, para refletir como o seu projeto específico difere da média daquela classe. É isso. Não podia ser mais simples.

Aquela reforma da cozinha? Ela pertence à classe "reformas de cozinha". Obtenha o custo médio de uma reforma de cozinha. É a sua âncora. Se houver boas razões para pensar que seu projeto específico estará acima ou abaixo da média – se, por exemplo, você usar bancadas e acessórios de ponta que custam três vezes mais do que os itens padrão –, ajuste para cima ou para baixo seguindo essa lógica. Com isso, você terá uma boa previsão.

Sei por experiência que as pessoas às vezes têm problemas com isso, não porque é complicado, mas porque é simples. É simples *demais* para elas. Afinal, o projeto delas é especial, ou assim elas pensam, e esse método de previsão não enfatiza essa pretensa especialidade, então elas complicam o processo. Pensam que, se estão fazendo uma reforma na cozinha, não devem dizer que "sua reforma é mais uma daquelas" dentro da classe "reformas de cozinha". É muito fácil. Em vez disso, tentam criar uma definição elaborada e complicada da classe que parece se encaixar perfeitamente em seu projeto particular. Em vez de ver a classe como "reformas de cozinha", chamam de "reformas de cozinha com

---

10 O secretário de Defesa Donald Rumsfeld usou o termo *incógnitas desconhecidas* em uma coletiva de imprensa do Departamento de Defesa dos EUA (DoD) em 12 de fevereiro de 2002. Veja "DoD News Briefing: Secretary Rumsfeld and Gen. Myers", US Department of Defense, February 12, 2002, https://archive.ph/20180320091111/http://archive.defense.gov/Transcripts/Transcript.aspx?TranscriptID=2636#selection-401.0-401.53.

bancadas de granito e eletrodomésticos alemães em condomínios de alto padrão localizados no meu bairro". Isso é um erro. Ignora muita informação útil. E torna muito mais difícil reunir os dados necessários, um desafio que discutirei a seguir.

O mesmo pode acontecer com os ajustes. Devemos fazer ajustes apenas se houver razões claras e convincentes para pensar que seu projeto estará bem acima ou abaixo da média. Porém, quanto mais você ajusta, mais seu projeto fica *diferente* de um projeto médio. E o seu projeto é especial! Portanto, parece certo ajustar, ajustar e ajustar um pouco mais, mesmo que os ajustes sejam baseados em pouco mais do que sentimentos vagos. Isso também é um erro.

Isso tudo é o viés de singularidade falando, querendo ser reintroduzido em suas decisões quando você está tentando eliminá-lo. Não dê ouvidos a ele. Mantenha o processo simples: defina a classe de forma ampla. Inclua seu projeto nessa classe. E faça o ajuste apenas quando houver motivos convincentes para fazê-lo, o que significa buscar dados que apoiem o ajuste. Quando estiver em dúvida, não faça ajuste algum. O objetivo da classe é fornecer uma âncora, e a âncora será a sua previsão. Sim, é muito simples. Mas ser simples é bom, evita os perigos dos vieses.

Passei a chamar esse processo de "previsão por classe de referência" (PCR).[11] Depois de desenvolvê-lo para Gordon Brown, o governo britânico o usou para prever o tempo e o custo dos principais projetos e ficou tão satisfeito com os resultados que tornou

---

11 Bent Flyvbjerg, Carsten Glenting, and Arne Kvist Rønnest, *Procedures for Dealing with Optimism Bias in Transport Planning: Guidance Document* (London: UK Department for Transport, 2004); Bent Flyvbjerg, "From Nobel Prize to Project Management: Getting Risks Right", *Project Management Journal* 37, no. 3 (August 2006): 5–15.

o processo obrigatório.¹² A Dinamarca fez o mesmo.¹³ A PCR tam-

---

12   O desenvolvimento e o uso de previsões de classe de referência em projetos do governo do Reino Unido estão documentados nas seguintes publicações: HM Treasury, *The Green Book: Appraisal and Evaluation in Central Government, Treasury Guidance* (London: TSO, 2003); HM Treasury, *Supplementary Green Book Guidance: Optimism Bias* (London: HM Treasury, 2003); Flyvbjerg et al., *Procedures for Dealing with Optimism Bias in Transport Planning*; Ove Arup and Partners Escócia, Scottish Parliament, Edinburgh Tram Line 2 Review of Business Case (West Lothian, Scotland: Ove Arup and Partners, 2004); HM Treasury, *The Orange Book. Management of Risk: Principles and Concepts* (London: HM Treasury, 2004); UK Department for Transport, *The Estimation and Treatment of Scheme Costs: Transport Analysis Guidance*, TAG Unit TAG 3.5.9, October 2006; UK Department for Transport, *Changes to the Policy on Funding Major Projects* (London: Department for Transport); UK National Audit Office, 2009, "Note on Optimism Bias", Lords Economic Affairs Committee Inquiry on Private Finance and Off-Balance Sheet Funding, November 2009; HM Treasury, *The Green Book: Appraisal and Evaluation in Central Government* (edição de 2003 com emendas de 2011) (London: HM Treasury, 2011); UK National Audit Office, NAO, *Over-optimism in Government Projects* (London: UK National Audit Office, 2013); HM Treasury, "Supplementary Green Book Guidance: Optimism Bias", April 2013, https://assets.publishing.service.gov.uk/government/uploads/system/uploads/attachment _data/file/191507/Optimism_bias.pdf; HM Treasury, "Early Financial Cost Estimates of Infrastructure Programmes and Projects and the Treatment of Uncertainty and Risk", March 26, 2015; Bert De Reyck et al., "Optimism Bias Study: Recommended Adjustments to Optimism Bias Uplifts", UK Department for Transport, https://assets.publishing.service.gov.uk/government/uploads/system/uploads/attachment_data/file/576976/dft-optimism-bias-study.pdf; UK Infrastructure and Projects Authority, *Improving Infrastructure Delivery: Project Initiation Routemap* (London: Crown, 2016); Bert De Reyck et al., "Optimism Bias Study: Recommended Adjustments to Optimism Bias Uplifts", atualização, Department for Transport, London, 2017; HM Treasury, *The Green Book: Central Government Guidance on Appraisal and Evaluation* (London: Crown, 2018); HM Treasury, *The Orange Book. Management of Risk: Principles and Concepts* (London: HM Treasury, 2019); HM Treasury, *The Green Book: Central Government Guidance on Appraisal and Evaluation* (London: HM Treasury, 2020). A pesquisa preliminar mostrou que o RCF funcionou. Em 2006, o governo do Reino Unido tornou obrigatório o novo método de previsão em todos os grandes projetos de infraestrutura de transporte; ver UK Department for Transport, *The Estimation and Treatment of Scheme Costs: Transport Analysis Guidance*, TAG Unit 3.5.9, 2006; UK Department for Transport, *Changes to the Policy on Funding Major Projects* (London: Department for Transport, 2006); UK Department for Transport and Oxford Global Projects, *Updating the Evidence Behind the Optimism Bias Uplifts for Transport Appraisals: 2020 Data Update to the 2004 Guidance Document "Procedures for Dealing with Optimism Bias in Transport Planning"* (London: UK Department for Transport, 2020).

13   Transport-og Energiministeriet [Ministério Dinamarquês dos Transportes e Energia], *Aktstykke om nye budgetteringsprincipper* [Lei sobre os novos princípios orça-

bém foi usada nos setores público e privado nos Estados Unidos, China, Austrália, África do Sul, Irlanda, Suíça e Holanda.[14] Toda essa experiência permitiu testes rigorosos, e uma série de estudos independentes confirmou que "a PCR realmente tem o melhor desempenho", nas palavras de um desses estudos.[15]

---

mentários], Aktstykke nr. 16, Finansudvalget, Folketinget, Copenhagen, October 24, 2006; Transport-og Energiministeriet, "Ny anlægsbudgettering på Transportministeriets område, herunder om økonomistyrings–model og risikohåndtering for anlægsprojekter", Copenhagen, November 18, 2008; Danish Ministry of Transport, Building, and Housing, *Hovednotatet for Ny Anlægsbudgettering: Ny anlægsbudgettering på Transport-, Bygningsog Boligministeriets område, herunder om økonomistyringsmodel og risikohåndtering for anlægsprojekter* (Copenhagen: Danish Ministry of Transport, Building, and Housing, 2017).

14  National Research Council, *Metropolitan Travel Forecasting: Current Practice and Future Direction,* Special Report no. 288 (Washington, DC: Committee for Determination of the State of the Practice in Metropolitan Area Travel Forecasting and Transportation Research Board, 2007); French Ministry of Transport, *Ex-Post Evaluation of French Road Projects: Main Results* (Paris: French Ministry of Transport, 2007); Bent Flyvbjerg, Chikeung Hon, and Wing Huen Fok, "Reference-Class Forecasting for Hong Kong's Major Roadworks Projects", *Proceedings of the Institution of Civil Engineers* 169, no. CE6 (November 2016): 17–24; Australian Transport and Infrastructure Council, *Optimism Bias* (Canberra: Commonwealth of Australia, 2018); New Zealand Treasury, *Better Business Cases: Guide to Developing a Detailed Business Case* (Wellington, NZ: Crown, 2018); Irish Department of Public Expenditure and Reform, *Public Spending Code: A Guide to Evaluating, Planning and Managing Public Investment* (Dublin: Irish Department of Public Expenditure and Reform, 2019).

15  Jordy Batselier and Mario Vanhoucke, "Practical Application and Empirical Evaluation of Reference-Class Forecasting for Project Management", *Project Management Journal* 47, no. 5 (2016): 36; documentação adicional sobre a precisão do RCF pode ser encontrada em Li Liu and Zigrid Napier, "The Accuracy of Risk-Based Cost Estimation for Water Infrastructure Projects: Preliminary Evidence from Australian Projects", *Construction Management and Economics* 28, no. 1 (2010): 89–100; Li Liu, George Wehbe, and Jonathan Sisovic, "The Accuracy of Hybrid Estimating Approaches: A Case Study of an Australian State Road and Traffic Authority", *The Engineering Economist* 55, no. 3 (2010): 225–45; Byung-Cheol Kim and Kenneth F. Reinschmidt, "Combination of Project Cost Forecasts in Earned Value Management", *Journal of Construction Engineering and Management* 137, no. 11 (2011): 958–66; Robert F. Bordley, "Reference-Class Forecasting: Resolving Its Challenge to Statistical Modeling", *The American Statistician* 68, no. 4 (2014): 221–29; Omotola Awojobi and Glenn P. Jenkins, "Managing the Cost Overrun Risks of Hydroelectric Dams: An Application of Reference-Class Forecasting Techniques", *Renewable and Sustainable Energy Re-*

É de longe o método mais eficiente de prever tempo e custos. A diferença entre uma previsão convencional e uma que usa PCR varia de acordo com o tipo de projeto, mas, para mais da metade dos projetos para os quais temos dados, a PCR é melhor em 30 pontos percentuais ou mais. Isso em média. Um aumento de 50% na precisão é comum. Melhorias de mais de 100% não são incomuns. O mais gratificante é que, dadas as raízes intelectuais do método, Daniel Kahneman escreveu, em *Rápido e devagar*, que usar a previsão de classe de referência é "o conselho mais importante sobre como aumentar a precisão das previsões por meio de métodos aprimorados".[16]

## POR QUE FUNCIONA?

O cerne da previsão de classe de referência é um processo de ancoragem e ajuste semelhante ao que Robert Caro e MTR fizeram – mas usando a âncora *certa*.

O que torna a classe de referência a âncora correta é o que enfatizei no capítulo anterior: experiência relevante no mundo real. Uma pessoa fez uma reforma na cozinha usando utensílios e eletrodomésticos básicos. Não houve surpresas, e a entrega foi tranquila. Isso custou US$ 20 mil e levou duas semanas. Outra reforma usou bancadas de granito e muito aço inoxidável, depois se descobriu que a fiação da casa não estava de acordo com o código municipal. O projeto acabou custando US$ 40 mil e, graças a um eletricista sem agenda, demorou dois meses para ser concluída. Faça um apanhado desses números, e você pode descobrir que em média uma reforma

---

*views* 63 (September 2016): 19–32; Welton Chang et al., "Developing Expert Political Judgment: The Impact of Training and Practice on Judgmental Accuracy in Geopolitical Forecasting Tournaments", *Judgment and Decision Making* 11, no. 5 (September 2016): 509–26; Jordy Batselier and Mario Vanhoucke, "Improving Project Forecast Accuracy by Integrating Earned Value Management with Exponential Smoothing and Reference-Class Forecasting", *International Journal of Project Management* 35, no. 1 (2017): 28–43.

16 Daniel Kahneman, *Thinking, Fast and Slow* (New York: Farrar, Straus and Giroux, 2011), 251.

de cozinha custa US$ 30 mil e costuma levar quatro semanas para ser concluída. Esses são resultados do mundo real baseados em experiências, não estimativas, portanto não são distorcidos pela psicologia e pela deturpação estratégica. Use-os para ancorar sua previsão e você criará uma estimativa baseada na realidade, não distorcida por vieses comportamentais.

Isso também explica por que o ajuste deve ser usado com cautela e moderação, se for o caso. Os ajustes podem trazer os vieses consigo. Exagere nos ajustes e o valor de sua âncora imparcial pode ser perdido.

A PCR também permite que você enfrente o problema aparentemente insolúvel das incógnitas desconhecidas de Donald Rumsfeld. A maioria das pessoas pensa que incógnitas desconhecidas não podem ser previstas, e isso parece ser verdade. Mas os dados para projetos na classe de referência refletem *tudo* o que aconteceu com esses projetos, incluindo quaisquer surpresas incógnitas desconhecidas. Podemos não saber exatamente quais foram esses eventos. E podemos não saber o tamanho ou quão prejudiciais foram. Mas não precisamos saber de nada disso. Tudo o que precisamos saber é que os números da classe de referência refletem o quão comuns e quão grandes as incógnitas desconhecidas realmente foram para esses projetos, o que significa que sua previsão também refletirá esses fatos.[17]

Lembra-se da reforma de David e Deborah em Cobble Hill, no Brooklyn? Começou a descer ladeira abaixo quando o empreiteiro

---

17  Se acha que seu projeto será afetado por mais e maiores incógnitas desconhecidas do que os projetos na classe de referência, você adiciona contingências, criando buffers de tempo ou dinheiro; novamente, isso é ancoragem e ajuste. Por exemplo, se a mudança climática está aumentando o risco de inundação, isso pode não ser refletido nos dados da classe de referência, porque são históricos; portanto, seu ajuste deve ser maior do que indica a classe de referência. Se você acha que seu projeto será menos afetado do que a classe de referência, subtraia. Mas esteja avisado: isso reintroduzirá o julgamento subjetivo na mistura, o que traz o risco de reintroduzir o viés de otimismo. Análises e dados cuidadosos e autocríticos são essenciais.

arrancou o chão da cozinha e descobriu um trabalho de má qualidade feito quando o prédio foi construído, na década de 1840. Todo o piso teve que ser retirado, e suportes precisaram ser instalados no porão. Era um fator desconhecido que teria sido difícil de detectar antes do início do trabalho. Mas se o tempo e o custo do projeto tivessem sido previstos usando reformas de casas antigas de Nova York como classe de referência, a frequência e a gravidade de tais surpresas desagradáveis estariam presentes nos dados. Como resultado, o custo e o tempo estimados teriam incluído fatores desconhecidos que não podem ser previstos.

Portanto, a previsão por classe de referência é melhor para afastar vieses. É melhor com fatores desconhecidos. É simples e fácil de fazer. E comprovadamente fornece dados mais precisos. Estou feliz que tenha sido tão adotada por diferentes organizações ao redor do mundo – muito mais do que pensei que aconteceria quando desenvolvi o método pela primeira vez para Gordon Brown –, mas não culpo ninguém por se perguntar por que, considerando todos os seus pontos fortes, não é usada ainda mais.

Há três razões para isso. A primeira é que, para muitas pessoas e organizações, o fato de a PCR eliminar vieses é um defeito, não um recurso. Como discuti no capítulo 2, a previsão imprecisa é o pão com manteiga de inúmeras corporações. Elas não querem que as pessoas que autorizam os projetos e pagam as contas tenham uma visão mais exata de quanto os projetos vão custar e quanto tempo vão levar. Elas preferem manter as coisas como estão, pelo menos até serem forçadas a mudar, por exemplo, assumindo responsabilidade legal por previsões comprovadamente tendenciosas, o que vem acontecendo cada vez mais.[18]

Um segundo desafio a ser superado é a força do viés de singularidade. Kahneman relata um momento em que ele e alguns colegas

---

18 Consulte o capítulo 1 e Bent Flyvbjerg, "Quality Control and Due Diligence in Project Management: Getting Decisions Right by Taking the Outside View", *International Journal of Project Management* 31, no. 5 (May 2013): 760–74.

se propuseram a escrever um livro didático juntos. Todos concordaram que levaria cerca de dois anos. Mas quando Kahneman perguntou ao único membro do grupo com experiência considerável na produção de livros didáticos quanto tempo normalmente leva, esse especialista disse que não conseguia se lembrar de nenhum projeto que levasse menos de sete anos. E o pior, cerca de 40% desses projetos nunca são concluídos, disse ele. Kahneman e seus colegas ficaram brevemente alarmados – mas depois seguiram em frente como se nunca tivessem ouvido esses fatos indesejáveis, porque, bem, seu projeto parecia diferente. É sempre assim. "Dessa vez será diferente" é o lema do viés de singularidade. O livro didático foi finalmente concluído *oito* anos depois.[19] Se o maior estudioso vivo do viés cognitivo pôde ser sugado pelo viés da singularidade, não admira que o resto de nós também esteja vulnerável.

A terceira razão pela qual a PCR ainda não é tão amplamente utilizada como deveria é a mais simples. São os dados. Calcular uma média é fácil, mas somente se você tiver os números à disposição. *Essa* é a parte difícil.

## ENCONTRE OS DADOS

No exemplo de reforma de cozinha mencionado, tomei como certo que você tem dados sobre reformas de cozinha que lhe permitirão calcular o custo médio. Mas provavelmente você não tem. E vai ter dificuldade para encontrá-los. Sei por experiência própria, porque procurei dados confiáveis de reforma de cozinha, não consegui encontrá-los e fui informado, por um economista que estuda a economia de reforma residencial, que, até onde ele sabe, esses dados não foram coletados. É verdade que, se você pesquisar "custo médio de reforma de cozinha", encontrará empresas que sugerem uma ampla gama de números. Mas de onde vieram esses números? São baseados em muitos resultados reais ou são apenas um discurso

---

19   Kahneman, *Thinking, Fast and Slow*, 245–47.

de vendas? É impossível saber. E você *precisa* saber, se quiser ter uma previsão confiável.

Isso é um problema comum. Os dados antigos de projetos são raramente considerados recursos valiosos e coletados. Em parte, isso ocorre porque os planejadores e gerentes de projetos têm uma mentalidade focada no futuro, não no passado. Assim que um projeto termina, seu foco está no próximo empreendimento, e ninguém pensa em olhar para trás para coletar dados sobre o projeto anterior. Mas isso também acontece porque aqueles que sabem do valor dos dados geralmente têm interesse em mantê-los em segredo. Por exemplo, quantas grandes empresas de construção querem que os proprietários tenham dados sobre os custos das reformas de casas? Isso ajuda a explicar por que meu banco de dados de grandes projetos, abrangendo muitos tipos diferentes de projetos, levou décadas para ser desenvolvido e é o único desse tipo no mundo.

Mas essas não são barreiras intransponíveis. Os governos e as corporações podem rever os seus antigos projetos e criar suas próprias bases de dados. Na verdade, ajudei vários a fazer isso. O mesmo pode acontecer com pequenas empresas – e associações comerciais, se conseguirem convencer seus membros a participar. Profissionais altamente experientes aprendem naturalmente com projetos passados – um empreiteiro que fez dezenas de reformas de cozinha terá uma boa noção do custo de uma reforma média na cozinha –, mas podem refinar e melhorar sua compreensão simplesmente reunindo dados de seus projetos antigos e adicionando números cada vez que um projeto é concluído.

Quanto àqueles que não têm acesso a um banco de dados como o meu ou não podem criar o seu próprio, a previsão de classe de referência ainda é útil. Você só precisa adotar uma abordagem prática em relação a isso.

Pense no jovem Robert Caro, cogitando escrever seu primeiro livro. Ele poderia ter facilmente usado a PCR para prever quanto tempo levaria o projeto: fazendo uma lista de livros que considerasse semelhantes ao que ele planejava escrever, ligando para seus autores e perguntando quanto tempo levaram para escrever esses livros. Se recebesse vinte respostas, ele as somaria, dividiria por vinte e teria sua âncora. Mesmo baseando-se em apenas vinte situações, ele encontraria uma tonelada de experiência palpável reunida em um número. Então ele deveria se perguntar se havia fortes razões pelas quais a confecção do livro deveria ser muito mais rápida ou mais lenta do que a média. Se sim, ele poderia ajustar de acordo. Se não, ele já teria uma estimativa. Não seria perfeita, mas seria muito melhor do que a estimativa inicial de Caro, porque estaria ancorada em projetos anteriores como o que ele estava fazendo – escrever um livro – em vez do que costumava fazer, escrever um conjunto de longos artigos de jornal.

Na verdade, Caro fez algo assim mais tarde, por acidente, quando conheceu seus colegas autores na sala de redação da Biblioteca Pública de Nova York e ficou aliviado ao saber que cada um deles havia passado sete anos ou mais escrevendo seus livros. Mas isso aconteceu muito depois de ele ter começado seu projeto – e depois de ter levado sua família à beira da ruína financeira e passado anos se culpando por não ter terminado em um ano, como havia planejado.

O mesmo se aplica à reforma da sua cozinha. Procure outras pessoas que fizeram uma reforma semelhante nos últimos cinco a dez anos. Pergunte a amigos, familiares, colegas de trabalho. Reformas de cozinha são comuns, então digamos que você encontre quinze desses projetos. Obtenha o custo total de cada um, some tudo e divida por quinze. Essa é a sua âncora.

Ainda mais simples e ainda mais preciso, você pode obter o percentual excedido em cada reforma e calcular a média. As porcentagens são mais fáceis de lembrar e de serem comparadas aos números totais. Você poderia então pegar a estimativa feita da maneira usual – medindo cuidadosamente seu projeto específico – e aumentá-la naquela porcentagem. Dessa forma, combinaria o valor da visão interna (detalhe) com o valor da visão externa (precisão), que é todo o cenário.

Naturalmente, quando se trata da visão externa, mais é sempre melhor, de modo que os dados de trinta projetos superam os dados de quinze, e os dados de cem projetos superam os dados de trinta. Mas é importante perceber que a PCR pode agregar bastante valor mesmo quando há muito menos dados do que desejamos. Com um pouco de lógica e imaginação e uma compreensão de por que a PCR funciona, é possível extrair pelo menos algum valor dela, mesmo quando você tem poucos dados.

Mesmo os dados de apenas um projeto terminado são valiosos. Obviamente, seria errado chamar isso de "*classe* de referência". Mas é uma experiência do mundo real. Chame isso de "*ponto* de referência". Em seguida, compare-o com o seu projeto planejado e pergunte: "É provável que o nosso projeto tenha um desempenho melhor ou pior do que esse ponto de referência?". Sei por experiência própria que essa discussão pode ser surpreendentemente útil.

## UM PROJETO VERDADEIRAMENTE ÚNICO?

O menor número natural é zero. Nos casos verdadeiramente raros em que um projeto pode ser descrito com precisão como único – o único de seu tipo –, esse é o número de projetos que existem na classe de referência. No entanto, mesmo nesse caso, a PCR pode ser útil.

Em 2004, recebi um telefonema de Anders Bergendahl, funcionário sueco encarregado do processo de desativação de usinas nucleares. Ele precisava de uma estimativa confiável de quanto custaria a desativação da frota de usinas nucleares da Suécia, que levaria décadas e armazenaria com segurança os resíduos nucleares, que durariam séculos. A indústria nuclear da Suécia seria responsável por pagar um fundo para cobrir esses custos, então o governo precisava saber quanto a indústria deveria pagar. "Pode me ajudar?", ele perguntou.

Fiquei perplexo. Na época eu não tinha dados sobre projetos de descomissionamento nuclear (tenho hoje). E não pensei que obteria algum dado. Pouquíssimas usinas nucleares foram desativadas em todo o mundo, e essas poucas foram feitas em circunstâncias muito especiais. Pense em Chernobyl e Three-Mile Island. A Suécia seria o primeiro país a desativar uma frota de reatores. "Não posso ajudar", respondi. "Sinto muito."

Mas Bergendahl viu algo que eu não vi. Ele disse que os consultores forneceram um relatório estimando o custo e o "risco do custo", ou seja, o risco de o custo ser maior do que o esperado. Mas ele notou uma coisa estranha quando comparou o relatório dos consultores com um livro acadêmico no qual minha equipe e eu documentamos o risco de custo para a infraestrutura de transporte, como estradas, pontes e linhas ferroviárias.[20] De acordo com nosso livro, o risco de custo era maior para esse tipo de infraestrutura muito comum. "Isso não faz sentido", disse Bergendahl. Leva de cinco a dez anos para concluir projetos de transporte, e isso tem sido feito há séculos. Como pode ser menos arriscado desativar uma planta nuclear, quando isso leva muito mais tempo e quase não temos experiência em fazê-lo? Concordei. Aquilo não fazia sentido. Os consultores e o relatório estavam errados.

Mas Bergendahl teve uma ideia para um substituto. Por que não usar nossos dados sobre os custos de infraestrutura de transporte como um "piso" – um mínimo – e presumir que o custo real do desligamento e armazenamento nuclear estaria em algum lugar acima disso? Isso estaria longe de ser uma estimativa perfeita. Mas fazia muito mais sentido do que o que os consultores haviam proposto. E o desligamento não iria começar tão cedo. Se o governo sueco colocasse essa estimativa em prática agora e fizesse com que a indústria nuclear começasse a pagar o fundo, o governo poderia ajustar a estimativa mais tarde, à medida que se aprendesse mais

---

20  Bent Flyvbjerg, Nils Bruzelius, and Werner Rothengatter, *Megaprojects and Risk: An Anatomy of Ambition* (Cambridge, UK: Cambridge University Press, 2003).

sobre o processo na Suécia e em outros lugares. Fiquei impressionado. Era uma abordagem de senso comum – *phronesis*, novamente. Trabalhamos para desenvolvê-la, e tornou-se uma política pública sueca.[21]

A verdade desconfortável é que eu mesmo caí no "viés da singularidade" ao assumir que um projeto tão sem precedentes quanto a desativação de usinas nucleares nada tinha a aprender com a experiência de outros projetos. Isso não é verdade. Como Bergendahl mostrou, bastava um pouco de lógica e imaginação para percebê-lo.

## VOLTANDO À CAUDA

Há, no entanto, uma grande advertência de cauda gorda em tudo isso. Imagine que você tem um gráfico com os custos de mil reformas de cozinha que tomam a forma de uma curva de sino clássica – com a maioria dos projetos agrupados em torno da média no meio, muito poucos projetos na extrema direita ou extrema esquerda, e até mesmo os pontos de dados mais extremos não muito distantes da média. Como discuti no capítulo 1, isso é o que os estatísticos chamam de "distribuição normal".

Em uma distribuição normal, há uma regressão à média, significando que as observações em uma amostra tendem a mover-se de volta à média da população enquanto mais observações são incluídas. Portanto, se um empreiteiro concluir uma reforma de cozinha extraordinariamente cara, é provável que a próxima, em igualdade de condições, esteja mais próxima da média, portanto mais barata.

Quando você lida com uma distribuição normal, não há problema em usar o custo médio em uma previsão de classe de referência, como descrevi anteriormente. Mas, como observado no capítulo 1, minha análise revelou que apenas uma minoria dos muitos tipos de projetos em meu banco de dados é "normalmente" distribuída. O resto – dos Jogos Olímpicos aos projetos de TI, para usinas nucleares

---

21  Statens Offentlige Utredninger (SOU), *Betalningsansvaret för kärnavfallet* (Stockholm: Statens Offentlige Utredninger, 2004), 125.

e grandes barragens – tem resultados mais extremos nas caudas de suas distribuições. Com essas distribuições de cauda gorda, a média não é representativa da distribuição, portanto não é uma boa forma de estimar previsões. Para as distribuições de cauda gorda, não há sequer uma média estável de que você possa esperar que os resultados se agrupem, porque um resultado ainda mais extremo pode (e vai) aparecer e empurrar a média mais para fora, para a cauda em direção ao infinito. Então, em vez da boa e velha regressão à média, você obtém o que eu chamo de "regressão à cauda".[22] Nessa situação, confiar na média e presumir que seu resultado estará próximo dela é um erro.[23]

---

22  Bent Flyvbjerg, "The Law of Regression to the Tail: How to Survive Covid-19, the Climate Crisis, and Other Disasters", *Environmental Science and Policy* 114 (December 2020): 614–18. Para o leitor com inclinação matemática e estatística: uma distribuição de lei de potência com um valor alfa de 1 ou inferior tem uma média infinita (inexistente). Se o valor de alfa for 2 ou menor, a variância é infinita (inexistente), resultando em médias amostrais instáveis, impossibilitando a previsão. Como uma heurística conservadora, Nassim Nicholas Taleb e seus colegas recomendam considerar variáveis com um valor alfa de 2,5 ou menos como não previsíveis na prática. Para tais variáveis, a média da amostra será muito instável e exigirá muitos dados para que as previsões sejam confiáveis ou mesmo práticas. Para ilustrar, eles mencionam o fato de que seriam necessárias $10^{14}$ observações para que a média amostral de uma distribuição Pareto 80/20, com um valor alfa de 1,13, fosse tão confiável quanto a média amostral de apenas trinta observações de uma distribuição gaussiana (normal); ver Nassim Nicholas Taleb, Yaneer Bar-Yam, and Pasquale Cirillo, "On Single Point Forecasts for Fat-Tailed Variables", *International Journal of Forecasting* 38 (2022): 413–22. Em suma, para fenômenos de cauda gorda, análise de custo-benefício, avaliação de risco e outras previsões não serão nem confiáveis nem práticas.

23  Os planejadores de projetos e acadêmicos geralmente foram treinados para presumir que o desempenho do projeto segue a regressão à média. Isso é lamentável, porque os dados não suportam a suposição; o desempenho do projeto, de fato, segue a regressão à cauda para muitos tipos de projetos; veja Flyvbjerg, "The Law of Regression to the Tail". Os planejadores e gerentes de projeto devem, portanto, entender a regressão à cauda para entregar seus projetos com sucesso.
Sir Francis Galton cunhou o termo *regressão à média* — ou *regressão à mediocridade*, como originalmente a chamava; veja Francis Galton, "Regression Towards Mediocrity in Hereditary Stature", *The Journal of the Anthropological Institute of Great Britain and Ireland* 15 (1886), 246–63. Agora é um conceito amplamente usado em estatística e modelagem estatística, descrevendo como as medições de uma média de amostra

tenderão para a média da população quando feitas em números suficientes, embora possa haver grandes variações nas medições individuais. Galton ilustrou seu princípio com o exemplo de que pais altos tendem a ter filhos mais baixos que seus pais, mais próximos da média da população, e vice-versa para pais baixos. Hoje sabemos que o exemplo de Galton é falho, pois a altura de uma criança não é estatisticamente independente da altura de seus pais, devido à genética desconhecida de Galton. No entanto, entendemos o que Galton estava tentando provar e descobrimos que ele estava certo. Em um exemplo estatisticamente mais correto do princípio de Galton, com eventos estatisticamente independentes, uma roleta com uma chance de 50:50 de vermelho ou preto pode mostrar vermelho cinco vezes seguidas – na verdade, ela fará isso em 3% de quaisquer cinco giros consecutivos da roda –, e ainda assim as chances são de 50:50 para o vermelho contra o preto nos giros seguintes. Portanto, quanto mais giros da roda forem feitos, mais próximo o resultado estará de 50:50 vermelho para preto, mesmo quando se começa com cinco vermelhos consecutivos. Quando feito em grandes números, o resultado médio dos giros regride à sua média esperada à medida que o número aumenta, independentemente do ponto de partida.

Não há nada tão prático quanto uma teoria correta. A regressão à média foi provada matematicamente para muitos tipos de estatísticas e é muito útil em saúde, seguros e escolas, em chão de fábrica, em cassinos e em gerenciamento de risco; por exemplo, para segurança de voo. Grande parte da estatística e da modelagem estatística baseia-se na regressão à média, incluindo a lei dos grandes números, amostragem, desvios-padrão e testes convencionais de significância estatística. Qualquer pessoa que tenha feito um curso básico de estatística foi treinada em regressão à média, esteja ciente disso ou não. Mas a regressão à média pressupõe a existência de uma média populacional. Para alguns eventos aleatórios de grande importância, esse não é o caso. Por exemplo, as distribuições de tamanho de terremotos, inundações, incêndios florestais, pandemias, guerras e ataques terroristas não têm média populacional, ou a média é mal definida devido à variação infinita. Em outras palavras, média e variância não existem. A regressão à média é um conceito sem sentido para tais fenômenos, enquanto a regressão à cauda é significativa e consequente. Uma distribuição deve ter uma densidade de probabilidade não nula em direção ao infinito (ou menos infinito) para que a regressão à cauda ocorra nos dados amostrados dela. Essa densidade de probabilidade não nula em direção ao infinito parece uma cauda em um gráfico da distribuição. A regressão à cauda ocorre apenas para distribuições com variância infinita. A frequência de novos extremos e a quantidade pela qual um novo extremo excede o extremo anterior indicam se a distribuição subjacente da qual os dados são amostrados tem um valor esperado e variância finita ou variância infinita e, portanto, nenhum valor esperado bem definido. Neste último caso, "regressão à média" significa regressão ao infinito; ou seja, não há valor médio no sentido convencional. Tentativas cada vez melhores de estimar a média com métodos convencionais (ou seja, pelos valores médios de uma amostra) produzirão valores cada vez maiores, ou seja, valores na cauda.

Chamei esse fenômeno – que os eventos aparecem na cauda em tamanho e frequência suficientes para que a média *não* convirja – de "a lei da regressão à cauda"; veja

Já chega de teoria. O que isso quer dizer na prática?

Idealmente, você sempre deveria saber se está enfrentando uma distribuição de cauda gorda ou não. Mas se você é um indivíduo fazendo uma reforma na cozinha ou uma pequena empresa realizando um projeto menor, talvez não saiba. Mesmo se for um alto funcionário público no controle de um programa nacional, com os dados da agência nacional de estatísticas à sua disposição, como Anders Bergendahl, talvez você não saiba. Nesse caso, é melhor usar a média — ou usar a imaginação, como fez Bergendahl, que nem sabia sua média — do que não usar nada.

Mas seguindo o princípio da precaução, é melhor presumir que o seu projeto tem uma distribuição de cauda gorda, porque esse provavelmente é o caso. Isso significa que você deve supor que seu projeto corre o risco de terminar estourando muito o orçamento e bem atrasado. Para se proteger contra isso, você precisa mitigar o risco, como descrevo a seguir.

Se você é um profissional em uma grande organização, precisa se esforçar e usar uma abordagem mais criteriosa. Precisa levar a sério a coleta de dados para possibilitar uma análise estatística da

---

Flyvbjerg, 2020, "The Law of Regression to the Tail". A lei retrata uma situação com eventos extremos, e por mais extremo que seja o evento mais extremo, sempre haverá um evento ainda mais extremo. É apenas uma questão de tempo (ou uma amostra maior) até que apareça. O tamanho do terremoto é um exemplo arquetípico de um fenômeno que segue a lei da regressão à cauda. Assim como incêndios florestais e inundações. Mas a lei não se aplica apenas a fenômenos naturais e sociais extremos. Meus dados mostram que isso também se aplica ao planejamento e gerenciamento de projetos cotidianos, de projetos comuns de TI a Jogos Olímpicos, usinas nucleares e grandes represas; ver Bent Flyvbjerg et al., "The Empirical Reality of IT Project Cost Overruns: Discovering a Power-Law Distribution", aceito para publicação no *Journal of Management Information Systems* 39, no. 3 (Fall 2022); Bent Flyvbjerg, Alexander Budzier, and Daniel Lunn, 2021, "Regression to the Tail: Why the Olympics Blow Up", *Environment and Planning A: Economy and Space* 53, no. 2 (March 2021): 233–60. Ou, para colocar a questão de outra forma: o planejamento e o gerenciamento de projetos se comportam como fenômenos naturais e sociais extremos, embora os planejadores e gerentes ignorem isso e tratem os projetos como se obedecessem à regressão à média, o que por si só é um longo caminho para explicar o péssimo desempenho da maioria dos projetos.

distribuição e determinar se ela é normal ou de cauda gorda. Se for normal ou quase normal, faça a previsão de classe de referência usando a média. Isso ainda significaria um risco de aproximadamente 50% de um pequeno custo excedente. Se quiser reduzir ainda mais esse risco, adicione uma contingência (reserva) de 10% a 15% e pronto.[24]

Se estiver diante de uma distribuição de cauda gorda, mude sua mentalidade de antecipar um único resultado ("o projeto custará X") para prever o risco ("o projeto tem X por cento de probabilidade de custar mais do que Y"), usando toda a gama da distribuição. No gerenciamento de projetos, em uma típica distribuição de cauda gorda, cerca de 80% dos resultados constituirão o corpo da distribuição. Isso é bastante normal. Não há nada de assustador aí. Para essa parte da distribuição, você pode se proteger da mesma forma de sempre com contingências acessíveis que se encaixam no orçamento. Mas os resultados da cauda do gráfico – os "cisnes negros" – são cerca de 20% da distribuição. Isso significa uma chance de 20% de acabar na cauda do gráfico, o que é um risco muito grande para a maioria das organizações. As contingências podem ter que ser 300%, 400% ou 500% acima do custo médio – ou 700%, como vimos na Olimpíada de Montreal, no capítulo 2. Isso é impraticável. Fornecer tais contingências não estaria incluído no orçamento. Isso explodiria o orçamento. Assim, o que você pode fazer com a cauda? Corte-a fora.

Isso pode ser feito com a mitigação de riscos. Chamo de "gestão do cisne negro".

## GESTÃO DO CISNE NEGRO

Algumas caudas são simples de cortar. Tsunâmis são eventos de cauda gorda, mas, se você construir bem longe da costa ou erguer

---

24 É daí que vem a contingência padrão de 10% a 15% encontrada em grande parte do gerenciamento de projetos convencional. Baseia-se na suposição de uma distribuição normal. Mas essa suposição geralmente não é atendida na realidade, conforme explicado no texto principal. A suposição é, portanto, geralmente equivocada.

um paredão alto o suficiente, elimina essa ameaça. Os terremotos também são eventos de cauda gorda, mas construa seguindo os padrões à prova de terremoto, como fizemos com as escolas no Nepal, e você estará protegido. Outros eventos exigem uma combinação de medidas: para uma pandemia, por exemplo, uma mistura de máscaras, testes, vacinas, quarentenas e *lockdowns* para evitar que as infecções saiam do controle.[25] Isso é gerenciamento de cisnes negros.

Para grandes projetos, a gestão do cisne negro normalmente requer uma combinação de medidas. Comecei este livro com uma: "Pense devagar, aja rápido". Vimos que o momento da entrega é quando as coisas podem dar terrivelmente errado. O planejamento exaustivo que permite a entrega rápida, estreitando a janela de tempo em que os cisnes negros podem acontecer, é um meio eficaz de mitigar esse risco. A finalização é a melhor forma de prevenir cisnes negros. Depois que um projeto é terminado, ele não pode dar errado, pelo menos não no que diz respeito à entrega.

O passo crucial seguinte é parar de pensar em cisnes negros como a maioria das pessoas pensa. Eles não são acidentes bizarros, impossíveis de entender ou prevenir. Eles podem ser estudados. E atenuados.

Minha equipe e eu fomos chamados para fazer exatamente isso para a High Speed 2, ou HS2, uma linha ferroviária de alta velocidade de mais de US$ 100 bilhões que vai de Londres ao norte da Inglaterra, se e quando estiver concluída.[26] Usando nosso banco de dados, primeiro exploramos a distribuição de custos de projetos ferroviários de alta velocidade comparáveis em todo o mundo. Com certeza, a distribuição tinha uma cauda gorda. O transporte ferroviário de alta velocidade é um negócio arriscado, como vimos em Hong Kong. Então nos concentramos nos projetos na cauda e investigamos o que exatamente levou cada um à beira do fracasso. As respostas eram surpreendentemente simples. As causas não foram riscos

---

25  Flyvbjerg, "The Law of Regression to the Tail".
26  A HS2 estava em construção no momento da escrita deste livro.

"catastróficos", como terrorismo, greves ou outras surpresas. Foram riscos comuns que todos os projetos já têm em seu registro de riscos. Identificamos cerca de uma dúzia desses riscos comuns e descobrimos que os projetos foram afetados pelos efeitos desses riscos combinados a um projeto já sob estresse. Descobrimos que os projetos raramente falham por um único motivo.

Uma das fontes mais comuns de problemas para os trens de alta velocidade é a arqueologia. Em muitas partes do mundo, e certamente na Inglaterra, os projetos de construção são realizados sobre camadas e mais camadas de história. Ao começar a escavar o solo, há uma boa chance de descobrir relíquias do passado. Quando isso acontece, a lei exige que o trabalho pare até que um arqueólogo qualificado possa inspecionar o local, documentá-lo, remover artefatos e garantir que nada significativo seja perdido. Os gerentes experientes sabem disso e mantêm um arqueólogo de plantão.

Normalmente, é o suficiente. Mas às vezes grandes projetos atravessam cidades e paisagens, então, quando artefatos são descobertos em um local e os arqueólogos começam a trabalhar, artefatos são encontrados em outro local logo depois. E outro. E outro. Simplesmente não há muitos arqueólogos dando sopa por aí, e, ao contrário de encanadores ou eletricistas, responder a chamadas de emergência não é parte normal de seu trabalho. Assim, quando várias descobertas se sobrepõem, os atrasos podem se tornar imensos. E esses atrasos podem, por sua vez, atrasar outros trabalhos. O resultado é uma reação em cadeia de contratempos, como uma fileira de carros deslizando um em direção ao outro em uma rua congelada. Dessa forma, o que começa como uma pequena batida no para-lama se torna um impasse capaz de inviabilizar todo o projeto.

Diante da quantidade de escavação que a HS2 exigiria, esse era um grande risco. A solução? Colocar todos os arqueólogos qualificados do país de sobreaviso. Isso não é barato. Mas é muito mais barato do que paralisar um projeto multibilionário. Então, faz sentido. E após o início da construção, teve o efeito adicional de a arqueologia se tornar a única área onde as notícias percebidas como positivas pelo público se originaram diretamente do projeto, promovido pela HS2 como o maior programa de arqueologia já realizado no Reino Unido.[27]

Também descobrimos que os atrasos iniciais nas aquisições e decisões políticas se correlacionavam com o posterior surgimento de cisnes negros na classe de referência da HS2. Curiosamente, os atrasos iniciais não são vistos como um grande problema pela maioria dos líderes de projeto. Eles acham que têm tempo para recuperar o atraso, exatamente porque os atrasos aconteceram logo no início do projeto. Isso soa razoável. Mas é absolutamente errado. Atrasos precoces causam reações em cadeia durante todo o processo de entrega. Quanto mais tarde um atraso chegar, menos trabalho restante haverá e menores serão o risco e o impacto de uma reação em cadeia. O presidente Franklin Roosevelt acertou quando disse: "O terreno perdido sempre pode ser recuperado – o tempo perdido, nunca".[28] Sabendo disso, aconselhamos medidas que reduziriam a probabilidade de atrasos iniciais e reações em cadeia.

Após lidar com a arqueologia e os atrasos iniciais, ainda tínhamos mais dez itens na lista de causas de cisnes negros em trilhos de alta velocidade, incluindo mudanças tardias no projeto, riscos geológicos, falência do empreiteiro, fraude e cortes orçamentários. Passamos um após o outro, procurando maneiras de reduzir o risco. No final, tínhamos um pacote de medidas que reduziam o risco de cisne negro decorrente de cada causa *e* de sua interação.

É assim que se corta a cauda de um projeto grande e complexo. O procedimento será um tanto diferente dependendo do projeto, mas os princípios são os mesmos. E as respostas estão bem debaixo do seu nariz na cauda da classe de referência. Você só precisa desenterrá-las.

---

27 "Exploring Our Past, Preparing for the Future", HS2, 2022, https://www.hs2.org.uk/building-hs2/archaeology/.

28 *Journal of the House of Representatives of the United States*, 77th Congress, Second Session, January 5, 1942 (Washington, DC: US Government Printing Office), 6.

Tal como acontece com a previsão da classe de referência, o grande obstáculo para a gestão de cisnes negros é superar o viés de singularidade. Se imaginar que seu projeto é tão diferente de outros projetos e que não tem nada a aprender com eles, você ignorará os riscos que detectaria e atenuaria se, em vez disso, mudasse para a visão externa. Uma ilustração surpreendente – na verdade, uma história de advertência – é fornecida pelo Grande Festival do Fogo de Chicago.

## GRANDE FESTIVAL DO FOGO DE CHICAGO

A história do incêndio que destruiu a maior parte de Chicago em 1871 é profunda na cultura local, então Jim Lasko, diretor criativo de uma companhia de teatro de Chicago, lançou a ideia de um festival de um dia que culminaria na queima espetacular de réplicas de casas vitorianas. O gabinete do prefeito adorou a ideia.

O próprio nome destacava o potencial de desastre, então, o corpo de bombeiros examinou cuidadosamente os planos de Lasko e exigiu uma série de medidas de segurança, incluindo a construção das casas em um barco no rio e a instalação de um sofisticado sistema de regadores. Para Lasko, foi irritante e exaustivo, mas os vários meses desse foco incansável nos riscos também foram um alívio. Se os eventos ao vivo dão errado, isso acontece na frente do público.

Em outubro de 2014, diante de uma multidão de trinta mil pessoas, incluindo o prefeito e o governador, Lasko pegou o *walkie-talkie* e deu a ordem para acender o fogo. Não aconteceu nada. Ele esperou. Nada ainda. O sistema de ignição falhou. Não havia apoio nem plano de contingência. Todo o esforço foi feito para mitigar o risco de o fogo se espalhar, e não para o risco de o fogo não acontecer. Um político mais tarde chamou o festival de "o fiasco no rio", e o nome pegou. O evento tornou-se uma piada. A companhia de teatro acabou fechando, e Lasko perdeu o emprego.[29]

---

29 Entrevista do autor com Jim Lasko, 3 de junho de 2020; Hal Dardick, "Ald. Burke Calls Great Chicago Fire Festival a 'Fiasco'", *Chicago Tribune*, October 6, 2014.

O que deu errado? Lasko e sua equipe passaram muito tempo pensando sobre o risco, mas nunca mudaram sua perspectiva de pensar o festival como um projeto único para vê-lo como "um daqueles", isto é, parte de uma classe mais ampla de projetos. Se tivessem feito isso, teriam passado algum tempo pensando sobre o que pode acontecer em eventos ao vivo. Como falham? Algo muito comum são as falhas de equipamento. Os microfones não funcionam. Computadores travam. Como esse risco pode ser atenuado? É simples: identifique equipamentos essenciais, obtenha backups e faça planos de contingência. Esse tipo de análise é muito fácil – mas só *após* você ter mudado de perspectiva e se voltado para a visão externa.

Observe que a mitigação de riscos não requer a previsão das circunstâncias *exatas* que levam ao desastre. Jim Lasko não precisava identificar quando e como o sistema de ignição iria falhar, apenas reconhecer que poderia falhar. E ter um plano B, caso isso viesse a acontecer.

Lembrem-se do que Benjamin Franklin escreveu em 1758: "Um pouco de negligência pode gerar grandes danos". É por isso que altos padrões de segurança são uma excelente forma de atenuar riscos e uma obrigação em todos os projetos. Eles são bons não apenas para os trabalhadores. São atitudes que impedem que pequenas coisas se combinem de maneiras imprevisíveis em cisnes negros destruidores de projetos.

Cisnes negros não são coisas do destino. Não estamos à mercê deles. Dito isso, é importante reconhecer que a mitigação de riscos – como a maioria das coisas na vida – é uma questão de probabilidade, não de certeza. Comecei este livro com a história do Empire State, que foi planejado com tanta habilidade e entregue com tanta rapidez que ficou substancialmente abaixo do orçamento e foi finalizado um pouco antes do prazo. Isso foi fruto de uma excelente mitigação de risco. O que não mencionei é que, apesar de fazer tudo certo, o projeto, que foi lançado na década de 1920, foi terminado durante a Grande Depressão, uma reviravolta que ninguém previra.

Em uma economia devastada, o Empire State lutou para atrair inquilinos e foi apelidado de "Empty State Building" (vazio) durante a década de 1930. Somente após a Segunda Guerra Mundial o edifício tornou-se rentável.

Neste mundo complexo, podemos e devemos mover as probabilidades a nosso favor, mas nunca podemos ter certeza. Bons gestores de risco sabem disso e estão preparados para tal.

## DE VOLTA A HONG KONG

Agora voltemos ao projeto de trens de alta velocidade em Hong Kong.

A MTR teve problemas com o projeto XRL quando usou a âncora errada – sua própria experiência com ferrovias urbanas e convencionais. Acrescente algum viés de otimismo, adicione ambição, e a MTR criou um cronograma de entrega que estava condenado desde o início. Quando o trabalho inevitavelmente atrasou, gerentes e trabalhadores foram culpados. Seguiu-se uma espiral de fracasso e recriminação.

Para tirar a MTR dessa espiral, começamos voltando ao início e fazendo nossa própria previsão do projeto, mas, dessa vez, uma previsão de classe de referência usando a âncora certa. Certamente, não poderíamos usar uma grande classe de referência de projetos ferroviários subterrâneos de alta velocidade porque o XRL foi o primeiro do mundo. Em vez disso, usamos dados mundiais de 189 projetos ferroviários de alta velocidade, túneis e ferrovias urbanas que os testes estatísticos mostraram serem comparáveis ao XRL. Isso é a PCR em sua forma mais sofisticada, possível apenas quando você tem um banco de dados substancial.[30] A previsão mostrou que

---

30 Testes estatísticos garantiram que apenas projetos que eram estatisticamente semelhantes em termos de custos e estouros de cronograma fossem incluídos. Veja o relato completo em Bent Flyvbjerg et al., "Report to the Independent Board Committee on the Hong Kong Express Rail Link Project", in MTR Independent Board Committee, *Second Report by the Independent Board Committee on the Express Rail Link Project* (Hong Kong: MTR, 2014), A1–A122.

o que a MTR tentou fazer em quatro anos deveria levar seis. Não admira que tenha tido problemas.

Além disso, voltamos algumas casas e fizemos a mitigação de risco. Descobrimos, por exemplo, que, se uma máquina de perfuração quebrava, engenheiros e peças eram encomendados ao fabricante. E as pessoas ficavam esperando até chegarem. Isso não fazia sentido. Nas corridas de Fórmula 1, onde cada segundo conta, o pit stop tem engenheiros e uma grande variedade de peças de reposição à mão para manter os atrasos em um mínimo absoluto. Eu disse à MTR que o tempo era tão importante para eles quanto para uma equipe de F1, e a empresa estava gastando muito mais dinheiro. Então eles deveriam trabalhar da mesma maneira. Também observamos que a aquisição e a entrega eram muitas vezes acompanhadas de atrasos, pois funcionários de nível inferior da MTR entravam em contato com funcionários de nível inferior do fornecedor. Aconselhamos que tais decisões fossem empurradas para cima, de modo que o CEO da MTR entrasse em contato com o CEO do fornecedor – uma maneira mais eficaz de acelerar o tempo de resposta.

O passo seguinte foi colocar a MTR de volta nos trilhos. Para isso, fizemos outra previsão de classe de referência para o trabalho restante, cerca de metade do total. A estimativa tinha que ser muito confiável, porque a MTR tinha apenas mais uma chance de obter a aprovação do governo de Hong Kong por mais tempo e dinheiro. Ter dados de quase duzentos projetos relevantes nos permitiu modelar estatisticamente as incertezas, os riscos e os resultados prováveis de várias estratégias. Então a MTR poderia decidir quanto risco estava disposta a assumir. Eu disse ao conselho da empresa que era como comprar um seguro. "Quão segurado você quer estar contra mais tempo e excedentes orçamentários? Cinquenta por cento? Setenta? Noventa?" Quanto mais segurado você quer estar, mais dinheiro precisa reservar para isso.[31]

---

31 O nível mais alto de seguro contra gastos excedentes que um cliente já pediu à minha equipe e a mim para modelar é de 95%, o que resultou em enormes contingências.

Um acordo foi finalmente alcançado entre a MTR e o governo, em novembro de 2015. Mas mesmo antes disso, tivemos que trabalhar para melhorar a entrega.

Se os dados forem bem detalhados, como os nossos, é possível prever não apenas um projeto inteiro, mas também seções de um projeto, usando a mesma técnica de previsão de classe de referência. Fazendo isso, definimos marcos, a conhecida ferramenta de gerenciamento que coloca marcadores para o projeto passar por datas especificadas.

Mas se um projeto está ficando para trás, os gerentes não querem esperar até que o marco seguinte chegue antes de serem alertados sobre o atraso. Eles precisam saber e agir o mais rápido possível. Nossos dados eram tão detalhados que poderíamos fazer um novo conjunto de previsões, então inventamos os "pequenos marcos". E especificamos em detalhes quem seria responsável pelo quê. Se a MTR começasse a ficar para trás dentro do novo cronograma, os gerentes seriam informados imediatamente e saberiam quem deveria agir, portanto nenhum tempo seria desperdiçado. Com o governo de Hong Kong, desenvolvemos a abordagem de "pequenos marcos" em uma metodologia geral baseada em inteligência artificial, que hoje é usada em outros projetos de Hong Kong e pode ser utilizada em qualquer projeto em qualquer lugar.[32]

---

Isso ocorre porque o custo marginal do seguro aumenta com o nível do seguro. O cliente queria estar *realmente* seguro por razões políticas. Em circunstâncias normais, não recomendo seguro acima de aproximadamente 80% para grandes projetos autônomos, como o XRL, porque é simplesmente muito caro, e os fundos que uma organização reserva para contingências não podem ser usados para fins mais produtivos em outras partes da organização. Para gerentes de portfólio responsáveis por muitos projetos, recomendo um nível ainda mais baixo, mais próximo da média na classe de referência, porque as perdas em alguns projetos do portfólio podem ser compensadas por ganhos em outros.

32  Escritório de desenvolvimento de Hong Kong, Project Cost Management Office e Oxford Global Projects, *AI in Action: How The Hong Kong Development Bureau Built the PSS, an Early-Warning-Sign System for Public Works Projects* (Hong Kong: Development Bureau, 2022 ).

O passo final para transformar o curso do XRL foi assumir o erro. A MTR fez isso, começando com um pedido público de desculpas feito por um alto funcionário. Novos líderes foram contratados, e as políticas, alteradas, para refletir os problemas que identificamos. Talvez o mais importante seja o fato de que a administração começou a comemorar o progresso tanto em pequenos marcos quanto em grandes marcos. O clima de negatividade foi substituído por uma corrente ascendente de realização que todos podiam sentir. Todo o processo de mudança levou noventa dias e noites muito intensos.

Quatro anos depois, na manhã de 22 de setembro de 2018, a espetacular nova estação ferroviária subterrânea de Hong Kong, com seus espaços verdes curvos, recebeu os primeiros viajantes. Precisamente às sete da manhã, o primeiro trem-bala deslizou em silêncio por um túnel e seguiu rapidamente para a China continental. O projeto foi concluído dentro do orçamento e três meses antes do previsto – o orçamento e o cronograma criados usavam a âncora certa.

Portanto, agora podemos colocar a previsão por classe de referência e o gerenciamento de riscos na caixa de ferramentas, juntamente com a experiência, o planejamento da Pixar e o pensamento da direita para a esquerda. Essas são as ferramentas essenciais para pensar devagar no planejamento antes de agir rapidamente na entrega.

Dito isso, tenho que admitir uma coisa: algumas pessoas pensam que a minha abordagem é não apenas errada, mas também o oposto de como devemos lidar com grandes projetos. No próximo capítulo, vou examinar o argumento delas e colocar tanto este quanto o meu à prova.

# 7
# A IGNORÂNCIA PODE SER SUA AMIGA?

*O planejamento destrói projetos, dizem alguns. Apenas vá em frente! Confie na sua engenhosidade! É um sentimento maravilhoso apoiado por histórias incríveis. Mas será que é verdade?*

Quando a década de 1960 estava chegando ao fim, Jimi Hendrix era uma estrela do rock psicodélico de 25 anos que passava as noites absorvendo a atmosfera boêmia do Greenwich Village, em Manhattan. Uma das suas discotecas favoritas era um pequeno lugar chamado Generation. No início de 1969, Hendrix assumiu o controle do lugar.

Hendrix se deleitou com a atmosfera descontraída do clube, relaxando por horas com amigos e tocando com outros músicos. Ele queria mais disso – além de um espaço onde os músicos pudessem gravar suas *jam sessions* em uma simples máquina de fita de oito faixas. Para redesenhar o clube, ele contratou John Storyk, um jovem de 22 anos que havia se formado recentemente na escola de arquitetura da Universidade de Princeton e cuja única experiência de construção era projetar a decoração de uma boate experimental em que Hendrix havia entrado e amado. Isso era o bastante. Storyk começou a desenhar.

Hendrix também pediu a Eddie Kramer, seu engenheiro de som de 26 anos, para dar uma olhada. Kramer trabalhava com Hendrix havia dois anos. Ele o conhecia como artista e pessoa, e também conhecia os seus negócios. Kramer teve uma forte reação quando visitou o clube pela primeira vez, acompanhado pelo homem que

Hendrix havia contratado para administrá-lo. "Eu desci as escadas do que era a boate Generation", ele lembrou meio século depois, "e disse: 'Vocês estão completamente loucos.'"[1]

Custaria uma fortuna reformar aquele lugar, disse Kramer. E o que ele receberia em troca? Um local onde pudesse relaxar e tocar, claro. Mas as gravações produzidas durante essas *jam sessions* ficariam bem abaixo do ideal. Enquanto isso, Hendrix continuaria a gastar até US$ 200 mil por ano (cerca de US$ 1,5 milhão em dólares de 2021) em sessões de estúdio para gravar seus álbuns. Por que não construir um estúdio de gravação privado? Poderia ser um lugar inteiramente projetado como uma expressão da estética pessoal e do espírito artístico de Hendrix, um lugar tão inspirador e confortável quanto qualquer boate poderia ser. Mas também seria um estúdio de gravação profissional, onde Hendrix poderia gravar álbuns de alta qualidade – e economizar a fortuna que gastava todos os anos em aluguel de estúdio.

Em 1969, essa era uma ideia muito inovadora. Nem mesmo as maiores estrelas tinham seus próprios estúdios. E os estúdios comerciais tendiam a ser caixas estéreis onde os técnicos usavam jalecos brancos. Hendrix estava convencido. O projeto da boate era agora um projeto de estúdio.

## ELECTRIC LADY

John Storyk estava quase terminando de redesenhar a Generation quando foi informado sobre a mudança de planos. Ele ficou destruído. Pensou que tinha sido despedido. Mas o gerente do estúdio de Kramer e Hendrix disse que não. "Eles disseram: 'Você pode ficar e tornar-se o designer do estúdio'. Falei: 'Pessoal, eu não sei nada sobre estúdios. Eu sequer pisei em um estúdio'. Eles responderam: 'Tudo bem.'"[2]

---

1   Entrevista do autor com Eddie Kramer, 25 de maio de 2020.
2   Entrevistas do autor com John Storyk, 28 de maio e 2 de junho de 2020.

Esse espírito livre e despreocupado permeou o projeto. Hendrix deu a Kramer e Storyk passe livre para criar um estúdio diferente de qualquer outro – um estúdio projetado exclusivamente para atender a "necessidades, gostos, caprichos e fantasias" de um artista, como Eddie Kramer o descreveu. Mas Hendrix tinha um pedido muito específico. Relembrando do episódio, Kramer baixou a voz e fez uma excelente imitação do ícone dos anos 1960. "Ei, cara", disse ele. "Eu quero algumas janelas redondas."

Storyk fez seis desenhos em papel vegetal do que ele achava que deveria ser um estúdio de gravação adequado para Jimi Hendrix. Esses desenhos tornaram-se o projeto. O projeto todo. Não havia nenhum cronograma. Não havia nenhum orçamento. "O estúdio inteiro foi construído a partir de seis desenhos e muitas ideias de última hora", disse Storyk com um sorriso.

Quando a construção começou, os problemas brotaram como cogumelos mágicos. Um dos principais foi a descoberta de um rio subterrâneo fluindo embaixo do edifício. Isso exigia a instalação de bombas que teriam que operar 24 horas por dia. Mas as bombas criavam um ruído de fundo inadmissível para um estúdio de gravação. Então teriam de ser abafadas de alguma forma. "Isso atrasou o projeto semanas e mais semanas", disse Storyk com um suspiro.

Eles inventaram uma solução sem pensar muito sobre o assunto. Na maioria dos ambientes, os tetos são esquecidos, nada mais do que um lugar para pendurar luminárias. Mas em um estúdio de gravação, o teto tem que absorver o som ambiente. Storyk e Kramer descobriram que especialistas em acústica injetam ar no gesso para torná-lo mais capaz de absorver o som, então inventaram uma maneira de obter mais ar no gesso batendo-o com batedores de ovos comerciais.

O financiamento era um problema maior. Hendrix ganhou muito dinheiro com concertos e discos, mas seu fluxo de caixa era irregular. "Seguíamos com a construção por um mês, um mês e meio, dois meses, e o dinheiro acabava", lembrou Kramer. Os funcionários eram dispensados, "o local era fechado, e Jimi pegava a estrada". Quando Hendrix fazia um show, era pago em dinheiro. Sacos eram enchidos com milhares de dólares. Alguém da banda levava os sacos de volta para Manhattan e os entregava aos gerentes de Hendrix. "E nós podíamos recomeçar o projeto outra vez."

Enquanto a construção se arrastava e as contas se acumulavam, Hendrix não conseguia sustentar o projeto, mas seu empresário convenceu a Warner Bros., gravadora de Hendrix, a investir centenas de milhares de dólares. Isso mal foi suficiente para conduzir o projeto à linha de chegada. Ele levou um ano e custou mais de US$ 1 milhão – ajustado por cinquenta anos de inflação, isso é cerca de US$ 7,5 milhões –, mas foi feito. Inspirado por seu álbum mais recente, *Electric Ladyland*, Hendrix chamou o estúdio de Electric Lady, rebatizado mais tarde de Estúdio Electric Lady.

Uma festa de abertura foi realizada em 26 de agosto de 1970. Patti Smith, Eric Clapton, Steve Winwood, Ron Wood e outras estrelas estavam lá.[3] O estúdio tinha a vibração perfeita de Hendrix, com iluminação ambiente, paredes curvas e, é claro, janelas redondas. "Era um lugar acolhedor", lembrou Kramer. "Jimi se sentia incrivelmente feliz, confortável e criativo ali." E o som surpreendeu as pessoas. Os músicos diziam que o som do lugar era límpido. Apenas décadas depois Storyk teve a tecnologia para fazer medições que confirmaram o porquê: o gesso no teto absorvia o som de gama média, como esperado, mas também, para sua surpresa, o som de baixa frequência. Os batedores de ovos acabaram sendo uma ideia genial.

Tragicamente, Jimi Hendrix morreu menos de um mês após a inauguração de seu estúdio, e o mundo perdeu uma vida de música brilhante que ele certamente teria produzido. Mas o estúdio continuou. Stevie Wonder gravou lá. Depois vieram Led Zeppelin, Lou Reed, Rolling Stones, John Lennon, David Bowie, AC/DC, The Clash e uma longa lista de outros artistas. E ainda *continua* firme até

---

3   Electric Lady Studios, https://electricladystudios.com.

hoje. U2, Daft Punk, Adele, Lana Del Rey e Jay-Z gravaram no que é agora o mais antigo estúdio de gravação de Nova York e um dos mais famosos do mundo.

"Eu ainda tenho os seis desenhos", disse Storyk sobre o projeto original. Um famoso magnata da tecnologia uma vez se ofereceu para comprá-los por US$ 50 mil. "Não estão à venda. Ainda estão guardados no tubo. O Museu de Arte Moderna disse que vai ficar com eles."

O projeto foi um salto no escuro: um artista etéreo impulsivamente autorizou dois garotos com pouca experiência e nenhum plano a projetar e entregar um projeto inédito que foi pago, literalmente, com sacos de dinheiro. Tinha todas as chances de ter terminado mal. Em alguns momentos, como quando Hendrix ficou sem dinheiro, parecia que esse seria o caso. Demorou séculos para ser concluído. Custou uma fortuna. Mas, no final, o projeto superou até as mais loucas expectativas.

## *JUST DO IT*

Eu amo Jimi Hendrix, e amo essa história. Quem não amaria? Há algo profundamente atraente em pessoas que se atrevem a pular o planejamento e simplesmente se jogam em um grande projeto – sonhando, batalhando e abrindo caminho em meio aos desafios para alcançar um grande sucesso. É romântico – o que não é uma palavra que as pessoas costumam usar para descrever planejamento.

A história do Electric Lady também se enquadra em uma visão generalizada da criatividade como algo misterioso e espontâneo. Que não pode ser programado e planejado. O máximo que você pode fazer é colocar-se em uma posição em que a criatividade é necessária e confiar que ela irá aparecer. Afinal, "a necessidade é a mãe da invenção", certo?

Pensando assim, é fácil concluir que o tipo de planejamento cuidadoso que aconselho neste livro é desnecessário – ou pior, que o planejamento cuidadoso revela problemas. Com os problemas revelados e sem soluções na mão, você pode decidir que o projeto é muito difícil e desistir – e nunca descobrir as soluções que teria inventado se tivesse embarcado sem pensar.

De acordo com essa perspectiva, "*Just do it*" é uma abordagem muito melhor. "Acho que é melhor fazer as coisas espontaneamente", disse uma mulher cuja reforma residencial foi apresentada em uma série da BBC. Ela comprou a casa em um leilão sem fazer uma inspeção adequada ou qualquer planejamento sério da reforma. Isso foi proposital, disse ela. "Planeje demais e vai acabar desistindo da ideia."[4]

Esse tipo de pensamento tem um apelo intelectual muito forte. Meio século atrás, Albert O. Hirschman era um renomado economista da Universidade de Columbia quando escreveu um ensaio que tem sido influente desde então.[5] Nos últimos anos, o jornalista Malcolm Gladwell escreveu com entusiasmo sobre isso na *The New Yorker*, assim como o professor de Harvard e ex-funcionário da Casa Branca Cass R. Sunstein na *The New York Review of Books*.[6] Em 2015, a Brookings Institution, um importante *hub* de criação de Washington, DC, relançou o livro no qual o texto de Hirschman apareceu pela primeira vez como um Brookings Classic, com um novo prefácio e posfácio, para celebrar o pensamento de Hirschman e o quinquagésimo aniversário da publicação do livro.[7]

Hirschman argumenta que o planejamento é uma má ideia. "A criatividade sempre vem como uma surpresa para nós", escreveu ele. "Portanto, nunca podemos contar com isso e não ousamos acreditar

---

4   *Restoration Home*, temporada 3, episódio 8, BBC, https://www.bbc.co.uk/programmes/b039glq7.

5   Albert O. Hirschman, "The Principle of the Hiding Hand", *The Public Interest*, no. 6 (Winter 1967), 10–23.

6   Malcolm Gladwell, "The Gift of Doubt: Albert O. Hirschman and the Power of Failure", *The New Yorker*, June 17, 2013; Cass R. Sunstein, "An Original Thinker of Our Time", *The New York Review of Books*, May 23, 2013, 14–17.

7   Albert O. Hirschman, *Development Projects Observed*, 3rd ed. (Washington, DC: Brookings Institution, 2015).

nisso até que aconteça." Mas se sabemos que grandes projetos representam grandes desafios que só podem ser superados pela criatividade e não podemos confiar que a criatividade aparecerá quando precisamos, por que alguém se arriscaria a realizar um grande projeto? Não deveriam se arriscar. Ainda assim, é o que fazem. Por isso, argumentou Hirschman, devemos agradecer à ignorância. Ela é a nossa amiga no momento de iniciar projetos. Ele chamou isso de "ignorância providencial".[8]

Quando ponderamos sobre um grande projeto, observou Hirschman, costumamos ignorar o número e a gravidade dos desafios que ele representará. Essa ignorância nos torna otimistas. E isso é uma coisa boa, de acordo com Hirschman. "Uma vez que necessariamente subestimamos nossa criatividade, é desejável que subestimemos em extensão semelhante as dificuldades das tarefas que enfrentamos, de modo a sermos enganados por essas duas subestimações compensatórias em tarefas que podemos, mas de outra forma não ousaríamos, enfrentar."

Na visão de Hirschman, as pessoas "tipicamente" subestimam os custos e as dificuldades de grandes projetos, levando a excedentes orçamentários e cronogramas estourados.[9] Mas esses aspectos negativos são ofuscados pelos benefícios inesperados que o projeto pode trazer. Ele sugeriu um nome para esse princípio: "Uma vez que estamos aparentemente na trilha aqui de algum tipo de Mão Invisível ou oculta que beneficamente esconde as dificuldades de nós, proponho chamarmos esse fenômeno de 'a Mão Oculta'".

Hirschman ilustrou sua ideia com uma história sobre uma fábrica de papel construída no que é hoje o país Bangladesh. O moinho

---

8 Michele Alacevich, "Visualizing Uncertainties; or, How Albert Hirschman and the World Bank Disagreed on Project Appraisal and What This Says About the End of 'High Development Theory'", *Journal of the History of Economic Thought* 36, no. 2 (June 2014): 157.

9 Hirschman afirmou que via o comportamento descrito e a Mão Oculta como típicos e como um "princípio geral de ação". Ver Hirschman, *Development Projects Observed*, 1, 3, 7, 13; e "The Principle of the Hiding Hand", *The Public Interest*, 13.

foi projetado para explorar florestas de bambu nas proximidades. Mas logo depois que a fábrica começou a operar, todo o bambu floresceu e morreu, um ciclo natural que acontece a cada meio século. Sem a matéria-prima da fábrica, os operadores não tiveram escolha a não ser encontrar alternativas. Eles tiveram três ideias: criaram novas cadeias de suprimentos para trazer bambu de outras regiões, desenvolveram e plantaram uma espécie de crescimento mais rápido para substituir o bambu perdido e inventaram novos métodos para substituir outros tipos de madeira.

No final, segundo o relato de Hirschman sobre a história, uma explosão de criatividade nascida do desespero tornou a fábrica melhor do que se o bambu original tivesse sobrevivido. Mas e se os planejadores tivessem feito um trabalho melhor e estivessem cientes do fato de que o bambu na região logo morreria? O moinho poderia nunca ter sido construído. Por mais estranho que pareça, nesse caso, o mau planejamento foi o salvador, ou assim argumentou Hirschman.[10]

---

10 Essa é a história relatada por Hirschman. Na verdade, a fábrica de papel em Bangladesh e vários outros projetos que Hirschman descreveu como sucessos, salvos pela Hiding Hand, acabaram sendo desastres. A fábrica operou com prejuízo ao longo da década de 1970, tornando-se um empecilho para a economia nacional em vez do impulso que Hirschman previra apenas alguns anos antes. A siderúrgica Paz del Río, na Colômbia, é outro exemplo de um grande projeto admirado por Hirschman no qual a Mão Oculta desencadeou um desastre financeiro em vez de soluções criativas. Por fim, a ferrovia Bornu, com quase 480 quilômetros de extensão, na Nigéria, catalisou um conflito étnico que levou à secessão e a uma trágica guerra civil, com fome e assassinatos na separatista Biafra de 1967 a 1970. Particularmente, Hirschman ficou perturbado por não ter conseguido ver que um projeto que ele acabara de estudar e declarar um sucesso poderia ter consequências tão desastrosas tão pouco tempo depois. Mas, curiosamente, em nenhum lugar esse fracasso ou o fato de que os resultados do projeto pareciam ir contra o princípio da Mão Oculta levou Hirschman a avaliar e revisar criticamente o princípio, nem mesmo quando ele escreveu um novo prefácio para uma edição posterior de *Development Projects Observed* ou quando um grupo de destacados estudiosos o convidou a refletir sobre o princípio. Para a história completa, com referências completas, consulte Bent Flyvbjerg, "The Fallacy of Beneficial Ignorance: A Test of Hirschman's Hiding Hand", *World Development* 84 (April 2016): 176–89.

Hirschman forneceu um punhado de outros exemplos de projetos de desenvolvimento econômico que eram sua especialidade, mas não é difícil encontrar outros em campos radicalmente diferentes. Um dos meus favoritos é *Tubarão*, o filme que fez do diretor Steven Spielberg um nome conhecido. Como é de conhecimento geral, a produção foi uma bagunça. O roteiro era terrível. O clima não colaborava. Os tubarões mecânicos funcionaram mal – um afundou – e eram bobos, não assustadores. Como Peter Biskind detalha em *Easy Riders, Raging Bulls: How the Sex-Drugs-and-Rock n' Roll Generation saved Hollywood*, as filmagens demoraram três vezes mais do que o esperado, os custos ficaram três vezes acima do orçamento e Spielberg esteve à beira de um colapso nervoso, temendo que sua carreira fosse destruída.

Então, como *Tubarão* se tornou um dos filmes de maior sucesso de todos os tempos? O roteiro terrível obrigou os atores e o diretor a inventar cenas e dialogar juntos, incluindo momentos que deram aos personagens uma profundidade real. E as deficiências dos tubarões mecânicos forçaram Spielberg a mudar o foco para as pessoas e apenas insinuar o terror na água durante a maior parte do filme, o que acabou sendo muito mais assustador do que qualquer imagem de tubarão. Essas duas inovações transformaram um filme B idiota em um sucesso de bilheteria e uma obra-prima do suspense.[11]

Vimos outra história épica que se encaixa no argumento de Hirschman alguns capítulos atrás: a dificuldade de transformar o "magnífico rabisco" de Jørn Utzon na Sydney Opera House foi subestimada, mas a construção foi adiante, Utzon finalmente desvendou o quebra-cabeça e, embora o projeto tenha superado amplamente o orçamento, levado muito tempo e apresentado várias falhas, a construção acabou se tornando um dos grandes edifícios do mundo.

---

11  Peter Biskind, *Easy Riders, Raging Bulls* (London: Bloomsbury, 1998), 264–77.

E temos que colocar o Electric Lady na lista. O projeto que aqueles dois garotos assumiram em 1969 foi insanamente difícil, mas eles seguiram em frente, trabalharam duro e inventaram soluções à medida que avançavam. Recentemente, quando conversei com Storyk e Kramer, ficou óbvio quanto orgulho eles têm do que realizaram. E com razão.

São histórias convincentes. E isso é um problema para mim, porque não posso expressar o quão contrário é o argumento de Hirschman ao que penso. Se ele estiver certo, eu estou errado, e vice-versa. É simples assim.

## HISTÓRIAS *VERSUS* DADOS

Então, como podemos descobrir quem está certo? Normalmente, as pessoas não têm dados suficientes para determinar isso, então tentam resolver o debate – caos criativo *versus* planejamento – com histórias. Vejo isso o tempo todo, até mesmo de estudiosos. Foi assim que Hirschman defendeu seu ponto de vista desde o início. E é como Cass Sunstein, Malcolm Gladwell e muitos outros foram seduzidos por essas ideias.

De um lado estão histórias como *Tubarão*, a Sydney Opera House, o Estúdio Electric Lady e muitas outras.

E do outro lado? Eu poderia responder observando, por exemplo, que a mulher que citei anteriormente – que disse "planeje demais e você acabará desistindo da ideia"– é parte do casal de Londres que mencionei no capítulo 1, cuja reforma disparou a partir de uma estimativa inicial de US$ 260 mil, chegando a mais de US$ 1,3 milhão. Poderia não ter sido uma coisa ruim se "planejar demais" os tivesse impedido de comprar aquela casa.

Teria sido uma boa história. Mas sejamos honestos, não seria tão boa quanto a história de *Tubarão*.

Não é apenas o drama da minha história que seria curto. O mesmo aconteceria com o número de histórias que eu poderia coletar, por um motivo simples: projetos que apresentam problemas e terminam fracassando são logo esquecidos, porque a maioria das pessoas não está interessada nisso. Já projetos que enfrentam problemas, mas perseveram e se tornam sucessos são lembrados e celebrados.

Veja o caso do *Tubarão*: quando havia terminado e estava prestes a ser lançado, Steven Spielberg tinha certeza de que sua carreira estava destruída. Se isso tivesse acontecido, apenas Spielberg e alguns historiadores de cinema se lembrariam de *Tubarão* hoje. O mesmo vale para a Sydney Opera House e todo o resto. Se o projeto do Electric Lady tivesse sido abandonado antes de ser concluído ou se o estúdio acabado tivesse péssima acústica, ele teria sido vendido – para ser transformado em uma loja de sapatos, talvez –, e os únicos vestígios remanescentes da história seriam encontrados nas notas finais das biografias de Jimi Hendrix. E talvez nas janelas redondas.

Podemos ver essa realidade nos dois primeiros filmes dirigidos pelo jovem Dennis Hopper. No final da década de 1960, Hopper era um hippie despreocupado e viciado em drogas que não acreditava em roteiros, planos e orçamentos. O primeiro filme que ele dirigiu foi *Sem destino*. Lembro-me vividamente de assistir a ele várias vezes, paralisado, quando adolescente na Dinamarca. E eu não era o único. O filme foi um sucesso comercial e crítico global e é geralmente considerado um marco da época. E o segundo filme? Não sei dizer se cheguei a assistir. No início, eu não poderia mesmo recordar o título. Hopper buscou a mesma abordagem louca e improvisada para esse filme, mas foi um desastre que apenas os cinéfilos conhecem atualmente. (Eu procurei. Chama-se *O último filme*.)

Nas ciências sociais, "viés de sobrevivência" é o erro comum de notar apenas as coisas que passaram por algum processo de seleção, ignorando aquelas que não passaram. Alguém poderia notar, por exemplo, que Steve Jobs, Bill Gates e Mark Zuckerberg abandonaram a universidade e concluir que a chave para o sucesso na tecnologia da informação é não concluir a universidade. O que está faltando, e o que possibilita essa estranha conclusão, são os desistentes que não foram a lugar nenhum na tecnologia da informação e são completamente ignorados. Isso é o viés de sobrevivência.

Se considerarmos apenas histórias, o viés de sobrevivência sempre favorecerá o relato de Hirschman, porque projetos que superam adversidades com soluções criativas e proporcionam grandes reviravoltas são como os desistentes que se tornam bilionários. São ótimas histórias, portanto são notadas. Para descobrir quem está certo, precisamos conhecer os outros desistentes, também, mesmo que eles não deem grandes histórias e ninguém nunca tenha ouvido falar deles. Precisamos de mais do que histórias. Precisamos de dados.

## O QUE OS DADOS NOS DIZEM

Hirschman nunca produziu dados; realizou apenas onze estudos de caso, que são muito pouco para estabelecer que o padrão que ele alegou era, em suas palavras, "típico" e um "princípio geral".[12] Mas, como discuti no capítulo 1, tenho muitos dados graças a décadas construindo um imenso banco de dados de grandes projetos. Então, realizei algumas análises usando uma amostra de 2.062 projetos comparáveis aos estudados por Hirschman – tudo, desde barragens até linhas ferroviárias, túneis, pontes e edifícios. Em 2016, publiquei o artigo resultante dessa pesquisa na revista acadêmica *World Development*.

Se Hirschman estiver certo, um projeto típico deve ter erros paralelos: uma falha em prever a dificuldade no projeto deve produzir uma subestimação do custo final, enquanto uma falha em prever o quão criativos os líderes do projeto seriam em resposta às dificuldades deve produzir uma subestimação dos benefícios do projeto. Esse é o padrão encontrado em *Tubarão*, na Sydney Opera House e no Electric Lady: os três projetos se encaixam na teoria de Hirschman.

---

12 Hirschman, *Development Projects Observed*, 1, 3, 7, 13; Hirschman, "The Principle of the Hiding Hand".

Também devemos observar que a superação dos benefícios esperados – até que ponto as coisas boas geradas pelo projeto excederam o que era esperado – é maior do que a superação dos custos. Mais uma vez, é isso que vemos em todos esses casos: *Tubarão* teve mais de 300% de custo excedente, mas o inesperado sucesso do filme nas bilheterias compensou com sobra esse prejuízo. Muito mais!

Então, o que os dados mostraram? Nada parecido com isso. A superação dos benefícios de um projeto médio não ultrapassa o excedente de custos. Na verdade, não há superação de benefícios.[13]

Simplificando, o projeto típico é aquele no qual os custos são *subestimados*, e os benefícios, *superestimados*. Imagine um grande projeto que custa *mais* do que deveria e entregou *menos* do que o esperado: essa descrição se encaixa em quatro dos cinco projetos. Apenas um em cada cinco se enquadra no que a teoria de Hirschman diz que deveria ser a norma. Para ser franco, o típico salto no escuro termina com um nariz quebrado. Jimi teve sorte. Assim como Spielberg e Sydney.

No entanto, para pessoas como CEOs e capitalistas de risco – e até mesmo governos –, o que importa não é o desempenho de qualquer projeto, mas como todo um portfólio de projetos funciona. Para eles, pode ser bom assumir grandes perdas em 80% dos projetos, desde que os ganhos dos 20% restantes sejam tão grandes que compensem as perdas. Então verifiquei os dados e descobri que os resultados eram igualmente claros: as perdas excederam muito os ganhos. Quer se trate do projeto médio ou de um portfólio de projetos, o argumento de Hirschman simplesmente não se sustenta.

Essas conclusões são totalmente apoiadas pela lógica e pelas evidências, incluindo as principais descobertas de Daniel Kahneman e da ciência comportamental. Simplificando, se Kahneman está certo, Hirschman está errado. Kahneman identificou o viés do otimismo como "o mais significativo dos vieses cognitivos".[14] Uma estimativa

---

13 Flyvbjerg, "The Fallacy of Beneficial Ignorance".
14 Daniel Kahneman, *Thinking, Fast and Slow* (New York: Farrar, Straus and Giroux, 2011), 255.

de benefício otimista é claramente uma estimativa excessiva, o que é a previsão de Kahneman e da ciência comportamental para o planejamento de projetos. Mas Hirschman e a Mão Oculta preveem exatamente o oposto, como vimos anteriormente: benefícios subestimados. Portanto, é um caso claro de qual das duas previsões opostas está embasada pelos dados. E o veredicto é claramente a favor de Kahneman e da ciência comportamental e contra Hirschman e a Mão Oculta.

Sei que essa conclusão não é emocionalmente satisfatória. Como poderia ser? As raras exceções que Hirschman tomava incorretamente como típicas são, quase por definição, projetos fantásticos que se tornaram histórias encantadoras. Eles seguem a Jornada do Herói perfeita, com um arco narrativo de grande promessa à quase ruína para uma realização e celebração ainda maiores.[15] Parecemos programados para amar essas histórias. Nós as desejamos em todas as culturas e épocas. Sempre haverá autores que contam essas histórias. Como Hirschman. Ou Malcolm Gladwell.

Diante de tal glória, quem se importa com estatísticas?

## A VERDADEIRA JORNADA DO HERÓI

Alguns anos atrás, dei uma palestra sobre grandes projetos no belo arranha-céu Aurora Place de Sydney, projetado por um dos meus arquitetos favoritos, Renzo Piano, para corresponder espacialmente às elegantes curvas da Sydney Opera House, que podia ser vista da janela. Depois da minha fala, alguém na plateia disse o seguinte: "Ninguém se importa com os custos", apontando para as conchas da casa de ópera logo abaixo. "Apenas construa." Eu assenti. Já tinha ouvido esse sentimento muitas vezes.

"O gênio que projetou a Sydney Opera House era um compatriota dinamarquês", respondi. "Seu nome era Jørn Utzon. Ele era jovem quando ganhou a comissão, na faixa dos trinta anos. Morreu

---

15 Joseph Campbell, *The Hero with a Thousand Faces* (San Francisco: New World Library, 2008).

aos noventa. Você pode citar qualquer outro edifício que ele projetou durante a sua longa vida?"

Silêncio.

"Há uma razão para isso. O governo daqui administrou mal o planejamento e a construção da Sydney Opera House. Tão mal que os custos e o cronograma explodiram. Pouco disso foi culpa de Utzon. Mas ele era o arquiteto, então foi responsabilizado e demitido no meio da construção. Ele deixou a Austrália em segredo e em desgraça. Sua reputação foi arruinada. Em vez de ser chamado para construir mais obras-primas, Utzon foi marginalizado e esquecido. Ele se tornou o que nenhum arquiteto quer ou merece ser. Tornou-se um *arquiteto de um só edifício*."[16]

"O que você chama de custos não são os custos totais", continuei. "Sim, a casa de ópera de Sydney custou uma grande quantia, muito mais do que deveria ter custado. Mas o custo total desse edifício inclui todos os outros tesouros arquitetônicos que Jørn Utzon nunca construiu. Sydney conseguiu a sua obra-prima, mas cidades de todo o mundo foram roubadas das suas."

Mais silêncio.

Há sempre outros custos – que nunca aparecem em nenhuma planilha – quando um projeto sai de controle. Os mais simples são o que os economistas chamam de "custos de oportunidade": o dinheiro gasto desnecessariamente devido ao mau planejamento que poderia ter sido usado para financiar outra coisa, incluindo outros

---

16 Bent Flyvbjerg, "Design by Deception: The Politics of Megaproject Approval", *Harvard Design Magazine*, no. 22 (Spring–Summer 2005): 50-59. O termo *arquiteto de um só edifício* é usado para designar arquitetos conhecidos principalmente por uma única obra. Utzon projetou outros edifícios além da Sydney Opera House, alguns dos quais foram construídos, especialmente em seu país natal, a Dinamarca. Mas eles eram menores em comparação com a casa de ópera. Internacionalmente (e na Dinamarca), Utzon é conhecido quase exclusivamente pela Sydney Opera House. Fiz a pergunta "Você pode citar um edifício diferente da Sydney Opera House que Jørn Utzon projetou?" a pelo menos mil pessoas em minhas palestras sobre o assunto. Muito poucas sabem responder, e quase sempre são arquitetos dinamarqueses ou profissionais, ou ambos.

projetos. Quantos triunfos e maravilhas o planejamento ruim nos roubou? Nunca saberemos. Mas sabemos que o mau planejamento roubou os edifícios que Jørn Utzon teria projetado, assim como sabemos que a morte prematura de Jimi Hendrix roubou a música que ele teria composto.

Meu desacordo com Hirschman – e com meu interlocutor em Sydney – não é apenas sobre dólares, centavos e estatísticas. Há muito mais em jogo, incluindo a vida e o trabalho das pessoas. Isso faz parte da equação que precisamos resolver para acertar os projetos. E devemos ser gratos quando as coisas dão certo, como somos em relação à Sydney Opera House e ao Electric Lady.

Então, sim, é possível dar um salto no escuro e pousar graciosamente. Se isso acontecer, será uma história maravilhosa. Mas esse final feliz é muito improvável e, às vezes, requer fechar os olhos para as principais consequências negativas, como a trágica destruição da carreira de Utzon. Meus dados sugerem apenas 20% de chances de ter um superávit de benefícios que compense o excedente de custos, mesmo que apenas um pouco. Compare isso com a probabilidade de 80% de fracasso. É uma aposta perigosa – e desnecessária.

Um bom planejamento que dissipe a ignorância realmente irá revelar as dificuldades à frente, mas isso não é motivo para desistir do projeto. Hirschman estava certo ao dizer que as pessoas são engenhosas, mas estava errado ao pensar que temos de mergulhar na entrega de um projeto, fechando os olhos para a realidade com o intuito de atrair a criatividade.

Basta olhar para Frank Gehry. Ele é um arquiteto extremamente criativo, mas, ao contrário da imagem popular de seu processo de criação – perfeitamente capturada por aquele episódio de *Os Simpsons* –, seu processo criativo é lento, meticuloso e repetitivo. Isso é verdade sobre o seu planejamento, não quando o projeto está em construção e surgem problemas. Na verdade, Gehry planeja de modo meticuloso precisamente para evitar entrar em situações difíceis para as quais terá de inventar uma saída. Para ele, o planejamento cuidadoso não obstrui a criatividade. Ele a promove.

O mesmo acontece com a torrente de criatividade que emanou dos estúdios de animação da Pixar ao longo das últimas décadas, como vimos no capítulo 4. A criatividade surge com grande força durante o planejamento. A Pixar estaria falida há muito tempo se tivesse confiado no modelo de Hirschman.

Não é preciso estar desesperado para ser criativo. Na verdade, há motivos para pensar que o desespero pode realmente *atrapalhar* os momentos imaginativos que levam um projeto ao sucesso. Os psicólogos estudaram os efeitos do estresse na criatividade por décadas, e agora há uma literatura substancial mostrando que há efeito negativo na maioria das pessoas, embora não inteiramente. Uma metanálise de 76 estudos de 2010 descobriu que o estresse é particularmente danoso em duas circunstâncias: quando sentimos que a situação está além do nosso controle e quando sentimos que os outros estão julgando nossa competência. Agora imagine um projeto fora de controle. A própria frase "fora de controle" já se mostra similar à primeira condição. E as reputações dos envolvidos certamente estão em risco, satisfazendo à segunda circunstância. Portanto, um projeto em apuros é exatamente o tipo de situação em que podemos esperar que o estresse atrapalhe a criatividade.[17]

Saltos imaginativos pertencem ao planejamento, não à entrega. Quando há pouco risco e estresse, somos mais livres para imaginar, tentar e experimentar. O planejamento é o hábitat natural da criatividade.

## UMA HISTÓRIA COMPROVADA PELOS DADOS

John Storyk entende isso tão bem quanto qualquer um. Quando Jimi Hendrix decidiu que um jovem de 22 anos que nunca tinha visto o interior de um estúdio de gravação deveria projetar o Electric

---

17 Kristin Byron, Deborah Nazarian, and Shalini Khazanchi, "The Relationships Between Stressors and Creativity: A Meta-Analysis Examining Competing Theoretical Models", *Journal of Applied Psychology* 95, no. 1 (2010): 201–12.

Lady, instantaneamente tornou Storyk famoso nos círculos musicais. Storyk foi convidado para projetar mais dois estúdios antes mesmo de terminar o Electric Lady, e uma carreira nasceu acidentalmente. Enquanto Eddie Kramer se tornou um lendário produtor de rock, John Storyk tornou-se um dos principais designers mundiais de estúdios e acústica. Sua empresa, o Walters-Storyk Design Group, trabalhou em todos os lugares, desde o Lincoln Center, em Nova York, até o edifício do Parlamento suíço e o Museu Nacional do Catar.

Storyk tinha 74 anos e ainda trabalhava duro quando conversamos, e ele lembrou o início inesquecível de sua carreira. Naturalmente, considerando como sua grande chance aconteceu, ele acredita em sincronicidades e costuma usar a palavra. É uma filosofia de vida aberta e sorridente. Mas hoje ele não depende de acidentes auspiciosos para tornar seus projetos bem-sucedidos. Ele planeja com cuidado. E isso significa com calma. Todo mundo quer que as coisas fiquem prontas para ontem, mas "o que tento constantemente fazer é desacelerar as coisas", diz ele. Tire um tempo para desenvolver as ideias. Tire um tempo para identificar e corrigir problemas. Faça isso na mesa de desenho, não no canteiro de obras. "Se você desacelera as coisas e dá uma segunda e uma terceira olhadas, acaba cometendo menos erros", diz ele. "E isso significa que o projeto acaba mais rápido."

A carreira de Storyk pode ter começado com um salto no escuro que se encaixava na história de Albert Hirschman. Mas seu meio século de projetos bem-sucedidos em todo o mundo é testemunho da abordagem que defendi nos capítulos anteriores: pense devagar, aja rápido. E isso é comprovado pelos dados.

Então, sim, todo esse pensar lento e planejamento minuciosamente detalhado e testado que é produzido é uma boa ideia. Mas nem mesmo um plano incrível é garantia de uma entrega bem-sucedida. Para dar o passo final, você precisa de uma equipe – um organismo único e determinado – para agir rapidamente e entregar a tempo.

No próximo capítulo, mostrarei como montar uma.

# 8
# UM ORGANISMO ÚNICO E DETERMINADO

*Por mais importante que seja o pensamento lento na produção de um excelente planejamento e previsão, agir rápido na entrega exige mais do que um plano forte; você precisa de uma equipe igualmente forte. Como diversas pessoas e organizações com diferentes identidades e interesses se transformam em um único "nós" – uma equipe – com todos remando na mesma direção: em direção à entrega?*

Após o objetivo do projeto ter sido decidido e colocado na caixa à direita.

Após o plano ter sido desenvolvido usando experimentos, simulações e experiência.

Depois que previsões precisas foram feitas, e os riscos mitigados, com base no desempenho real de projetos anteriores.

Depois de tudo isso, você pensou devagar e tem um plano digno do nome.

Agora é hora de agir rápido e entregar o projeto.

Um plano forte aumenta muito a probabilidade de uma entrega rápida e bem-sucedida. Mas só ele não basta. Como qualquer gerente de projeto experiente lhe dirá, você também precisa de uma equipe capaz e determinada a entregar o projeto no prazo. O sucesso de qualquer projeto depende de colocar a equipe certa – "colocar as pessoas certas no ônibus", como um colega explicou metaforicamente, "e colocá-las nos lugares certos", como outro acrescentou.

Conheço um gerente muito procurado por projetos de TI multibilionários. Ele é o tipo de pessoa chamada quando tudo está dando errado e os executivos sabem que suas carreiras estão em risco, o que acontece com muita frequência com projetos de TI. Sua condição para encarar qualquer projeto? Que ele possa usar sua própria equipe. É assim que ele garante a equipe certa. Sua equipe é uma máquina de entrega experimentada e testada, o que os faz valer cada centavo dos muitos dólares gastos para contratá-los.

Examine todo projeto bem-sucedido, e é provável que encontre uma equipe como aquela. Os muitos sucessos de Frank Gehry – de prazo, orçamento, com a visão que o cliente deseja – são frutos não apenas de Gehry, mas também da equipe excelente que trabalhou com ele por anos, em alguns casos, décadas. Como vimos, o Empire State Building tinha um excelente planejamento, mas também teve o apoio de uma empresa de construção conhecida por montar arranha-céus rapidamente.

É o caso da represa Hoover. Uma estrutura imponente que impressiona os turistas tanto hoje quanto quando foi concluída, em 1936, a represa Hoover foi um projeto gigantesco construído em um local remoto e perigoso. No entanto, ficou pronta dentro do orçamento e antes do previsto. Nos anais dos grandes projetos, Hoover é uma lenda. Em grande parte, esse sucesso é mérito de Frank Crowe, o engenheiro que administrou o projeto. Antes de assumir a represa Hoover, Crowe passou um bom tempo da carreira construindo barragens em todo o oeste dos Estados Unidos e, ao longo desses muitos anos, desenvolveu uma equipe grande e leal que o acompanhava em cada projeto. A experiência dessa equipe era profunda. Assim como a confiança mútua, o respeito e a compreensão.[1]

O valor de equipes experientes não pode ser definido, mas é constantemente menosprezado. Uma represa hidrelétrica canadense

---

[1] Joseph E. Stevens, *Hoover Dam: An American Adventure* (Norman: University of Oklahoma Press, 1988); Michael Hiltzik, *Colossus: Hoover Dam and the Making of the American Century* (New York: Free Press, 2010).

onde trabalhei como consultor de planejamento é um dos inúmeros exemplos. O projeto seguiu sob a direção de executivos que tinham zero experiência com barragens hidrelétricas. Por quê? Porque executivos *com* experiência eram difíceis de encontrar. "Quão difícil pode ser entregar um grande projeto?", ponderaram os proprietários. A indústria do petróleo e do gás entrega projetos grandes. Uma barragem hidrelétrica é um grande projeto. Logo, os executivos de empresas de petróleo e gás devem conseguir entregar uma barragem. Ou foi assim que os proprietários raciocinaram – e contrataram executivos de petróleo e gás para construir a barragem. O leitor não ficará surpreso ao saber que, ao contrário da represa Hoover, esse projeto se transformou em um fiasco que ameaçou a economia de toda uma província. Foi quando fui chamado para diagnosticar o problema — tarde demais.[2]

Então, como montar uma boa equipe? A solução simples, sempre que possível, é contratar o equivalente a Frank Crowe e sua equipe, ou Gehry e a dele. Se encontrar equipes assim, contrate-as imediatamente. Mesmo que sejam caros – o que não são se você considerar o quanto vão economizar em custos, tempo e danos à reputação. E não espere até que as coisas tenham dado errado, contrate-os no início.

Infelizmente, muitas vezes tais equipes não existem. Ou, se existem, já estão ocupadas em outro projeto. Quando uma equipe não pode ser contratada, ela deve ser criada. Essa é uma situação comum e foi o desafio enfrentado pela British Airports Authority (BAA) em 2001, quando anunciou que construiria um novo terminal multibilionário no aeroporto de Heathrow, em Londres.

---

2 Bent Flyvbjerg and Alexander Budzier, *Report for the Commission of Inquiry Respecting the Muskrat Falls Project* (St. John's, Province of Newfoundland and Labrador, Canada: Muskrat Falls Inquiry, 2018); Richard D. LeBlanc, *Muskrat Falls: A Misguided Project*, 6 vols. (Province of Newfoundland and Labrador, Canada: Commission of Inquiry Respecting the Muskrat Falls Project, 2020).

## UMA DATA DE ENTREGA IRREVOGÁVEL

Heathrow foi, e é, um dos aeroportos mais movimentados do mundo, e o novo terminal – Terminal 5 (T5) – seria um anexo imenso. O edifício principal seria a maior estrutura independente no Reino Unido. Adicione mais dois edifícios, e o T5 teria 53 portões e uma área total de 3,8 milhões de metros quadrados. Quando pensamos em aeroportos, imaginamos pistas e grandes edifícios como esses. Na realidade, no entanto, os aeroportos são aglomerações complexas de infraestrutura e serviços, como pequenas cidades. Assim, o T5 também exigiu uma longa lista de outros sistemas – túneis, estradas, estacionamentos, conexões ferroviárias, estações, sistemas eletrônicos, manuseio de bagagem, *catering*, sistemas de segurança e uma nova torre de controle de tráfego aéreo para todo o aeroporto – que precisavam trabalhar juntos sem problemas.

Tudo isso seria construído entre duas pistas, com a área do terminal central existente em uma extremidade e uma rodovia movimentada na outra. E o aeroporto nunca poderia fechar. Todo o projeto teve que ser construído sem interromper as operações aéreas de Heathrow por um minuto sequer. Aparentemente, isso não era pressão suficiente para a BAA, uma empresa privada que administrava a maioria dos principais aeroportos do Reino Unido. Então, em 2001, a BAA anunciou que, após muitos anos de planejamento, a construção do T5 começaria no ano seguinte, e o projeto seria concluído em seis anos e meio. O T5 seria inaugurado em 30 de março de 2008. Precisamente às quatro da manhã. "Isso significava que às quatro da manhã o café tinha que estar quente, a comida pronta e os portões abertos", lembrou Andrew Wolstenholme, executivo e engenheiro da BAA que supervisionou a construção do T5.[3]

Declarar publicamente a data de abertura de um projeto enorme tão cedo era ambicioso, para dizer o mínimo. Alguns diriam

---

3   Entrevistas do autor com Andrew Wolstenholme, 27 de maio de 2020, 28 de maio de 2021 e 14 de janeiro de 2022.

imprudente, mas certamente era incomum. Heathrow estava muito congestionado, com dezenas de milhões de passageiros cansados arrastando bagagem por seus corredores lotados, e a necessidade de um novo terminal havia sido decidida uma década e meia antes. Mas levou muito tempo para progredir, em parte devido à oposição nas comunidades ao redor do aeroporto e à mais longa rodada de consultas públicas da história britânica. Até o momento em que a BAA fez seu anúncio, tudo envolvendo o T5 tinha sido difícil.

Aumentando ainda mais a pressão, a BAA examinou os principais projetos de construção do Reino Unido e projetos de aeroportos internacionais, usando algo parecido com a abordagem de previsão de classe de referência descrita no capítulo 6, e concluiu que, se o T5 apenas tivesse resultados típicos, ficaria pronto com um ano de atraso e US$ 1 bilhão acima do orçamento – um resultado que poderia afundar a empresa.[4] A palavra *deadline* vem da Guerra Civil Americana, quando os campos de prisioneiros estabeleciam limites e qualquer prisioneiro que cruzasse a linha era fuzilado.[5] Para a BAA, a metáfora se encaixava desconfortavelmente bem nessa situação.

Para ter sucesso, a entrega do T5 teria que superar todas as expectativas. A BAA tinha três estratégias principais para fazer isso acontecer.

A primeira era planejar. De acordo com o que chamei de "planejamento da Pixar" no capítulo 4, o T5 foi planejado usando representações digitais altamente detalhadas que foram usadas para executar simulações criteriosas. A criação e operação do T5 foram simuladas em computadores antes de serem tentadas na realidade.

A simulação digital possibilitou a segunda estratégia: uma abordagem radicalmente diferente na construção. Em vez de enviar materiais para um local de trabalho para serem medidos, cortados,

---

[4] Andrew Davies, David Gann, and Tony Douglas, "Innovation in Megaprojects: Systems Integration at London Heathrow Terminal 5", *California Management Review* 51, no. 2 (Winter 2009): 101–25.

[5] "Your 'Deadline' Won't Kill You: Or Will It?", Merriam-Webster, https://www.merriam-webster.com/words-at-play/your-deadline-wont-kill-you.

moldados e soldados em edifícios – a maneira convencional desde a construção das pirâmides –, os materiais eram enviados para fábricas, que usavam as especificações digitais detalhadas e precisas enviadas a eles para fabricar componentes. Em seguida, os componentes eram enviados para o local de trabalho para serem montados. Para o olho destreinado, o T5 pareceria um canteiro de obras convencional, mas não era. Era uma linha de *montagem*.[6] A importância dessa diferença é crucial, e todo grande canteiro de obras precisará fazer o mesmo para que a construção chegue ao século 21. Esse processo, chamado de "projeto para fabricação e montagem", é como a indústria automobilística opera. Sir John Egan, CEO da BAA e ex-chefe da Jaguar, argumentou em um relatório ao governo do Reino Unido que essa abordagem produziria ganhos em eficiência na construção.[7] Com o T5, ele colocou seu pensamento em prática.

A terceira estratégia era toda voltada para pessoas. Temos o melhor desempenho quando nos sentimos unidos, capacitados e mutuamente comprometidos em conquistar algo que valha a pena. Muitas pesquisas psicológicas e organizacionais nos dizem isso.[8]

---

6   Essa mudança permitiu outra inovação do T5: o ensaio. Quando a construção do edifício do terminal principal em um aeroporto em Hong Kong sofreu um longo atraso, impactando todo o projeto, os gerentes do T5 decidiram que levariam os muitos trabalhadores que ergueriam o edifício principal do T5 e os componentes que os trabalhadores montariam para um local no campo inglês. Lá eles praticaram a montagem. Esse ensaio levou à descoberta de desafios e ao desenvolvimento de soluções muito antes da verdadeira montagem em Heathrow. Não foi barato. Mas o custo foi uma fração do que teria sido se os problemas tivessem surgido primeiro no canteiro de obras e atrasado o projeto.

7   "Rethinking Construction: The Report of the Construction Task Force to the Deputy Prime Minister, John Prescott, on the Scope for Improving the Quality and Efficiency of UK Construction", *Constructing Excellence*, 1998, https://constructingexcellence.org.uk/wp-content/uploads/2014/1/rethinking_construction_report.pdf.

8   Ver em particular a teoria da autodeterminação, a teoria dominante da motivação na psicologia moderna; Richard M. Ryan and Edward L. Deci, *Self-determination Theory: Basic Psychological Needs in Motivation, Development, and Wellness* (New York: Guilford Press, 2017); Marylène Gagné and Edward L. Deci, "Self-determination Theory and Work Motivation", *Journal of Organizational Behavior* 26, no. 4 (2005): 331–62. Considere também o famoso experimento natural da joint venture General Motors-Toyota

Também faz parte do senso comum. Há uma palavra para descrever um grupo de pessoas que se sentem assim: equipe. Wolstenholme e outros executivos da BAA sabiam que era o que a força de trabalho da T5 tinha que se tornar se o projeto quisesse ter alguma chance de sucesso. Eles também sabiam que essa era uma tarefa difícil. O T5 seria construído por milhares de pessoas, de executivos e advogados a engenheiros, agrimensores, contadores, designers, eletricistas, encanadores, carpinteiros, soldadores, vidraceiros, motoristas, paisagistas, cozinheiros e muitos outros. De profissional de escritório a operário, gestão e união. Eles viriam de diferentes organizações com diferentes culturas e interesses. No entanto, de alguma forma, esse grupo fragmentado teria que se tornar um todo coordenado, unido e criativo.

Desde o início, Wolstenholme liderou uma campanha para que isso acontecesse. "Nossa abordagem não era para os fracos", diz ele. "Você tem que ter líderes muito fortes que entendam não apenas o quê, mas também o como."

## COMO CONSTRUIR UMA EQUIPE

O primeiro "como" foi a decisão da BAA de fazer muito mais do que contratar empresas e supervisionar seu trabalho. A BAA

---

NUMMI: na década de 1970, uma fábrica da GM em Fremont, Califórnia, era conhecida por ser a pior da GM. Produtividade e qualidade estavam no fundo do poço. O moral estava tão baixo que os funcionários sabotaram os carros intencionalmente. A GM fechou a fábrica em 1982. A Toyota, que não tinha capacidade de produção na América do Norte na época, propôs uma joint venture que veria a fábrica reabrir e operar usando o mesmo maquinário e principalmente os mesmos trabalhadores. Mas a Toyota administraria usando seus métodos, que respeitavam e capacitavam os trabalhadores. O moral disparou; o absenteísmo e a rotatividade despencaram. A qualidade da produção melhorou drasticamente, e a produtividade aumentou tanto que a produção dobrou, enquanto o custo por veículo caiu US$ 750. Ver Christopher Roser, *"Faster, Better, Cheaper" in the History of Manufacturing: From the Stone Age to Lean Manufacturing and Beyond* (Boca Raton, FL: CRC Press, 2017), 1–5, 336–39; Paul S. Adler, "Time-and-Motion Regained", *Harvard Business Review* 71, n. 1 (January–February 1993): 97-108.

lideraria e compartilharia ativamente os riscos. Isso significava envolver-se em disputas o mais cedo possível.

Richard Harper é um supervisor de construção que passou quatro anos e meio na T5, dirigindo as centenas de trabalhadores que ergueram as estruturas de aço do terminal principal e de outros edifícios. Nos estágios iniciais do projeto, a empresa siderúrgica de Harper teve que trabalhar na etapa seguinte de uma das principais empreiteiras da BAA, uma grande empresa de engenharia britânica que estava despejando concreto. Harper alertou a BAA que o empreiteiro principal não seria capaz de trabalhar rápido o suficiente para ficar à frente dele, o que resultaria em sua equipe "parada" – trabalhadores e equipamentos esperando, um pesadelo caro na construção. Se isso acontecesse, a empresa de Harper sofreria um abalo financeiro, porque seu contrato com a BAA exigia que recebesse uma taxa fixa. Apesar das garantias do contratante principal de que não haveria atrasos, isso aconteceu. O proprietário da empresa de Harper ficou furioso, e as duas empresas discutiram sobre quem era o culpado.

"A BAA podia ver que havia problemas iminentes", lembrou Harper no sotaque de Birmingham, sua cidade natal. A empresa dele poderia processar o contratante principal. Ou coisa pior. O proprietário da empresa de Harper "tinha o pavio curto. Ele poderia ter facilmente abandonado o projeto, o que fez muitas vezes [em outros projetos]".[9]

A BAA interveio. Mudou seu contrato com a empresa de Harper para um acordo de custo reembolsável com uma porcentagem de lucro a ser recebida quando os objetivos intermediários fossem atingidos. Com essa estrutura de incentivos revisada, a BAA desarmou o conflito. Como já não era necessário apontar o dedo para proteger seus interesses próprios separados, a empresa de Harper e o contratante principal discutiram a melhor forma de resolver o problema.

---

9   Entrevista do autor com Richard Harper, 12 de setembro de 2021.

O contratante principal concordou em trazer mais centenas de trabalhadores. A empresa de Harper concordou em transferir os funcionários para outras demandas enquanto o contratante principal avançava no trabalho. Um conflito que poderia ter se transformado em um colapso rapidamente esfriou, e o projeto avançou.

Contratos como aquele entre a BAA e a empresa de Harper tornaram-se uma marca registrada do projeto, o que significa que a BAA assumiu muito mais risco do que teria assumido sob contratos comuns. Mas, ao dar às empresas apenas incentivos positivos pelo bom desempenho – incluindo bônus por atingir e superar indicadores –, isso garantiu que os interesses das muitas empresas que trabalhavam no projeto não fossem colocados uns contra os outros. Em vez disso, todos tinham o mesmo interesse: completar o T5 no prazo.[10] Com seus interesses alinhados, a cooperação entre a empresa de Harper e o contratante principal floresceu. A certa altura, o trabalho do empreiteiro principal impossibilitou Harper de operar seus guindastes. Em vez de brigar ou reclamar com a BAA, os executivos das duas empresas se sentaram, exploraram soluções e concordaram que a construção de uma rampa temporária permitiria que ambas as empresas continuassem trabalhando simultaneamente. O empreiteiro principal rapidamente construiu a rampa – e pagou por isso. "Deve ter custado, no mínimo, 100 mil libras", disse Harper. O projeto continuou andando.

O fato de muitos dos gerentes das várias empresas se conhecerem também ajudou. "Todos nós trabalhamos juntos em Londres e outras regiões da Inglaterra e do País de Gales", disse Harper, que, como a maioria de seus colegas, já tinha décadas de experiência quando chegou ao T5. "Então, havia um bom relacionamento lá." Isso também era parte de uma escolha. A BAA entendeu, como muitas outras empresas não entendem, que "a menor tarifa" não significa necessariamente o "menor custo", então, em vez de seguir a

---

10 Davies, Gann and Douglas, "Innovation in Megaprojects: Systems Integration at London Heathrow Terminal 5", 101–25.

prática comum de contratar as empresas mais baratas, a BAA ficou com empresas com as quais trabalhou por anos e que provaram sua capacidade de entregar os projetos em ordem. E incentivou essas empresas a fazerem o mesmo com subcontratados especializados – mais uma vez valorizando a experiência.

"Se você quer vencer um torneio de futebol, precisa jogar com o mesmo elenco todas as temporadas", disse Andrew Wolstenholme, usando uma metáfora impecavelmente britânica. "Construímos um sentimento de confiança. Nós nos entendíamos."

Mas quando você trabalha em um projeto conjunto com pessoas de várias empresas, para qual equipe você joga? Quem são os seus companheiros? As equipes são identidades. Para realmente estar em uma, as pessoas devem saber disso. Então, a BAA deu a todos que trabalhavam no T5, incluindo seus próprios funcionários, uma resposta clara e enfática: esqueça como as coisas são geralmente feitas em grandes projetos. A sua equipe não é sua empresa. Aqui, sua equipe é o Terminal 5. Nós somos *uma* equipe.

Wolstenholme é um engenheiro com décadas de experiência em construção, mas começou a carreira nas Forças Armadas britânicas, onde o esquadrão pelo qual você joga está literalmente na sua testa – na forma do "distintivo de boina" de sua unidade. Quando as pessoas chegavam no T5, Wolstenholme dizia: "Tire seu crachá e jogue fora, porque agora você trabalha para o T5".

Essa mensagem era explícita, contundente e repetida. "Tínhamos cartazes nas paredes, e eles diziam: 'Entendi. Eu trabalho para o T5.'"

## FAZENDO HISTÓRIA

A identidade foi a primeira etapa. O propósito foi a segunda. Era importante enfatizar que as pessoas estavam trabalhando para o T5. Para esse fim, o local de trabalho estava repleto de cartazes e outras imagens comparando o T5 com grandes projetos do passado: a Torre Eiffel parcialmente concluída em Paris; o Grand Central

Terminal em construção em Nova York; os enormes controles de inundação da Barreira do Tâmisa em Londres. Cada um desses projetos apareceu em cartazes com a legenda "Nós estamos fazendo história também". Quando etapas importantes do T5 foram concluídas, como a instalação da nova torre de controle de tráfego aéreo, também foram criados cartazes sobre esse marco. "Um dia", os cartazes prometiam, "você terá orgulho de dizer: 'Eu construí o T5.'"

"Toda a filosofia", lembrou Andrew Wolstenholme, era "compartilhar essa cultura desde o topo até a pessoa varrendo a poeira da pista, terminando o concreto ou colocando os ladrilhos no chão. Eles tinham que se sentir igualmente parte do que estávamos construindo, que juntos estávamos fazendo história aqui na entrega do T5."

Cresci na construção e sei por experiência própria que os trabalhadores da construção civil são muito espertos para entender o que está acontecendo em seus locais de trabalho. Além disso, eles têm grande ceticismo em relação à gestão. Reconhecem a propaganda corporativa quando a veem e desconfiam dela. "A maioria dos trabalhadores nos trata com cinismo em qualquer canteiro que visitamos", disse Richard Harper. Eles geralmente estão certos em ser cínicos, "porque as pessoas do gerenciamento costumam mesmo dizer um monte de besteiras". Promessas não são cumpridas. As condições de trabalho são precárias. Os trabalhadores não são ouvidos. Quando a realidade não combina com os discursos, as relações públicas corporativas sobre o trabalho em equipe e fazer história são inúteis no chão de fábrica.

Os trabalhadores trouxeram seu cinismo habitual para o T5, disse Harper. "Mas naquele canteiro de obras, dentro de, se não quarenta e oito horas, uma semana no máximo, todos haviam absorvido a filosofia do T5. Porque eles viam que o T5 estava implementando o que disseram que fariam."

Tudo começou com as instalações no local. "Foi algo incompreensível", Harper me disse, parecendo espantado até agora. "Os rapazes nunca viram algo assim. Os banheiros, os chuveiros, as cantinas foram os melhores que já vi em qualquer local em que trabalhei no mundo. Eram fantásticos."

A BAA garantiu que os trabalhadores recebessem imediatamente tudo de que precisassem, em especial quando envolvia segurança. "Todo o EPI (equipamento de proteção individual) foi fornecido", disse Harper. "Se as luvas estivessem molhadas, eles só precisavam levá-las de volta e ganhavam um novo par. Se tivessem um arranhão nos óculos e não pudessem ver corretamente, levavam os óculos para serem trocados. O pessoal não estava habituado a isso. Era totalmente novo para eles. Em outros empregos, eles diziam: 'Se você não está satisfeito com os óculos ou o que quer que seja, compre os seus.'" Isso pode soar como coisas insignificantes para pessoas de fora, mas, como Harper apontou, para os trabalhadores são "imensas, apenas imensas. Você põe um homem para trabalhar de manhã e coloca as coisas que ele quer lá e tem um bom dia de trabalho. Você começa de uma maneira ruim e sabe que nas próximas oito a dez horas será muito difícil." Multiplique isso por milhares de trabalhadores e milhares de dias e o resultado será algo enorme.

Os gestores do T5 não só escutavam os trabalhadores como também os consultavam, pedindo a alguns que se sentassem com designers para explorar como fluxos de trabalho poderiam ser melhorados. Uma vez acordados os padrões para o trabalho finalizado, os trabalhadores qualificados desenvolveram seu próprio sistema de referência para estabelecer a qualidade da mão de obra necessária para eles e para todos os demais. Cerca de 1,4 mil dessas amostras foram fotografadas, catalogadas e expostas no local de trabalho. Como os indicadores vieram dos próprios trabalhadores, eles se apropriaram deles, aumentando a eficácia da implementação.

Com um senso de identidade compartilhado, propósito e padrões, a comunicação aberta é mais fácil, mas a BAA cultivou ainda mais o sentimento de que todos no projeto tinham o direito e a responsabilidade de falar. Todos sabiam que "você tinha o apoio da

BAA" se quisesse dizer alguma coisa, contou Harper. "Se algum dos trabalhadores tivesse ideias, como 'acho que poderíamos fazer isso ou aquilo', era livre para falar isso. Se alguém se sentisse ofendido com alguma coisa, estava livre para dizer isso também."

A professora de Harvard Amy Edmondson apelidou essa sensação de estar livre para falar o que viesse à mente como "segurança psicológica". É difícil definir seu valor. A segurança psicológica aumenta o moral, promove melhorias e garante que, nas palavras de Andrew Wolstenholme, "as más notícias viajem rápido" – para que os problemas possam ser resolvidos rapidamente.[11]

## 4:00 DA MANHÃ

Deu certo. "Tenho 60 anos. Estou em construção desde os quinze anos", disse Harper, que trabalhou em todo o Reino Unido e em países ao redor do mundo. "Nunca vi esse nível de cooperação."

Dos ternos aos capacetes de construção, o espírito era o mesmo. "Não houve um homem que viesse até mim e dissesse algo ruim sobre o T5. Todos tinham apenas elogios. Que grande trabalho foi feito! Como a gerência e os trabalhadores no local trabalharam juntos! Sem atritos, sem gritos. Todos felizes." A evidência mais reveladora, Harper me disse, eram as camisas e jaquetas estampadas com o logotipo do projeto. Todos os grandes projetos de construção costumam distribuí-las aos trabalhadores, mas elas são usadas em qualquer lugar, exceto no local de trabalho. "No trabalho em que estou agora, os caras mal podem esperar para tirá-las. Eles odeiam o empreiteiro." Para a surpresa de Harper, os trabalhadores usavam as

---

11 Amy Edmondson, *The Fearless Organization: Creating Psychological Safety in the Workplace for Learning, Innovation, and Growth* (New York: Wiley, 2018); Alexander Newman, Ross Donohue, and Nathan Eva, "Psychological Safety: A Systematic Review of the Literature", *Human Resource Management Review* 27, no. 3 (September 2015): 521–35. A pesquisa no Google descobriu que a segurança psicológica era uma característica distintiva das equipes que superavam as outras; ver Charles Duhigg, "What Google Learned from Its Quest to Build the Perfect Team", *The New York Times Magazine*, February 25, 2016.

roupas do T5 da mesma forma que os torcedores apaixonados por futebol vestem a camisa de seu time. "O pessoal costumava ir direto para o pub depois do trabalho ainda com as roupas! Eles estavam orgulhosos de fazer parte de um projeto como aquele."

O T5 foi inaugurado dentro do orçamento e no prazo. E precisamente às quatro da manhã do dia 27 de março de 2008 – a data havia sido adiantada três dias – o novo terminal foi aberto. O café estava realmente quente. O projeto não foi perfeito, com certeza. Problemas com sistemas de distribuição de bagagem nos primeiros dias forçaram a British Airways a cancelar voos, o que foi embaraçoso e caro, mas os problemas foram resolvidos e o terminal funcionou bem em poucos meses – e tem feito isso desde então. Em uma pesquisa anual com viajantes globais, o T5 geralmente está entre os melhores terminais do mundo. Ele ocupou o primeiro lugar seis vezes em seus primeiros onze anos de operação.[12]

O sucesso não veio barato. "Gastamos muito dinheiro no desenvolvimento da dinâmica da equipe", disse Andrew Wolstenholme. A BAA também dedicou muito tempo e esforço a isso. Também assumiu um risco financeiro mais direto. Mas se a entrega tivesse sido apenas mediana, o prazo teria sido perdido e o custo excedente poderia facilmente chegar a bilhões de libras. Isso fez com que o dinheiro gasto em acertar a equipe fosse um investimento imenso.

Essa lição foi levada para casa por outro projeto gigante que, coincidentemente, estava em andamento em outras partes de Londres. O Estádio de Wembley original era o estádio de futebol mais famoso do mundo e uma espécie de santuário nacional até ser demolido em 2002 para dar lugar a um novo. Se há um projeto que poderia inspirar o trabalho em equipe, certamente seria a construção da nova casa do esporte nacional da Grã-Bretanha. No entanto, em Wembley não havia nada que se assemelhasse ao espírito

---

[12] "Heathrow Terminal 5 Named 'World's Best' At Skytrax Awards", *International Airport Review*, March 28, 2019, https://www.internationalairportreview.com/news/83710/heathrow-worlds-best-skytrax/.

de propósito compartilhado e "fazer história" do T5, muito pelo contrário. Era um projeto cheio de conflitos. As paralisações no trabalho eram rotineiras. "Os trabalhadores não sentiam orgulho de construir nosso estádio nacional", disse Richard Harper. Inevitavelmente, o projeto se arrastou por anos após o prazo de entrega, forçando a final da Copa da Associação de Futebol (FA) e outros eventos a serem transferidos para outros locais. De acordo com o *The Guardian*, o custo dobrou de uma previsão de 445 milhões de libras para 900 milhões (US$ 1,2 bilhão de dólares). Obviamente, gerou um enorme processo.[13]

O T5 é um improvável objeto de afeto. Afinal, é só um terminal de aeroporto. No entanto, os trabalhadores que o construíram estavam tão comprometidos com o projeto que, quando ele foi concluído e todos colocaram seus crachás e saíram, "as pessoas acharam bastante difícil voltar para suas vidas", observou Wolstenholme.

Treze anos tinham se passado desde a conclusão de T5 quando conversei com Richard Harper, mas a melancolia em sua voz era visível. "Eu amei esse projeto", disse ele.

## O SEGREDO PARA AUMENTAR A ESCALA

Quando sua equipe entregar seu projeto no tempo, no orçamento, com os benefícios previstos, é hora de abrir o champanhe e de comemorar. Você pode pensar que este é o fim do livro. Mas ainda não posso parar, porque não contei a solução do quebra-cabeça que mencionei no primeiro capítulo.

Você se lembrará de que a maioria dos projetos corre o risco não apenas de atrasar, ultrapassar o orçamento e gerar menos benefícios do que o esperado. Eles correm o risco de dar *totalmente* errado. Isso significa que você pode não só acabar 10% acima do

---

13  James Daley, "Owner and Contractor Embark on War of Words over Wembley Delay", *The Independent*, September 22, 2011; "Timeline: The Woes of Wembley Stadium", *Manchester Evening News*, February 15, 2007; Ben Quinn, "253m Legal Battle over Wembley Delays", *The Guardian*, March 16, 2008.

orçamento, mas também superá-lo em 100%. Ou 400%. Ou pior. Esses são resultados de cisnes negros, e os tipos de projeto que correm risco de ser um deles são aqueles com distribuição de "cauda gorda". Eles incluem usinas nucleares, hidrelétricas, tecnologia da informação, túneis, grandes edifícios, projetos aeroespaciais e muito mais. Na verdade, quase todos os tipos de projeto em meu banco de dados são de cauda gorda. Mas nem todos.

Existem cinco tipos de projetos que não são de cauda gorda. Isso significa que eles podem acabar um pouco atrasados ou acima do orçamento, mas é muito improvável que deem *completamente* errado. Os cinco afortunados? Energia solar, energia eólica, energia térmica fóssil (usinas que geram eletricidade pela queima de combustíveis fósseis), transmissão de eletricidade e estradas. Na verdade, os tipos de projetos com melhor desempenho em todo o meu banco de dados, por uma margem confortável, são os de energia eólica e solar.

Então, este é o enigma: por que esses tipos de projetos são excepcionais? O que os torna uma aposta mais segura do que todos os outros? E por que os projetos de energia eólica e solar são os mais confiáveis de todos, mais propensos do que qualquer outro tipo a ser entregues com sucesso?

Vou fornecer a resposta esclarecedora no próximo e último capítulo. E vou reunir as ideias dos capítulos anteriores em um modelo que qualquer um pode usar para reduzir custos e melhorar a qualidade de projetos em todas as escalas, desde bolos de casamento e reformas de cozinha até metrôs e satélites. Mas para projetos que precisam crescer – *muito* –, esse modelo é mais do que valioso, é essencial. Com esse modelo, projetos verdadeiramente enormes podem ser realizados com muito menos custo e risco de forma muito mais rápida e confiável. Podemos construir em escala gigantesca com maior qualidade e velocidade, economizando somas de dinheiro substanciais o suficiente para mudar as fortunas de empresas, indústrias e países. Esse modelo pode até nos ajudar a reverter a crise climática.

# 9
# QUAL É O SEU LEGO?

*Comece com uma coisa pequena, um bloco de edifício básico. Combine-o com outro e outro até ter o que precisa. É assim que uma única célula solar se torna uma placa solar, que se torna um painel solar, que se torna uma enorme fazenda de energia solar. O método da modularidade entrega mais rápido, mais barato e melhor, tornando-se algo valioso para todos os tipos e tamanhos de projeto. Mas para construir em uma escala verdadeiramente grande – a escala que transforma cidades, países, até mesmo o mundo –, a modularidade é não apenas valiosa, mas também indispensável.*

Em 1983, o governo do Japão lançou um novo projeto que era tão promissor quanto enorme. Seu nome era Monju, que significa "sábio". Quando concluída, Monju seria tanto uma usina nuclear produzindo eletricidade para os consumidores quanto um reator de geração rápida, um novo tipo de usina nuclear que produziria combustível para a indústria nuclear. Para uma nação ameaçada pela insegurança energética há bastante tempo, Monju foi projetada para oferecer um futuro melhor.[1]

A construção começou em 1986. E terminou quase uma década mais tarde, em 1995. Mas um incêndio imediatamente fechou

---

1   Hiroko Tabuchi, "Japan Strains to Fix a Reactor Damaged Before Quake", *The New York Times*, June 17, 2011, https://www.nytimes.com/2011/06/18/world/asia/18japan.html; "Japan to Abandon Troubled Fast Breeder Reactor", February 7, 2014, Phys.org, https://phys.org/news/2014-02-japan-abandon-fast-breeder-reactor.html.

a instalação. Uma tentativa de encobrir o acidente tornou-se um escândalo político que manteve o local fechado por anos.[2]

Em 2000, a Agência de Energia Atômica do Japão anunciou que a usina poderia ser reaberta. A Suprema Corte do Japão finalmente autorizou a reabertura em 2005. As operações estavam programadas para começar em 2008, mas foram adiadas para 2009. Os testes começaram em 2010, com operações completas programadas para iniciar, pela primeira vez, em 2013. Mas, em maio de 2013, falhas de manutenção foram descobertas em cerca de catorze mil componentes, incluindo equipamentos críticos de segurança. A reabertura foi interrompida. Outras violações dos protocolos de segurança foram descobertas. A Autoridade de Regulação Nuclear do Japão declarou que a operação de Monju não era possível.[3] Àquela altura, o governo havia gastado US$ 12 bilhões, e o custo estimado para finalmente reativar Monju e operá-la por dez anos era de outros US$ 6 bilhões – numa época em que o desastre de Fukushima em 2011 havia colocado a opinião pública contra a energia nuclear. O governo finalmente jogou a toalha. Em 2016, anunciou que Monju seria permanentemente fechada.[4]

O desmantelamento de Monju deverá demorar mais trinta anos e custar mais US$ 3,4 milhões. Se essa previsão for mais precisa do

---

2 "Japanese Government Says Monju Will Be Scrapped", *World Nuclear News*, December 22, 2016, https://www.world-nuclear-news.org/NP-Japanese-government-says-Monju-will-be-scrapped-2212164.html.

3 Yoko Kubota, "Fallen Device Retrieved from Japan Fast-Breeder Reactor", *Reuters*, June 24, 2011, https://www.reuters.com/article/us-japan-nuclear-monju-idUSTRE-75N0H320110624; "Falsified Inspections Suspected at Monju Fast-Breeder Reactor", *The Japan Times*, April 11, 2014; "More Maintenance Flaws Found at Monju Reactor", *The Japan Times*, March 26, 2015; Jim Green, "Japan Abandons Monju Fast Reactor: The Slow Death of a Nuclear Dream", *The Ecologist*, October 6, 2016.

4 "Monju Prototype Reactor, Once a Key Cog in Japan's Nuclear Energy Policy, to Be Scrapped", *The Japan Times*, December 21, 2016; "Japan Cancels Failed $9 bn Monju Nuclear Reactor", *BBC*, December 21, 2016, https://www.bbc.co.uk/news/world-asia-38390504.

que o resto, o projeto terá levado sessenta anos, custado mais de US$ 15 bilhões e produzido zero eletricidade.[5]

Monju é um caso extremo, mas não se trata de uma categoria isolada. Bem longe disso. As usinas nucleares são um dos tipos de projeto de pior desempenho em meu banco de dados, com um custo excedente médio de 120% em termos reais e cronogramas 65% mais longos do que o planejado. Pior ainda, eles correm o risco dos projetos de cauda gorda tanto em custo quanto no cronograma, o que significa que podem ultrapassar o orçamento em 20% ou 30%. Ou 200% ou 300%. Ou 500%. Ou mais. Quase não há limite para o quão ruim as coisas podem ficar, como Monju demonstrou de forma tão espetacular.[6]

O problema não é a energia nuclear. Muitos outros tipos de projeto têm registros apenas um pouco menos ruins. O problema está na forma como grandes projetos como Monju são normalmente desenvolvidos e entregues. Quando entendermos esse problema, para construir algo grande encontraremos uma solução que é, paradoxalmente, pequena. Na verdade, é minúscula, como um único bloco de Lego. Mas, como veremos, o que você pode fazer com blocos de Lego é impressionante.

## UMA COISA ENORME

Uma maneira de projetar e entregar um projeto em grande escala é construir uma coisa. Uma coisa *enorme*.

Monju é uma coisa enorme. A maioria das usinas nucleares são. Assim como as gigantescas barragens hidrelétricas, as linhas ferroviárias de alta velocidade como a da Califórnia e os gigantescos projetos de TI e arranha-céus.

---

5   "Japanese Government Says Monju Will Be Scrapped."
6   Para a história completa de Monju e outras usinas nucleares, consulte Bent Flyvbjerg, "Four Ways to Scale Up: Smart, Dumb, Forced, and Fumbled", *Saïd Business School Working Papers*, University of Oxford, 2021.

Se você constrói assim, constrói apenas uma coisa. Por definição, essa coisa é única. Para colocar isso na linguagem dos alfaiates, é feito sob medida: sem peças padrão, sem produtos prontos para o uso, sem repetir o que foi feito da última vez. E isso se traduz em um processo lento e complexo. As usinas nucleares, por exemplo, são produtos de um número impressionante de peças e sistemas sob medida que devem funcionar e trabalhar juntos para que a usina como um todo funcione.

Por si só, a construção sob medida dificulta a entrega de grandes projetos se for feita dessa maneira. Mas isso é agravado por vários outros fatores.

Primeiro, você não pode construir uma usina nuclear rapidamente, executá-la por um tempo, ver o que funciona e o que não funciona e, em seguida, alterar o design para incorporar as lições aprendidas. Agir assim é muito caro e perigoso. Isso significa que a experimentação – metade do *experiri* que discuti no capítulo 4 – está fora de questão. Você não tem escolha a não ser acertar de primeira.

Em segundo lugar, há um problema com experiência – a outra metade do *experiri*. Se você está construindo uma usina nuclear, é provável que não tenha feito muito disso antes pela simples razão de que poucas foram construídas e cada uma leva muitos anos para ser concluída, portanto as oportunidades para desenvolver experiência são escassas. No entanto, sem experimentação e pouca experiência, você ainda precisa acertar na primeira vez. Isso é difícil, se não impossível.

Mesmo que você tenha alguma experiência na construção de usinas nucleares, provavelmente não terá experiência na construção *dessa* usina nuclear em particular, porque, com poucas exceções, cada usina é projetada exatamente para um local específico, com tecnologia que muda com o tempo. Como Monju, elas são feitas sob medida, únicas. Qualquer coisa sob medida é cara e demora para ficar pronta, como um terno sob medida. Mas imagine um alfaiate que tem pouca experiência com ternos fazendo um terno sob medida para você e tendo que acertar na primeira tentativa. Isso não vai acabar bem. E estamos falando de apenas um terno, não de uma usina nuclear complexa e multibilionária.

Sem experimentação e experiência, o que você aprende à medida que avança é que o projeto é mais difícil e caro do que você esperava – e não apenas o projeto único que você está fazendo, mas aquele tipo de projeto. Obstáculos que eram desconhecidos são encontrados. Soluções que poderiam funcionar não funcionam. E você não pode compensar isso consertando ou recomeçando com planos revisados. Especialistas em operações chamam isso de "aprendizagem negativa": quanto mais você aprende, mais difícil e caro o projeto se torna.

Em terceiro lugar, há a tensão financeira. Uma usina nuclear deve ser completamente concluída antes que possa gerar eletricidade. Precisa estar 100% pronta, ou é inútil. Portanto, todo o dinheiro que é investido na fábrica não produz nada durante todo o tempo até a cerimônia de inauguração – que, devido à complexidade, à falta de experimentação, à falta de experiência, ao aprendizado negativo e à necessidade de fazer tudo certo de primeira, provavelmente levará muito tempo. Tudo isso se reflete nos terríveis dados de desempenho das usinas nucleares.

Finalmente, não se esqueça dos cisnes negros. Todos os projetos são vulneráveis a situações imprevisíveis, com essa vulnerabilidade crescendo com o passar do tempo. Portanto, o fato de que a entrega de uma única coisa grande levará muito tempo significa que há um alto risco de o projeto ser atingido por algo que você não pode prever. É exatamente o que aconteceu com Monju. Mais de um quarto de século após o lançamento do projeto, quando a usina ainda não estava pronta para funcionar, um terremoto causou um tsunâmi que atingiu a usina nuclear de Fukushima. Esse desastre voltou a opinião pública contra a energia nuclear e finalmente convenceu o governo japonês a desativar Monju. É fato que tamanho desastre não poderia ter sido previsto em 1983. Mas quando a conclusão de um projeto leva décadas, o imprevisível se torna inevitável.

Some tudo isso e fica claro o porquê de usinas nucleares e outros projetos enormes serem tão lentos e caros. É de se admirar que sejam concluídos. Felizmente, há outra maneira de construir coisas enormes.

## MUITAS COISAS PEQUENAS

No início deste livro, mencionei um projeto que entregou com sucesso vinte mil escolas e salas de aula ao Nepal, as quais projetei e planejei juntamente com o arquiteto Hans Lauritz Jørgensen.

Há duas maneiras de olhar para esse projeto. Visto de uma perspectiva, era enorme. Afinal, construímos uma parte importante de todo um sistema escolar nacional. Mas outra maneira de olhar para isso é se concentrar na sala de aula. Em alguns casos, uma única sala de aula era toda a escola. Em outros, juntar algumas salas de aula fez uma escola. Em outros ainda, três ou mais salas de aula formavam uma escola. Construa salas de aula suficientes em escolas suficientes e você terá as escolas para um distrito. Faça isso para todos os distritos, e você terá um sistema escolar nacional.

Uma sala de aula é pequena, por mais que sejam muitas. Assim, você poderia dizer que nosso projeto era pequeno.

Pequeno é bom. Pequenos projetos podem ser simples. Foi isso que Jørgensen e eu pretendemos desde o início. Queríamos que as escolas fossem funcionais, de alta qualidade e à prova de terremotos. Mas dentro desses parâmetros, elas seriam do modo mais simples possível. É por isso que decidimos, por exemplo, que haveria apenas três projetos principais de escolas, sendo a inclinação do canteiro de obras – o Nepal é extremamente montanhoso – a principal variável.

O governo nepalês enfatizou que as escolas eram desesperadamente necessárias, então aceleramos o programa em todos os sentidos. Levamos apenas algumas semanas para desenvolver o primeiro rascunho do programa básico de projetos e construção. Conseguir financiamento e as decisões finais demorou alguns meses. Em seguida, começou a construção das primeiras unidades.[7]

É relativamente fácil construir algo pequeno e simples. Uma sala de aula subiu rapidamente. E outra. Para as muitas escolas da aldeia que tinham apenas uma ou duas salas de aula, aquela já era uma escola completa. Para aquelas que precisavam de mais salas de aula, mais foram construídas. Quando uma escola era terminada, as crianças ocupavam a sala e os professores começavam a ensinar. Especialistas avaliavam o que havia funcionado ou não. E mudanças eram feitas. O próximo lote de salas de aula e escolas começava. E o seguinte.

Repita esse processo mais e mais e mais, e você terá toda a história do projeto. Várias salas de aula se tornam uma escola. Várias escolas formam um distrito. Vários distritos se tornam parte de um sistema escolar nacional com centenas de milhares de estudantes. Isso é uma coisa enorme feita de muitas coisas pequenas.

Há, no entanto, uma grande diferença entre essa coisa enorme e aquelas construídas como "uma coisa enorme": as escolas no Nepal foram entregues dentro do orçamento e anos antes do previsto. E funcionaram bem, de acordo com avaliações independentes.[8]

---

[7] Observe que, apesar de sermos rápidos, *não* aceleramos as escolas nepalesas. Rastreamento rápido significa que a construção é iniciada antes que os projetos sejam concluídos. É perigoso, como vimos na história de Jørn Utzon e na construção da Sydney Opera House. Ver Terry Williams, Knut Samset, and Kjell Sunnevåg, eds., *Making Essential Choices with Scant Information: Front-End Decision Making in Major Projects* (London: Palgrave Macmillan, 2009).

[8] Ramesh Chandra, *Encyclopedia of Education in South Asia*, vol. 6: Nepal (Delhi: Kalpaz Publications, 2014); Harald O. Skar and Sven Cederroth, *Development Aid to Nepal: Issues and Options in Energy, Health, Education, Democracy, and Human Rights* (Richmond, Surrey: Routledge Curzon Press, 2005); Alf Morten, Yasutami Shimomure, and Annette Skovsted Hansen, *Aid Relationships in Asia: Exploring Ownership in Japanese and Nordic Aid* (London: Palgrave Macmillan, 2008); Angela W. Little, *Education for All and Multigrade Teaching: Challenges and Opportunities* (Dordrecht: Springer, 2007); S. Wal, *Education and Child Development* (New Delhi: Sarup and Sons, 2006); Flyvbjerg, "Four Ways to Scale Up: Smart, Dumb, Forced, and Fumbled".

*Modularidade* é uma palavra desajeitada para a ideia elegante de grandes coisas feitas de pequenas coisas. Um bloco de Lego é uma coisa pequena, mas montando mais de nove mil blocos você pode construir um dos maiores conjuntos que a Lego faz, um modelo em escala do Coliseu, em Roma. Isso é modularidade.

Procure-a no mundo e você a verá em todos os lugares. Uma parede de tijolos é feita de centenas de tijolos. Um bando de estorninhos, que se move como se fosse um único organismo, pode ser composto de centenas ou milhares de pássaros. Até mesmo nossos corpos são modulares, compostos de trilhões de células que são também modulares. Há uma razão evolutiva para essa onipresença: na sobrevivência do mais apto, o "mais apto" é muitas vezes um módulo que é particularmente bem-sucedido na reprodução de si mesmo.[9]

O núcleo da modularidade é a repetição. Posicione um bloco de Lego. Coloque outro. E outro. E outro. Repita, repita, repita. Clique, clique, clique.

A repetição é o cerne da modularidade, ela permite a experimentação. Se algo funcionar, siga adiante. Se isso não acontecer, você "falha rápido", para usar o famoso termo do Vale do Silício, e ajusta o plano. Você fica mais esperto. Os projetos melhoram.

A repetição também gera experiência, tornando o seu desempenho melhor. Isso se chama "aprendizagem positiva", como vimos anteriormente. A repetição acelera a curva de aprendizado, tornando cada nova iteração melhor, mais fácil, mais barata e mais rápida.

Como diz o velho ditado latino, *"Repetitio est mater studiorum"*— "A repetição é a mãe do aprendizado". Sim, escrevi isso no capítulo 4. Mas a repetição é a mãe do aprendizado.

---

9  James H. Brown and Geoffrey B. West, eds., *Scaling in Biology* (Oxford, UK: Oxford University Press, 2000); Geoffrey West, *Scale: The Universal Laws of Life and Death in Organisms, Cities, and Companies* (London: Weidenfeld and Nicolson, 2017); Knut Schmidt-Nielsen, *Scaling: Why Is Animal Size So Important?* (Cambridge, UK: Cambridge University Press, 1984).

Os bolos de casamento são um exemplo maravilhoso. Mesmo o bolo de casamento mais grandioso é composto principalmente de uma série de bolos idênticos, planos e simples. Empilhe vários deles e você obterá um andar. Asse mais, empilhe-os e você obterá outro andar. Empilhe muitos andares e você terá uma grande torre de bolo. Isso parece bastante fácil, mas, como muitos entusiastas da culinária descobriram, mesmo que seus bolos individuais sejam perfeitamente cozidos, suas primeiras tentativas de empilhar bolos provavelmente produzirão algo que se parece mais com a Torre de Pisa. Os confeiteiros desenvolvem a habilidade de entregar bolos perfeitos somente após terem tentado muitas vezes, aprendendo uma lição pequena aqui, uma lição pequena acolá. Mas como os bolos de casamento são modulares e repetitivos, os confeiteiros que se dedicam a isso obtêm experiência rapidamente – e logo se tornam altamente qualificados.

É importante notar que a modularidade é uma questão de grau. O Empire State Building não era tão modular quanto seu modelo em Lego, mas seus andares foram projetados para terem o máximo possível de semelhança, sendo muitas vezes idênticos. Isso significava que os trabalhadores frequentemente repetiam o trabalho, o que os ajudava a aprender e trabalhar mais rápido. Da mesma forma, a construção do Pentágono foi acelerada, mantendo os cinco lados do edifício idênticos. Seguindo essa linha de raciocínio, aconselhei uma empresa que está construindo uma grande usina nuclear a repetir exatamente o que havia feito na construção de uma usina recente, não porque a usina anterior tivesse sido um grande sucesso, mas porque isso aumentaria a curva de aprendizado. Toda pequena ajuda é importante.

No Nepal, nosso Lego era a sala de aula, com escolas e distritos sendo módulos maiores. Assim, o projeto era totalmente modular. Mas poderia ter sido ainda mais. Nossas escolas foram construídas da maneira tradicional, com materiais de construção trazidos para o local e trabalhadores cortando, enquadrando, assentando, pregando, lixando e dando acabamento aos materiais para construir as escolas, sala por sala. Em outros países – não era aconselhável no Nepal por várias razões –, esse trabalho poderia ser feito em uma fábrica. O módulo que vem da fábrica pode ser uma sala de aula completa se for pequeno o suficiente para caber na traseira de um caminhão e ser transportado em estradas – se houver estradas, o que não era o caso de muitas aldeias nas montanhas do Nepal. Se a sala de aula for muito grande para isso, pode ser construída em partes – meia sala de aula, talvez, ou os componentes de uma sala de aula – e enviada. Quando os módulos são entregues no local, o edifício não é construído, é montado, como Lego. Dessa forma, o canteiro de obras se transforma em um local de montagem, que é exatamente o que queremos, como mencionado anteriormente.

Isso está acontecendo na Inglaterra. As fábricas constroem metade de uma sala de aula. Essas "peças" são enviadas para o local e montadas, formando uma nova escola. "Isso nos permitiu ser mais eficientes e mais rápidos e, de fato, oferecer maior qualidade", disse Mike Green, funcionário do governo encarregado do programa. Além disso, é muito mais barato. "Já eliminamos um terço do custo por metro quadrado de construção de escolas", disse Green. E está convencido de que é possível economizar ainda mais.[10] Meus dados confirmam que ele está certo.

Fabricar os módulos e montar no local é muito mais eficiente do que a construção tradicional, porque uma fábrica é um ambiente controlado, projetado para ser tão eficiente, linear e previsível quanto possível. Para dar um exemplo óbvio, o mau tempo rotineiramente causa estragos na construção ao ar livre, enquanto a produção de módulos em uma fábrica prossegue independentemente do mau tempo lá fora. Como mencionei no capítulo anterior, esse processo – conhecido como "design para fabricação e montagem" – é em grande parte o que explica o sucesso do Terminal 5 de Heathrow.

---

10   Entrevista do autor com Mike Green, 5 de junho de 2020.

Quando o Lego enviado das fábricas é montado, o aumento de escala é principalmente uma questão de adicionar mais do mesmo. A melhor ilustração é uma instalação que poucos viram e poucos pensaram, mas é indispensável em nosso mundo digital: a fazenda de servidores. O Lego é o servidor. Empilhando um número de servidores, você recebe um rack. Um número de racks forma uma fileira. Um número de fileiras dá forma a uma sala. Várias salas formam um edifício. Um número de edifícios, e você tem uma fazenda de servidores. Se você é a Apple, a Microsoft ou alguma outra grande corporação que demanda ainda mais poder de servidor, você constrói mais fazendas. Em princípio, não há limite para a capacidade do servidor que você pode construir dessa maneira, rapidamente e por um custo cada vez menor.

## ESCALABILIDADE SEM ESCALA

Observe que não estou usando números precisos. Isso porque os números podem ser aumentados ou diminuídos o quanto você quiser – de um ao infinito, e vice-versa – sem alterar o caráter do todo, da mesma forma que um bando de estorninhos é um bando de estorninhos e se comporta como tal, quer seja feito de cinquenta pássaros, quinhentos ou cinco mil. O termo técnico para essa propriedade é "livre de escala", o que significa que a coisa é basicamente a mesma, independentemente do tamanho. Isso traz a mágica do que chamo de "escalabilidade sem escala". O que significa que você pode aumentar ou diminuir a escala seguindo os mesmos princípios, independentemente de onde estiver em escala, que é exatamente o que deseja para construir algo enorme com facilidade. O matemático Benoit Mandelbrot, que primeiro expôs a ciência da escalabilidade sem escala, chamou esse atributo de "fractal" – como um daqueles memes populares da internet nos quais você vê um padrão, depois amplia um detalhe dentro do padrão e acaba descobrindo o mesmo padrão sucessivamente.[11]

A modularidade pode fazer coisas surpreendentes. Quando a pandemia de covid-19 foi constatada na China, em janeiro de 2020, uma empresa que fabrica habitações modulares modificou um projeto de sala existente e criou unidades em uma fábrica. Nove dias depois, um hospital de mil leitos com 1,4 mil funcionários abriu em Wuhan, o marco zero do surto. Outros hospitais maiores foram construídos quase com a mesma rapidez.[12] Hong Kong fez algo semelhante para erguer instalações de quarentena, preparando um local e montando mil unidades de moradias confortáveis e totalmente equipadas em quatro meses. Quando o governo decidiu mais tarde que qualquer pessoa que entrasse em Hong Kong teria que passar 21 dias em quarentena, a instalação foi rapidamente expandida para 3,5 mil unidades com espaço para sete mil pessoas. Todas as unidades podem ser desconectadas e instaladas em outro lugar — ou armazenadas.[13]

A objeção óbvia é que os módulos podem ser adequados para emergências e serviços públicos, mas são baratos e feios e não adequados para algo mais permanente. Há algo que precisamos dizer sobre isso. A habitação modular nas gerações anteriores era de fato barata e feia. Mas isso não significa que tem que ser assim. Algumas moradias modulares eram consideravelmente melhores, principalmente a Sears Modern Homes. Durante grande parte da primeira metade do século 20, os americanos podiam abrir um catálogo da Sears, encomendar uma casa e receber um kit completo construído de fábrica. Todas as peças eram incluídas, com instruções para

---

11 Benoit B. Mandelbrot, *Fractals and Scaling in Finance* (New York: Springer, 1997).

12 Erin Tallman, "Behind the Scenes at China's Prefab Hospitals Against Coronavirus", *E-Magazine by Medical Expo*, March 5, 2020, https://emag.medicalexpo.com/qa-behind-the-scenes-of-chinas-prefab-hospitals-against-coronavirus/.

13 Entrevista do autor com Ricky Wong, vice-chefe do Escritório de Engenharia Civil de Hong Kong, 16 de setembro de 2021.

montagem, como móveis IKEA em grande escala. A Sears vendeu cerca de setenta mil kits. Muitos desses edifícios ainda estão de pé noventa, cem ou cento e dez anos depois e são valorizados por sua construção de alta qualidade e design clássico.[14] Atualmente, a moderna tecnologia de informação e fabricação torna muito mais possível e mais fácil fazer isso.

Quando falei com Mike Green, ele estava trabalhando em um aplicativo que permitiria que as autoridades locais e os cidadãos no Reino Unido projetassem suas próprias escolas arrastando e posicionando salas de aula e corredores de tamanho padrão. "E quando você seleciona 'terminar', ele apresenta uma lista de componentes que pode ser encaminhada a um fabricante instantaneamente", disse ele. O objetivo é tornar possível que uma escola seja encomendada da mesma forma que um carro.[15] A comparação é perfeita. Os carros são extremamente modulares – até mesmo carros muito caros e sofisticados são montados no estilo Lego –, mas ninguém se queixa de que não há carros esteticamente agradáveis e de alta qualidade. É totalmente possível que as palavras *modular*, *bonito* e *alta qualidade* apareçam na mesma frase.

Quando o arquiteto Danny Forster projetou um elegante hotel Marriott de 26 andares para uma rua elegante em Manhattan, ele o fez de forma totalmente modular. Os quartos eram o seu Lego. Cada um foi construído em uma fábrica na Polônia, completo, com tudo, até mesmo móveis, e depois enviado para um armazém no Brooklyn. A pandemia de covid-19 interrompeu o projeto, mas quando o turismo se recuperar e os números melhorarem, o plano é que os quartos sejam retirados do armazém e o maior e mais elegante hotel modular do mundo seja montado. "Queremos demonstrar

---

14 Gostaria de agradecer a Carissa Véliz por me alertar sobre a Sears Modern Homes como um exemplo antigo e excelente de modularidade em habitação e construção. Os arquivos da Sears estão localizados em http://www.searsarchives.com/homes/index.htm. Veja também #HGTV, "What It's Like to Live in a Sears Catalog Home", YouTube, May 13, 2018, https://www.youtube.com/watch?v=3kb24gwnZ18.

15 Entrevista do autor com Mike Green, 5 de junho de 2020.

que a construção modular pode fazer mais do que apenas aproveitar as eficiências da fábrica", disse Forster. "Pode produzir um edifício gracioso e memorável."[16]

Há ainda a deslumbrante e etérea sede da Apple em Cupertino, Califórnia, projetada por Norman Foster, Steve Jobs e Jony Ive, onde a modularidade também desempenhou papel importante. Conforme concebido por Jobs, "este seria um local de trabalho onde as pessoas estariam abertas umas às outras e à natureza, e a chave para isso seriam seções modulares, conhecidas como *pods*, para trabalho ou colaboração", resumiu o jornalista Steven Levy. "A ideia de Jobs era repetir esses *pods* indefinidamente: *pod* para trabalho de escritório, *pod* para trabalho em equipe, *pod* para socialização, como um piano tocando uma composição de Philip Glass."[17] Isso se estendeu à forma como o prédio foi montado. "Vimos o processo de construção como um projeto de fabricação e queríamos fazer o máximo possível fora daqui", disse o CEO da Apple, Tim Cook, à revista *Wired*. "Então você começa a unir Legos."

A diferença entre o modular barato e feio e esses projetos é a imaginação e a tecnologia. Para desbloquear totalmente o potencial da modularidade, de modo a ver como ela pode ser surpreendentemente versátil, precisamos "pensar diferente", como dizia o velho slogan da Apple.

## BRINCANDO COM LEGO

Qual será o nosso bloco de construção básico, aquilo que faremos repetidamente, tornando-nos cada vez mais rápidos e melhores? Essa é a pergunta que todo líder de projeto deve fazer. Qual é

---

16 Dan Avery, "Warren Buffett to Offer a Fresh Approach on Modular Construction", *Architectural Digest*, May 20, 2021; entrevistas do autor com Danny Forster, 4 e 27 de janeiro de 2021.

17 Steven Levy, "One More Thing: Inside Apple's Insanely Great (or Just Insane) New Mothership", *Wired*, May 16, 2017, https://www.wired.com/2017/05/apple-park-new--silicon-valley-campus/.

a pequena coisa que podemos reunir em grandes números e transformar em uma grande coisa? Ou em uma coisa enorme? *Qual é o nosso Lego?* Explore essa pergunta e poderá se surpreender com o que irá descobrir.

Considere uma hidrelétrica gigante, por exemplo. Pode parecer óbvio que não há nenhuma alternativa. Ou você represa o rio, ou não. Não há nenhum espaço para trabalhar de forma modular.

Só que há, sim. Você poderia desviar parte do fluxo do rio, colocá-lo em pequenas turbinas para gerar eletricidade e devolvê-lo ao rio. Isso seria uma "hidrelétrica de pequena escala". Uma instalação como essa é relativamente pequena e produz apenas uma fração da energia de uma grande barragem. Mas trate-a como Lego – repita, repita, repita – e você terá uma produção substancial de eletricidade com menos danos ambientais, menos protestos dos cidadãos, menos custos e menos riscos. Um dos líderes mundiais em hidreletricidade, a Noruega, um país de apenas cinco milhões de habitantes, tem uma política ativa para melhorar o desenvolvimento de pequenas hidrelétricas e já teve mais de 350 projetos hidrelétricos de pequena escala desde 2003, com mais por vir.[18]

Uma fábrica gigante, também, pode parecer ser uma coisa enorme ou nada. Mas quando Elon Musk anunciou que a Tesla construiria a Gigafactory 1 (hoje conhecida como Giga Nevada), a maior fábrica do mundo, ele a imaginou em termos modulares. O Lego de Musk era uma pequena fábrica. Construa uma e coloque-a em funcionamento. Construa outra ao lado e integre as duas. Construa uma terceira, uma quarta, e assim por diante. Ao construir a Gigafactory 1 dessa maneira, a Tesla começou a produzir baterias e a obter receita um ano após a inauguração, mesmo enquanto o trabalho

---

18 Leif Lia et al., "The Current Status of Hydropower Development and Dam Construction in Norway", *Hydropower & Dams* 22, no. 3 (2015); "Country Profile Norway", International Hydropower Association, https://www.hydropower.org/country-profiles/norway.

continuava em toda a instalação gigante, que consistirá em 21 "blocos de Lego" quando concluída.[19]

Os elementos-chave da modularidade parecem ser centrais para a abordagem geral de Elon Musk, e ele os usa em vários empreendimentos diferentes. A Tesla parece não ter nada a ver com a SpaceX, uma criação de Musk que está revolucionando o transporte e os serviços espaciais. Mas o uso da replicabilidade para acelerar a curva de aprendizado, agilizar a entrega e melhorar o desempenho está integrado ao modelo de planejamento da empresa.[20]

O espaço há muito tempo é dominado por projetos grandes, complexos e com preços exorbitantes, como o Telescópio Espacial James Webb, da Nasa – US$ 8,8 bilhões, 450% acima do orçamento –, apenas o exemplo mais recente. Mas há sinais promissores de que o emprego da modularidade está aumentando. Para fabricar satélites, uma empresa chamada Planet (anteriormente Planet Labs, Inc.) usa componentes eletrônicos comerciais, como os produzidos em massa para celulares e drones, fabricados em formatos de 10 × 10 × 10 cm (4 × 4 × 4 polegadas) da forma mais barata e fácil possível. Esses são os Legos deles. Eles são montados em módulos maiores, chamados de módulos CubeSat. Com três módulos CubeSat você tem a eletrônica para um satélite Planet Dove. Em nítido contraste com os satélites grandes, complexos e caros que há muito tempo são a norma, cada satélite Dove leva apenas alguns meses para ser construído, pesa cerca de cinco quilos e custa

---

19  Tom Randall, "Tesla Flips the Switch on the Gigafactory", *Bloomberg*, January 4, 2017, https://www.bloomberg.com/news/articles/2017-01-04/tesla-flips-the-switch-on--the-gigafactory; Sean Whaley, "Tesla Officials Show Off Progress at Gigafactory in Northern Nevada", *Las Vegas Review-Journal*, March 20, 2016; Seth Weintraub, "Tesla Gigafactory Tour Roundup and Tidbits: 'This Is the Coolest Factory in the World,'" Electrek, July 28, 2016, https://electrek.co/2016/07/28/tesla-gigafactory-tour-roundup-and-tidbits-this-is-the-coolest-factory-ever/; Seth Weintraub, "Tesla Gigafactory Tour Roundup and Tidbits: 'This Is the Coolest Factory in the World'", *Electrek*, July 28, 2016, https://electrek.co/2016/07/28/tesla-gigafactory-tour-roundup-and-tidbits--this-is-the-coolest-factory-ever/.

20  Atif Ansar and Bent Flyvbjerg, "How to Solve Big Problems: Bespoke Versus Platform Strategies", *Oxford Review of Economic Policy* 38, no. 2 (2022): 338–68.

menos de US$ 1 milhão – uma pechincha para os padrões dos satélites e barato o suficiente para que o fracasso resulte em aprendizado, não em falência. A Planet colocou centenas desses satélites em órbita, formando "bandos" que monitoram clima, condições das fazendas, resposta a desastres e planejamento urbano. Apesar das preocupações com a privacidade que precisam ser analisadas pelos formuladores de políticas públicas, os satélites Dove são um exemplo poderoso da capacidade de adaptação e escalabilidade dos sistemas modulares, especialmente quando contrastados com a abordagem sob medida da Nasa.[21]

Os sistemas de metrô parecem ser um caso ainda mais difícil para a modularização. No entanto, quando o Metrô de Madri realizou uma das maiores expansões do mundo, entre 1995 e 2003, apoiou-se na modularidade de duas maneiras. Primeiro, as 76 estações necessárias para a expansão foram tratadas como Lego, com todas compartilhando o mesmo design simples, limpo e funcional. Os custos despencaram, e a velocidade de entrega disparou. Para amplificar esses efeitos, o metrô de Madri evitou novas tecnologias. Apenas tecnologias que comprovadamente deram certo foram usadas.

Em segundo lugar, a liderança do Metrô fez um importante avanço ao tratar os comprimentos do túnel também como Lego. Inicialmente, eles calcularam o comprimento ideal do túnel que uma máquina de perfuração e sua equipe poderiam fornecer. Algo em torno de três a seis quilômetros em duzentos a quatrocentos dias. Em seguida, dividiram o comprimento total dos túneis que precisavam perfurar nesse tempo e contrataram o número de equipes e máquinas necessárias para cumprir o cronograma. Às vezes, eles tinham até seis máquinas trabalhando ao mesmo tempo, o que era inédito na

---

21 Flyvbjerg, "Four Ways to Scale Up"; Fitz Tepper, "Satellite Maker Planet Labs Adquire BlackBridge's Geospatial Business", *TechCrunch*, July 15, 2015, https://techcrunch.com/2015/07/15/satellite-maker-planet-labs-acquires-blackbridges-geospatial-business/; Freeman Dyson, "The Green Universe: A Vision", *The New York Review of Books*, October 13, 2016, 4–6; Carissa Véliz, *Privacy Is Power: Why and How You Should Take Back Control of Your Data* (London: Bantam, 2020), 154.

época.[22] Tratar comprimentos de túnel como Lego empurrou o projeto ainda mais para cima na curva positiva de aprendizado, reduziu o tempo total necessário e economizou rios de dinheiro.[23] No total, o Metrô de Madri produziu 131 quilômetros de trilhos e 76 estações em apenas duas etapas de quatro anos cada. Isso é o dobro da velocidade média da indústria. E foi feito pela metade do custo. Precisamos de mais comportamentos como esse na gestão de megaprojetos.

Depois, há o transporte de mercadorias. Desde tempos imemoriais, os estivadores enchiam cuidadosamente um navio à mão, item por item, para que a carga não se deslocasse no mar, e, quando o navio chegava ao seu destino, o processo inverso era feito. Era um trabalho duro, perigoso e lento. Mas na década de 1950, um carregador americano chamado Malcolm McLean pensou que talvez a carga devesse ser colocada em caixas de aço idênticas que poderiam ser empilhadas em navios e transferidas diretamente para trens e caminhões no destino. Era uma ideia modesta. McLean pensou que poderia reduzir custos.

Mas, ao transformar a carga em Lego, isso tornou o transporte marítimo extremamente modular e econômico. Os contêineres em navios começaram a ser cada vez mais empilhados. Os navios ficaram maiores. A transferência de um modo de transporte para outro ficou

---

22 Hoje ensino meus alunos, muitos dos quais são executivos comandando grandes projetos, a fazer túneis como o de Madri, caso eles se encontrem conduzindo uma ferrovia, estrada, água ou outro projeto que requeira um túnel extenso. Para a maioria, tratar túneis como Lego é uma epifania, porque escavar túneis, como outras escavações, é convencionalmente visto como arquetipicamente feito sob medida. Eu literalmente tive alunos saindo direto da minha aula no Metrô de Madri e ligando para pedir brocas adicionais para seus projetos. Cada máquina normalmente custa entre US$ 20 milhões e US$ 40 milhões, dependendo do tamanho e do tipo, o que é barato, considerando o tempo e o dinheiro que várias máquinas economizam.

23 Entrevista do autor com Manuel Melis, March 3, 2021; Manuel Melis, "Building a Metro: It's Easier Than You Think", *International Railway Journal*, April 2002, 16–19; Bent Flyvbjerg, "Make Megaprojects More Modular", *Harvard Business Review* 99, no. 6 (November–December 2021): 58–63; Manuel Melis, *Apuntes de introducción al proyecto y construcción de túneles y metros en suelos y rocas blandas o muy rotas: la construcción del Metro de Madrid y la M-30* (Madrid: Politécnica, 2011).

mais rápida. A velocidade e a facilidade de transporte de mercadorias dispararam, enquanto os custos caíram tão abruptamente que a economia de produção e distribuição em todo o mundo mudou. Em *The Box: How the Shipping Container Made the World Smaller and the World Economy Bigger*, a história definitiva da conteinerização, o economista Marc Levinson argumenta que o humilde contêiner é nada menos que uma das principais causas da globalização.[24]

Não é pouca coisa reduzir drasticamente os custos e aumentar a velocidade. Mas a modularização faz mais do que isso. Ela diminui radicalmente o risco – a tal ponto que a modularização pode ser a maneira mais eficaz de "cortar a cauda", conforme recomendado no capítulo 6.

## PROJETOS DE CAUDA FINA

Agora você já conhece a solução para o quebra-cabeça que discuti no final do capítulo anterior: apenas cinco tipos de projetos – energia solar, energia eólica, energia térmica fóssil, transmissão de eletricidade e estradas – não são de cauda gorda, o que significa que eles, ao contrário de todo o resto, não correm risco de acabarem desastrosamente mal. Então, o que diferencia esses cinco afortunados? Todos eles são modulares em um grau, e alguns são totalmente assim.

Energia solar? Nasce modular, com a célula solar como o bloco de construção básico. Em uma fábrica, una múltiplas células solares e forme um painel. Envie e instale o painel. Instale outro e conecte-os. Adicione outro painel. E outro, até ter uma matriz. Continue a adicionar matrizes até gerar a quantidade de eletricidade que quiser. Mesmo fazendas solares gigantes consistem em pouco mais do que isso. A energia solar é a rainha da modularidade. É também o tipo de projeto de menor risco que já testei em termos de custo e cronograma. Isso não é coincidência.

---

24  Marc Levinson, *The Box: How the Shipping Container Made the World Smaller and the World Economy Bigger* (Princeton, NJ: Princeton University Press, 2016).

Energia eólica? Também é extremamente modular. Os moinhos de vento modernos consistem em quatro elementos básicos construídos em fábrica e montados no local: uma base, uma torre, a "cabeça" (nacela) que abriga o gerador e as lâminas que giram. Encaixe-os e você tem um moinho de vento. Repita esse processo várias vezes e você tem uma fazenda de vento.

Energia térmica fóssil? Observe uma usina de queima de carvão e você descobrirá que elas são bem simples, constituídas de alguns elementos básicos construídos em fábricas e montados para fazer uma grande panela de água ferver e uma turbina funcionar. Elas são modulares, assim como um caminhão moderno é modular. O mesmo vale para usinas movidas a petróleo e gás.

Transmissão de eletricidade? Peças feitas numa fábrica são montadas até formarem uma torre, e fios feitos na fábrica são amarrados ao longo delas. Repita isso. Ou os cabos fabricados são implantados no solo, seção por seção. Repita de novo.

Estradas? Uma autoestrada multibilionária consiste em várias seções de autoestradas unidas. Repita, repita, repita. O aprendizado com a entrega de uma seção pode ser aplicado a outra, assim como os trabalhadores que construíram o Empire State Building aprenderam de um andar para o outro. Além disso, uma vez que a aprendizagem está em andamento, seções de autoestrada podem ser construídas simultaneamente para reduzir o tempo.

A seguir há um gráfico com todos os tipos de projetos organizados por quão "cauda gorda" são em termos de custo – o quanto correm riscos de estourar terrivelmente os limites de custos que destroem projetos e carreiras, explodem corporações e humilham governos.

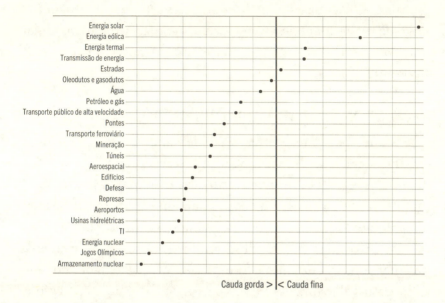

Em um extremo – o lugar aterrorizante onde ninguém quer estar – encontramos o armazenamento de lixo nuclear, a realização dos Jogos Olímpicos, a construção de usinas nucleares, a construção de sistemas de tecnologia da informação e a construção de hidrelétricas. São todos clássicos projetos de "uma coisa enorme". No outro extremo, encontramos os cinco tipos de projetos abençoados que não estão sujeitos aos riscos da cauda gorda. São todos modulares (assim como os oleodutos, que ficam um pouco abaixo da linha de corte). E veja a energia solar e a eólica: estão lá, muito bem posicionadas. E são *totalmente* modulares. O que explica por que estão rapidamente superando outras fontes de energia em termos de preços – fóssil, nuclear, hidrelétrica.[25]

---

25 Em termos matemáticos/estatísticos, o grau de cauda gorda foi medido pelo valor alfa de uma lei de potência ajustada aos dados de custo excedente para cada tipo de projeto. Projetos com um valor alfa de quatro ou menos foram considerados de cauda gorda. Resultados semelhantes foram encontrados para cronograma e benefícios. Essas conclusões se aplicam ao meu conjunto de dados atual. Com minha equipe, estou constantemente aumentando os dados, e os resultados podem mudar à medida que mais dados são coletados. Os resultados devem ser considerados preliminares nesse sentido.

O padrão é claro: os projetos modulares estão em muito menos perigo de se tornarem desastres de cauda gorda. Portanto, modular é mais rápido, mais barato e menos arriscado. Isso é imensamente importante.

## COMO ECONOMIZAR TRILHÕES DE DÓLARES

Nos anos que antecederam a pandemia de covid-19, quantias sem precedentes de dinheiro público e privado foram despejadas em projetos gigantes de infraestrutura em todo o mundo. Nos anos seguintes, esses gastos se transformaram em uma torrente, principalmente nos Estados Unidos, na China e na União Europeia. As quantias envolvidas são assombrosas. Em 2017, antes de realmente aumentar, estimei que entre US$ 6 trilhões e US$ 9 trilhões por ano seriam gastos globalmente em projetos gigantes na década seguinte. Essa estimativa foi bastante conservadora em comparação com outras, que chegaram a US$ 22 trilhões por ano.[26] Adicione o aumento pós-pandêmico de investimentos e tenho certeza de que minha estimativa agora é muito baixa. No entanto, considere o que mesmo esse número baixo significa.

Se o histórico desanimador de grandes projetos melhorasse um pouco – digamos, cortando o custo em apenas 5% –, US$ 300 bilhões a US$ 400 bilhões seriam economizados por ano. Esse é aproximadamente o produto interno bruto anual da Noruega. Acrescente melhorias equivalentes nos benefícios proporcionados por projetos gigantescos, e os ganhos estariam na faixa do PIB da Suécia. Todos os anos. Mas, como Frank Gehry e a liderança do Metrô de Madri demonstraram, uma melhoria de 5% não é nada. Reduzir os custos em 30% – o que ainda é modesto e inteiramente

---

26. Bent Flyvbjerg, ed., *The Oxford Handbook of Megaproject Management* (New York: Oxford University Press, 2017); Thomas Frey, "Megaprojects Set to Explode to 24% of Global GDP Within a Decade", *Future of Construction*, February 10, 2017, https://futureofconstruction.org/blog/megaprojects-set-to-explode-to-24-of-global-gdp-within-a-decade.

possível – criaria economias anuais na faixa do PIB de Reino Unido, Alemanha ou Japão.

São números que poderiam mudar o mundo. Para colocá-los em perspectiva, um estudo de 2020 financiado pelo governo alemão estimou que o custo total para acabar com a fome global até 2030 seria de US$ 330 bilhões em dez anos – uma fração do que poderia ser obtido fazendo grandes projetos um pouco melhor.[27]

## O EXPERIMENTO DA CHINA

Alguns leitores dirão que fui injusto com o modelo de "uma coisa enorme". Eles argumentarão que projetos de "uma coisa enorme" – por exemplo, usinas nucleares – são prejudicados por opinião pública, governos hostis, encargos de segurança excessivos e regulamentação ambiental. Quebre as correntes, dizem eles, e esses projetos podem ter um desempenho tão bom ou melhor do que seus concorrentes modulares, como a energia eólica e a solar. É uma hipótese interessante. Felizmente, um experimento natural colocou essa hipótese à prova, e temos os resultados.

O experimento foi realizado na China na última década. A burocracia e a oposição popular podem retardar ou interromper projetos em muitos países, mas não na China. Na China, se o governo

---

[27] Kaamil Ahmed, "Ending World Hunger by 2030 Would Cost $330 Billion, Study Finds", *The Guardian*, October 13, 2020. Usando os números conservadores de Flyvbjerg, *Oxford Handbook of Megaproject Management* (2017) – isto é, US$ 6 trilhões para US$ 9 trilhões por ano –, um corte de custo de 5% equivaleria a uma economia de US$ 300 bilhões a US$ 450 bilhões por ano. Usando o número "Megaprojects Set to Explode" (2017) de Frey – US$ 22 trilhões investidos por ano –, a economia seria de US$ 1,1 trilhão por ano. Com um corte de custo de 30%, a economia seria de US$ 1,8 trilhão a US$ 2,7 trilhões e US$ 6,6 trilhões, respectivamente. E, finalmente, em 80%, o que pressupõe inovação tecnológica significativa, parte da qual já está acontecendo, a economia seria de US$ 4,8 trilhões a US$ 7,2 trilhões por ano e US$ 17,6 trilhões por ano para os números de Flyvbjerg e Frey, respectivamente. Esses números não incluem aumentos na eficiência da entrega de benefícios, o que acrescentaria mais ganhos substanciais além da economia de custos.

nacional decidir que um projeto é prioridade, os obstáculos são eliminados e o projeto é concluído.

Por mais de uma década, o governo chinês considerou ser uma prioridade estratégica nacional aumentar bastante a capacidade da China de gerar eletricidade não fóssil. O país queria mais de tudo: mais energia eólica, mais energia solar, mais energia nuclear. E queria tudo o mais rápido possível.

Então, com que rapidez esses três tipos de projetos foram entregues na China? O gráfico da próxima página, adaptado do trabalho do analista de energia Michael Barnard e atualizado com dados da Agência Internacional de Energia Renovável, mostra os megawatts da nova capacidade de geração de eletricidade adicionados à rede nacional da China, por fonte, de 2001 a 2020.[28]

Os resultados não poderiam ser mais claros. O modelo de "uma coisa enorme", exemplificado pela energia nuclear, é a linha rastejando ao longo da parte inferior do diagrama. Foi esmagado por "muitas coisas pequenas" — energias eólica e solar —, disparando para a direita. A China é um caso emblemático no sentido de que é a nação do mundo com as condições mais propícias para a energia nuclear. Então, se a energia nuclear não conseguir ser bem-sucedida lá, é improvável que tenha sucesso em qualquer lugar. A menos, é claro, que a indústria nuclear passe por uma grande revolução, o que é exatamente o que seus defensores mais esclarecidos sugerem agora. Eles aceitaram as limitações do modelo de "uma coisa enorme" e estão tentando levar a energia nuclear em uma direção radicalmente diferente. Pedem que reatores reduzidos sejam construídos em fábricas, enviados para onde são necessários e montados

---

28  O diagrama é adaptado de Michael Barnard, "A Decade of Wind, Solar e Nuclear in China Shows Clear Scalability Winners", *CleanTechnica*, September 5, 2021, https://cleantechnica.com/2021/09/05/a-decade-of-wind-solar-nuclear-in-china-shows-clear-scalability-winners/, atualizado com dados de 2021 em "Renewable Capacity Statistics 2021", International Renewable Energy Agency, https://www.irena.org/-/media/Files/IRENA/Agency/Publication/2021/Apr/IRENA_RE_Capacity_Statistics_2021.pdf.

no local, transformando novamente o canteiro de obras em uma linha de montagem, o que é justamente visto como a chave para o sucesso. Esses reatores produziriam, cada um, apenas 10% a 20% da eletricidade gerada por um reator nuclear convencional. Mas se mais eletricidade for necessária, um segundo reator pode ser adicionado. Ou um terceiro. Ou quantos forem necessários.[29] O nome desse novo modelo de energia nuclear diz tudo: são "pequenos reatores modulares", ou PRMs.

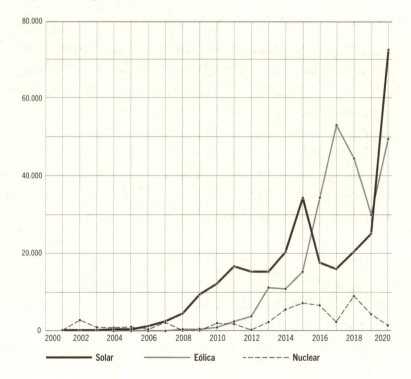

NOVA CAPACIDADE DE ELETRICIDADE EM MW, CHINA
*segundo Tecnologia e Ano*

---

29 Joanne Liou, "What Are Small Modular Reactors (SMRs)?", International Atomic Energy Agency, November 4, 2021, https://www.iaea.org/newscenter/news/what-are-small-modular-reactors-smrs.

No momento em que escrevo, os PRMs são uma tecnologia ainda não comprovada. Não vou adivinhar se eles funcionarão como esperado ou quanto tempo levará até que isso aconteça. Mas é revelador que, depois de mais de sessenta anos de desenvolvimento civil da energia nuclear, grande parte da indústria nuclear – apoiada por uma lista de investidores que inclui Bill Gates e Warren Buffett – esteja finalmente mudando seu pensamento de "uma coisa enorme" para "muitas pequenas coisas".[30] Outras formas de infraestrutura global do tipo "uma coisa enorme" devem observar e aprender com isso.

## A CRISE CLIMÁTICA

Eu gostaria de ter terminado este livro aqui mesmo. Mas não posso, porque há uma razão muito mais urgente e assustadora pela qual precisamos melhorar radicalmente a forma como planejamos e entregamos grandes projetos. Trata-se da crise climática.

Em meados de julho de 2021, o céu veio abaixo e inundou o oeste da Alemanha, com algumas regiões recebendo mais chuva em um dia do que normalmente recebem em um mês. Inundações repentinas devastaram o campo. Cidades foram destruídas. Pelo menos duzentas pessoas morreram. Enquanto a Alemanha estava se afogando, o noroeste da América, do Oregon à Columbia Britânica, assou em uma onda de calor que elevou as temperaturas a números que antes eram considerados impossíveis. As colheitas secaram. Incêndios devastaram as florestas, e uma cidade na Columbia Britânica foi reduzida a cinzas. A estimativa do número de americanos mortos pelas altas temperaturas é de 600.[31] Acredita-se que o núme-

---

30 Bill Gates, "How We'll Invent the Future: Ten Breakthrough Technologies, 2019", *MIT Technology Review*, March–April 2019, 8–10; Reuters, "Bill Gates and Warren Buffett to Build New Kind of Nuclear Reactor in Wyoming", *The Guardian*, June 3, 2021.

31 Nadja Popovich and Winston Choi-Schagrin, "Hidden Toll of the Northwest Heat Wave: Hundreds of Extra Deaths", *The New York Times*, August 11, 2021.

ro de canadenses mortos pela onda de calor na Columbia Britânica seja de 595.[32] Globalmente, a Organização Mundial da Saúde estima que entre 2030 e 2050 "a mudança climática irá causar aproximadamente 250 mil mortes adicionais por ano, devido a desnutrição, malária, diarreia e estresse térmico".[33]

Eventos climáticos extremos sempre aconteceram, mas as mudanças climáticas estão tornando-os mais frequentes e mais extremos. E eles continuarão a ficar mais frequentes e mais extremos. A única questão é o quão mais.

Segundo o painel científico que assessora as Nações Unidas, trata-se de uma onda de calor tão severa que, no passado, antes de a humanidade começar a mudar a atmosfera, poderia acontecer uma vez a cada cinquenta anos. Hoje, o planeta está 1,2 grau Celsius mais quente do que era. Como resultado, podemos esperar que a mesma onda de calor aconteça 4,8 vezes ao longo de cinquenta anos, ou uma vez a cada dez anos. Se o aumento da temperatura chegar a 2 graus, isso acontecerá 8,6 vezes ao longo de cinquenta anos, ou uma vez a cada seis anos. Com um aumento de 5,3 graus, acontecerá 39,2 vezes ao longo de cinquenta anos – uma vez a cada quinze meses –, transformando um evento raro e perigoso em um novo normal.[34]

O mesmo vale para furacões, inundações, secas, incêndios florestais, derretimento das geleiras e muito mais. Com cada um deles, as caudas gordas – os extremos – ficando cada vez mais gordas. Se essa progressão for logo desacelerada e por fim interrompida, nosso

---

32  Andrea Woo, "Nearly 600 People Died in BC Summer Heat Wave, Vast Majority Seniors: Coroner", *The Globe and Mail*, November 1, 2021.

33  "Climate Change and Health", World Health Organization, October 30, 2021, https://www.who.int/news-room/fact-sheets/detail/climate-change-and-health.

34  IPCC, "Summary for Policymakers" in *Climate Change 2021: The Physical Science Basis. Contribution of Working Group I to the Sixth Assessment Report of the Intergovernmental Panel on Climate Change*, eds. V. Masson-Delmotte et al. (Cambridge, UK: Cambridge University Press, 2021), 23.

mundo continuará a ser aquele em que a humanidade pode prosperar. Caso contrário, estaremos em apuros.[35]

Para deter a mudança climática antes que ela se torne catastrófica, a maioria das nações do mundo se comprometeu com uma meta de "zero emissão até 2050", o que significa que, até meados do século, elas não emitirão mais gases de efeito estufa na atmosfera do que retiram. Os cientistas estimam que, se o mundo atingir coletivamente essa meta, teremos uma boa chance de limitar o aumento da temperatura a 1,5 grau Celsius. Isso parece bastante simples. Mas é difícil expressar o quão ambicioso é esse objetivo e o quão importante é a boa entrega do projeto para que ele seja alcançado.

Em 2021, a Agência Internacional de Energia, uma organização intergovernamental autônoma estabelecida no âmbito da Organização para Cooperação e Desenvolvimento Econômico (OCDE), divulgou um relatório detalhado examinando o que seria necessário para zerar as emissões.[36] O relatório constatou que os combustíveis fósseis, que hoje respondem por quatro quintos da produção mundial de energia, não poderiam fornecer mais do que um quinto em 2050. Substituí-los exigiria um grande aumento na eletrificação – nossos netos encontrarão postos de gasolina apenas nos livros de História – e uma explosão na produção de eletricidade por fontes de energia renováveis. A energia eólica deve crescer onze vezes. A energia solar deve crescer vinte vezes.[37] O investimento em energia

---

35 Bent Flyvbjerg, "The Law of Regression to the Tail: How to Survive Covid-19, the Climate Crisis, and Other Disasters", *Environmental Science and Policy* 114 (December 2020): 614–18.

36 *Net Zero by 2050: A Roadmap for the Global Energy Sector*, International Energy Agency, May 2021, https://www.iea.org/reports/net-zero-by-2050.

37 A eletrificação é uma das duas megatendências dominantes no mundo atual. A digitalização é a outra, e é interessante comparar as duas. Ambas as tendências são entregues por meio de dezenas de milhares de projetos, grandes e pequenos, ano após ano, década após década, em todas as áreas do mundo. No entanto, existe uma diferença fundamental entre as duas tendências e os dois tipos de projetos em termos de desempenho e gestão. Projetos de eletrificação, não incluindo projetos de energia nuclear e hidrelétrica, estão em uma ponta da escala, com desempenho e gestão de alta

renovável deve triplicar até 2030, principalmente na forma de centenas, se não milhares, de parques eólicos e solares multibilionários de grande escala. Novas usinas nucleares e novas hidrelétricas podem ter um papel a desempenhar para o prazo de 2050, mas para 2030 elas já se mostram muito lentas.

Além disso, as tecnologias que agora são apenas conceitos e protótipos devem em breve estar prontas para grandes lançamentos. Uma das principais, se puder ser feita para funcionar em escala, é a captura, a utilização e o armazenamento de carbono (captura de carbono, para abreviar), que retira o carbono do ar e o armazena no subsolo ou o utiliza como matéria-prima em processos industriais. Outra é a capacidade do eletrolizador em escala industrial que usa eletricidade eólica ou solar para gerar hidrogênio. Segundo a Agência Internacional de Energia, a partir de 2030, todos os meses dez instalações industriais pesadas devem ser equipadas com captura de carbono, três novas plantas industriais à base de hidrogênio devem ser construídas, e dois gigawatts de capacidade devem ser adicionados em locais industriais. *Todos os meses.*

Há muito mais a ser feito, mas dá para ter uma ideia: estamos falando de projetos em uma escala e em números nunca vistos na história da humanidade, sem os quais a mitigação e a adaptação

---

qualidade em termos de custos e estouros de cronograma que são poucos e pequenos. Os projetos de digitalização estão no outro extremo da escala, com desempenho de baixa qualidade em termos de custos e estouros de cronograma, que tendem a ser enormes e imprevisíveis. Na minha análise, o gerenciamento de baixa qualidade – e *não* os problemas com a tecnologia digital – é *o* principal problema da digitalização atual. É o elefante na sala para todas as coisas digitais, amplamente ignorado, apesar de ser extremamente caro e um desperdício. Por outro lado, o gerenciamento de alta qualidade é fundamental para o enorme sucesso global da eletrificação, especialmente para energia eólica, energia solar, baterias e transmissão. Isso é uma sorte, porque, se aumentarmos rapidamente a tendência atual de eletrificação bem gerenciada, podemos nos salvar do pior da crise climática, conforme explicado no texto principal. De qualquer forma, os gerentes de projetos de TI têm muito a aprender com seus colegas da eletrificação. Ver Bent Flyvbjerg et al., "The Empirical Reality of IT Project Cost Overruns: Discovering a Power-Law Distribution", *Journal of Management Information Systems* 39, no. 3 (Fall 2022).

às mudanças climáticas serão impossíveis. Fatih Birol, diretor-executivo da Agência Internacional de Energia, disse sem rodeios: "A escala e a velocidade dos esforços exigidos por esse objetivo crucial e formidável fazem com que talvez este seja o maior desafio que a humanidade já enfrentou".[38]

"Escala e velocidade", essas são as palavras-chave. Para vencer a luta contra as mudanças climáticas, devemos construir em uma escala e velocidade que envergonhem o longo e lamentável histórico dos projetos gigantes do passado. Não podemos mais arcar com orçamentos inchados e prazos que continuam sendo adiados para um futuro distante. E não podemos ter projetos que nunca cumpram o que prometem. Não há espaço para mais Monjus ou trilhos de alta velocidade da Califórnia. Em nossa situação atual, os recursos desperdiçados e o tempo desperdiçado são uma ameaça à civilização. Precisamos construir coisas enormes e rápido. Felizmente, temos um forte precedente sobre como fazer isso. E pode ser encontrado na minha terra natal, na Dinamarca.

## SOPRANDO AO VENTO

Nas décadas de 1950 e 1960, a Dinamarca, como muitos outros países, tornou-se dependente do petróleo barato do Oriente Médio. Quando a OPEP embargou o Ocidente em 1973, a economia dinamarquesa despencou, e sua vulnerabilidade ficou clara para todos. Uma busca obstinada por novas fontes de energia levou a Dinamarca a expandir rapidamente seu uso de carvão, petróleo e gás natural de fontes próximas. Mas alguns pioneiros seguiram em outra direção. A Dinamarca é um país pequeno e plano atingido por ventos oceânicos. Deveríamos aproveitar essa energia, disseram eles, e em 1978 o país havia construído a primeira turbina eólica multimegawatt do mundo em Tvind, na Jutlândia, que ainda está em operação nos dias de hoje.

---

[38] "Pathway to Critical and Formidable Goal of Net-Zero Emissions by 2050 Is Narrow but Brings Huge Benefits, According to IEA Special Report," International Energy Agency (IEA), May 18, 2021, https://www.iea.org/news/pathway-to-critical-and-formidable-goal-of-net-zero-emissions-by-2050-is-narrow-but-brings-huge-benefits.

As pessoas experimentavam em garagens e fazendas, testando designs, tamanhos e locais. Mas mesmo com incentivos fiscais para os investidores, a energia eólica terrestre permaneceu uma indústria modesta e periférica, em parte porque a Dinamarca não tem muitas terras desabitadas e as pessoas não querem viver à sombra das turbinas eólicas. No final da década de 1990, um visionário ministro dinamarquês do meio ambiente, Svend Auken, disse às empresas que buscavam permissão para construir geradores movidos a carvão que poderiam prosseguir com a condição de também construir dois dos primeiros parques eólicos offshore do mundo. Foi o que essas empresas fizeram. Um funcionou, o outro não deu certo. Ambos deram *experiri* aos proprietários. Era um começo.

Quando um grupo de empresas dinamarquesas de energia se fundiu em 2006 e se tornou a DONG Energy, agora conhecida como Ørsted, a nova companhia herdou os parques eólicos offshore, além de outro no Mar da Irlanda. Eram ativos menores para uma empresa que trabalhava quase exclusivamente com combustíveis fósseis, mas foram suficientes para garantir que "por coincidência nos tornássemos os caras mais experientes em energia eólica offshore", lembrou Anders Eldrup, o primeiro CEO da nova empresa.[39]

Em 2009, as Nações Unidas realizaram uma conferência histórica em Copenhague para discutir a mudança climática, e Eldrup fez um anúncio ousado naquela ocasião. Na época, cerca de 85% da energia de sua empresa vinham de combustíveis fósseis, e apenas 15% de fontes renováveis, principalmente eólicas. Dentro de uma geração, ele prometeu, seu "plano 85/15" reverteria esses números. Isso era não apenas ambicioso. Muitos observadores achavam que era impossível. A tecnologia da energia eólica era muito nova e muito cara. Mesmo com os contratos do governo garantindo a compra de eletricidade a taxas generosas nos anos seguintes, os investidores estavam cautelosos. O que eles não souberam apreciar foi a extrema

---

39  Entrevista do autor com Anders Eldrup, 13 de julho de 2021.

modularidade dos parques eólicos offshore. Monte quatro peças de Lego – fundação, torre, cabeça, lâminas, clique, clique, clique – e você terá uma turbina que pode começar a gerar eletricidade imediatamente. Monte de oito a dez turbinas e conecte-as, e você terá uma "linha" que pode ser conectada a uma subestação que alimenta a rede elétrica nacional. Essa subestação também pode começar a entregar energia assim que for montada. Junte algumas linhas e você terá um parque eólico que funcionará desde o primeiro dia. Repita, repita, repita. O parque pode ser aumentado o quanto for necessário, com cada repetição empurrando todos para cima na curva de aprendizado.

"Sabíamos que tínhamos que reduzir o custo da energia eólica offshore dramaticamente para torná-la competitiva, e estabelecemos uma meta de reduzi-la de 35% a 40% em um período de sete anos", lembrou Henrik Poulsen, que substituiu o aposentado Anders Eldrup como CEO em 2012.[40] A empresa e seus parceiros fizeram melhorias em todos os aspectos do negócio. A maior mudança foi no tamanho das turbinas. Enquanto uma turbina no ano 2000 poderia ser um pouco mais alta que a Estátua da Liberdade e capaz de abastecer 1,5 mil casas, uma turbina em 2017 tinha o dobro dessa altura e era capaz de abastecer 7,1 mil casas.

O tamanho dos parques eólicos cresceu ainda mais rápido. Um parque eólico offshore que a empresa concluiu em 2013 tinha 88 quilômetros quadrados. A primeira fase do Projeto Hornsea, na costa da Inglaterra, concluída em 2020, tinha 407 quilômetros quadrados. Quando a segunda fase do Projeto Hornsea estiver concluída, o parque terá 869 quilômetros quadrados, tornando-o consideravelmente maior do que os 784 quilômetros quadrados dos cinco distritos da cidade de Nova York.

O crescimento explosivo reduziu os custos. Segundo Poulsen, "uma vez que iniciamos, uma vez que começamos a assumir projetos

---

40 Entrevista do autor com Henrik Poulsen, 29 de junho de 2021.

eólicos offshore no Reino Unido e mais tarde na Alemanha, na Dinamarca e na Holanda, industrializando e padronizando a forma como estávamos construindo parques eólicos offshore, e uma vez que concentramos toda a cadeia de valor da indústria nisso, em quatro anos reduzimos o custo da energia eólica offshore em 60%". Esse resultado foi melhor do que o esperado e aconteceu três anos antes do previsto. A energia eólica tornou-se mais barata do que os combustíveis fósseis, mais rápido do que qualquer um havia sonhado.[41] Não havia viés de otimismo aí, muito pelo contrário.

Em 2017, com o petróleo e o gás saindo de seus negócios, a Ørsted adotou seu novo nome em homenagem ao físico dinamarquês Hans Christian Ørsted, que descobriu o eletromagnetismo. Dois anos depois, o plano "impossível" 85/15 de Anders Eldrup foi alcançado. Não levou uma geração, levou dez anos.[42] Mais uma vez, isso foi melhor do que o esperado e quinze anos antes do previsto, algo inédito em projetos convencionais de Big Energy.

Nos mesmos dez anos, a porcentagem de eletricidade da Dinamarca gerada por combustíveis fósseis caiu de 72% para 24%, enquanto a participação da energia eólica aumentou de 18% para 56%.[43] Em alguns dias, as turbinas eólicas dinamarquesas produzem mais eletricidade do que o país pode consumir. O excedente é exportado para nações vizinhas.

Para a Dinamarca, os benefícios dessa revolução provavelmente serão sentidos por décadas. A indústria global de energia eólica está crescendo, com desenvolvimentos cada vez maiores surgindo em todo o mundo, e muitas das empresas líderes são dinamarquesas

---

41  "Making Green Energy Affordable: How the Offshore Wind Energy Industry Matured—and What We Can Learn from It", Ørsted, June 2019, https://orsted.com/-/media/WWW/Docs/Corp/COM/explore/Making-green-energy-affordable-June-2019.pdf.

42  Heather Louise Madsen e John Parm Ulhøi, "Sustainable Visioning: Re-framing Strategic Vision to Enable a Sustainable Corporate Transformation", *Journal of Cleaner Production* 288 (March 2021): 125602.

43  "Share of Electricity Production by Source", *Our World in Data*, https://ourworldindata.org/grapher/share-elec-by-source.

graças ao papel pioneiro do país. A Ørsted tornou-se uma empresa global. Assim como a Vestas, uma das maiores fabricantes mundiais de turbinas eólicas, também dinamarquesa.[44] E muitas das empresas menores e especializadas no setor vêm não apenas da Dinamarca, elas vêm especificamente da Jutlândia, a região onde as pessoas começaram a experimentar turbinas na década de 1970. Henrik Poulsen, que agora assessora uma empresa de investimentos, descreveu como sua empresa comprou recentemente uma companhia dinamarquesa que fabrica sistemas de controle para parques eólicos: "Agora queremos expandir essa empresa e estamos procurando companhias que possamos fundir nessa plataforma". Naturalmente, eles estão procurando no mundo todo. Mas as perspectivas que encontraram "estão todas localizadas a algumas centenas de quilômetros" uma da outra na Jutlândia. "O que é uma loucura", disse Poulsen. Geógrafos econômicos como eu chamam isso de *"clustering"* ou "economias de aglomeração". Foi o que aconteceu com o cinema em Hollywood na década de 1920 e com a tecnologia no Vale do Silício em meados do século 20. A Jutlândia é agora o Vale do Silício da energia eólica – o que é impressionante para um país cuja população é pouco mais da metade da população de Los Angeles.

## UMA CHANCE DE LUTAR

Mas não se trata da Dinamarca. Envolve o mundo e o que podemos aprender com a revolução da energia eólica na Dinamarca. Parte da lição é que o governo tem um papel no desenvolvimento. "Sem a estrutura criada pelo governo, isso nunca teria acontecido",

---

44 Além dos spin-offs de negócios tradicionais, houve grandes spin-offs financeiros; por exemplo, a Copenhagen Infrastructure Partners (CIP), fundada em 2012 em colaboração com a PensionDanmark, a maior empresa de pensões do mercado de trabalho na Dinamarca e uma das primeiras investidoras institucionais diretas em projetos eólicos offshore globalmente. Hoje a CIP é um importante fundo global de investimento em infraestrutura com escritórios em todo o mundo, trabalhando lado a lado com a Ørsted para possibilitar a transição para um sistema de energia de baixo carbono.

observou Anders Eldrup. Essa abordagem pode não ser popular nos Estados Unidos, mas, ironicamente, os Estados Unidos são o modelo. Toda a revolução digital, dominada pelos gigantes americanos do Vale do Silício, não poderia ter acontecido sem o apoio do governo dos EUA para a criação de tecnologias digitais, incluindo o que se tornou a internet. Se você deseja iniciar uma avalanche grande o suficiente para mudar o mundo, o governo pode ter que ajudar a empurrar a primeira pedra.

Mas a lição mais importante é sobre o poder da modularidade. Foi a modularidade que possibilitou um aprendizado tão rápido e um crescimento tão explosivo que tornou a Dinamarca capaz de revolucionar tanto a tecnologia de energia eólica quanto seu próprio fornecimento de eletricidade mais rápido do que qualquer um esperava, incluindo os próprios inovadores. E em menos tempo do que muitos países levam para entregar um único grande projeto. Isso é enorme e muito rápido. Este é o modelo de que precisamos: "muitas pequenas coisas" fabricadas em escala e montadas como Lego, clique, clique, clique.

As implicações para governos e corporações são claras: encorajar, apoiar e praticar uma abordagem modular. Mas também é empoderador para os indivíduos. Quando coisas pequenas podem crescer e se tornam gigantes rapidamente, pequenos experimentos têm um enorme potencial. Bastam imaginação e tenacidade. Lembre-se de que grande parte da indústria eólica global de hoje começou com um punhado de dinamarqueses experimentando em garagens e fazendas. Use a sua imaginação! Comece experimentando.

Com novas ideias e a aplicação implacável do modelo modular, teremos uma chance de lutar para entregar a transformação de que as pessoas e o planeta precisam.

# Conclusão
# ONZE HEURÍSTICAS PARA LIDERAR MELHOR

Heurísticas são regras rápidas e frugais usadas para simplificar decisões complexas. A palavra tem origem na antiga palavra grega *Eureka!*, o grito de alegria e satisfação quando se encontra ou descobre alguma coisa.[1] "Pense devagar, aja rápido" é um exemplo de heurística. Especialistas e leigos as usam ao tomar decisões em situações de incerteza.[2] Heurísticas são atalhos mentais usados para reduzir a complexidade, tornando as decisões mais gerenciáveis. As heurísticas costumam ser enigmáticas e precisam ser desvendadas antes de serem compartilhadas verbalmente. Pessoas sábias, incluindo líderes de projetos bem-sucedidos – além de sua avó e qualquer outra pessoa com *phronesis* –, trabalham para refinar e melhorar suas heurísticas ao longo da vida.[3]

---

1 Oxford English Dictionary 2022: entrada completa, https://www.oed.com/view/Entry/86554?isAdvanced=false&result=1&rskey=WrJUIh&.

2 Gerd Gigerenzer, Ralph Hertwig, and Thorsten Pachur, eds., *Heuristics: The Foundations of Adaptive Behavior* (Oxford, UK: Oxford University Press, 2011).

3 Hoje existem duas escolas principais no pensamento sobre heurística. A primeira enfoca as "heurísticas positivas", definidas como heurísticas que ajudam as pessoas a tomar melhores decisões, como a heurística de reconhecimento e a heurística de pegar o melhor; ver Gerd Gigerenzer and Daniel G. Goldstein, "Reasoning the Fast and Frugal Way: Models of Bounded Rationality", *Psychological Review* 103, no. 4 (1996): 650–69; Gerd Gigerenzer, "Models of Ecological Rationality: The Recognition Heuristic", *Psychological Review* 109, no. 1 (2002): 75–90. Gerd Gigerenzer é o principal proponente dessa escola. A segunda escola concentra-se em "heurísticas negativas", definidas como heurísticas que enganam as pessoas, violando leis básicas de racionalidade e lógica; por exemplo, a heurística de disponibilidade e a heurística de ancoragem; ver Amos Tversky and Daniel Kahneman, "Availability: A Heuristic for Judging Frequency and Probability", *Cognitive Psychology* 5, no. 2 (September 1973):

A seguir estão onze das minhas heurísticas favoritas, desenvolvidas durante décadas de estudo e gerenciamento de grandes projetos.[4] Mas uma palavra de advertência: as heurísticas nunca devem ser usadas como regras mecânicas. Verifique se as minhas heurísticas ressoam com a sua própria experiência antes de colocá-las em prática. Ainda mais importante, use-as como fonte de inspiração para investigar, experimentar coisas novas e desenvolver sua própria heurística – que é o que realmente importa. Para saber como fazer isso e por que, leia as referências, avance sua experiência e observe sua capacidade de transformar ideias ousadas em realidade melhorar radicalmente.

## CONTRATE UM EMPREITEIRO

Às vezes digo que esta é a minha única heurística, porque o empreiteiro – assim chamado em homenagem aos habilidosos pedreiros que construíram as catedrais medievais da Europa – tem toda a *phronesis* necessária para fazer seu projeto acontecer. Você quer

---

207–32; Daniel Kahneman, "Reference Points, Anchors, Norms, and Mixed Feelings", *Organizational Behavior and Human Decision Processes* 51, no. 2 (1992): 296–312. Daniel Kahneman e Amos Tversky são os principais expoentes dessa escola. Ambas as escolas demonstraram sua relevância com detalhes impressionantes. Existem desacordos importantes entre os dois, com certeza; ver Gerd Gigerenzer, "The Bias Bias in Behavioral Economics", *Review of Behavioral Economics* 5, nos. 3–4 (December 2018): 303–36; Daniel Kahneman and Gary Klein, "Conditions for Intuitive Expertise: A Failure to Disagree", *American Psychologist* 64, no. 6 (2009): 515–26. Mas eles são mais bem compreendidos como modelos complementares para entender diferentes aspectos da heurística, não como modelos concorrentes para explicar a mesma coisa. Resumindo, você precisa entender ambas as escolas de pensamento para entender completamente o papel da heurística no comportamento adaptativo humano, que é entender a existência humana. O Capítulo 2 tratou dos aspectos centrais da heurística negativa, seu impacto na tomada de decisões e como eles podem ser mitigados. Esta conclusão se concentra em heurísticas positivas e especialmente em como elas se relacionam com a liderança e a entrega de projetos com sucesso.

4 Para obter uma lista mais longa e detalhada de minhas heurísticas, incluindo explicações mais profundas sobre o que são heurísticas, por que funcionam e como provocá-las, com mais exemplos, consulte Bent Flyvbjerg, "Heuristics for Masterbuilders: Fast and Frugal Ways to Become a Better Project Leader", *Saïd Business School Working Papers*, University of Oxford, 2022.

alguém com profunda experiência na área e um histórico comprovado de sucesso em tudo o que estiver fazendo, seja uma reforma residencial, seja um casamento, um sistema de TI ou um arranha-céu. Mas os bons empreiteiros nem sempre estão disponíveis ou acessíveis, caso em que você precisa pensar mais e considerar algumas das seguintes opções.

## TENHA UMA BOA EQUIPE

Esta é a única heurística citada por todos os líderes de projeto que já conheci. Ed Catmull explicou o porquê: "Dê uma boa ideia a uma equipe medíocre, e eles vão estragar tudo. Dê uma ideia medíocre a uma grande equipe, e eles vão corrigi-la ou chegar com uma ideia melhor. Se você acertar na equipe, é provável que ela consiga realizar as suas ideias".[5] Mas quem deve escolher a equipe? Idealmente, isso é trabalho de um mestre de obras. Na verdade, é o principal trabalho do mestre de obras. É por isso que o papel de mestre de obras não é tão solitário quanto parece. Os projetos são entregues por equipes. Então, para alterar o meu conselho anterior: sempre que possível, contrate um mestre de obras. E a equipe do mestre de obras.

## PERGUNTE "POR QUÊ?"

Perguntar por que você está fazendo seu projeto irá focar o que importa, o propósito final e o resultado. Isso vai para a caixa à direita do gráfico do projeto. À medida que o projeto navega em uma tempestade de eventos e detalhes, bons líderes nunca perdem de vista o resultado final. "Não importa onde eu esteja e o que esteja fazendo no processo de entrega", observou Andrew Wolstenholme, o líder que entregou o Terminal 5 de Heathrow no capítulo 8. "Eu me examino constantemente perguntando se minhas ações atuais contribuem efetivamente para o resultado à direita." (Veja o capítulo 3.)

---

5   Ed Catmull, *Creativity, Inc: Overcoming the Unseen Forces That Stand in the Way of True Inspiration* (New York: Random House, 2014), 315.

## CONSTRUA COM LEGO

Coisas grandes são mais bem construídas a partir de elementos pequenos. Asse um bolo pequeno. Asse outro. E outro. Então empilhe-os. Decoração à parte, isso é essencial até mesmo para o bolo de casamento mais suntuoso. Tal como acontece com bolos de casamento, também é o caso de parques solares e eólicos, fazendas de servidores, baterias, transporte de contêineres, oleodutos, estradas. Todos são profundamente modulares, construídos a partir de um bloco de construção básico. São construções passíveis de escalonamento, ficando melhores, mais rápidas, maiores e mais baratas à medida que são feitas. O bolo pequeno é o bloco de Lego – o bloco de construção básico – do bolo de casamento. O painel solar é o Lego da fazenda solar. O servidor é o Lego das fazendas de servidores. Essa pequena e potente ideia foi aplicada a softwares, metrôs, hardware, hotéis, prédios de escritórios, escolas, fábricas, hospitais, foguetes, satélites, carros e lojas de aplicativos. Sua aplicabilidade só pode ser limitada pela imaginação. Sendo assim, qual é o seu Lego? (Veja o capítulo 9.)

## PENSE DEVAGAR, AJA RÁPIDO

Qual é a pior coisa que pode acontecer durante o planejamento? Talvez o seu quadro de planejamento seja acidentalmente apagado. Qual é a pior coisa que pode acontecer durante a entrega? A broca atravessa o fundo do oceano, inundando o túnel. Pouco antes de lançar o seu filme, uma pandemia fecha os cinemas. Você arruína a vista mais bonita de Washington, DC. Você tem que dinamitar meses de trabalho na Sydney Opera House, limpar os entulhos e começar de novo. Seu viaduto desmorona, matando dezenas de pessoas. E muito mais. Quase qualquer pesadelo que você possa imaginar pode acontecer – e *já* aconteceu – durante a entrega. Você precisa limitar a sua exposição a esse tipo de risco. Você fará isso gastando todo o tempo necessário para criar um plano detalhado e eficiente. O planejamento é relativamente barato e seguro. A entrega é cara e perigosa. Um bom planejamento aumenta as chances de uma entrega rápida e eficaz, mantendo a janela de risco pequena e fechando-a o mais rápido possível. (Veja o capítulo 1.)

### TENHA UMA VISÃO EXTERNA

Seu projeto é especial, mas, a menos que você esteja fazendo o que literalmente nunca foi feito antes – construir uma máquina do tempo, projetar um buraco negro –, não é único, faz parte de uma classe maior de projetos. Pense no seu projeto como "um daqueles", reúna dados e aprenda com toda a experiência que esses números representam, realizando previsões de classe de referência. Use o mesmo foco para identificar e mitigar riscos. Mudar o foco do seu projeto para a classe a que ele pertence levará, paradoxalmente, a uma compreensão mais precisa dele. (Veja o capítulo 6.)

### FIQUE ATENTO ÀS DESVANTAGENS

Costuma-se dizer que a oportunidade é tão importante quanto o risco. Isso é mentira. O risco pode matar você ou seu projeto. Nenhuma vantagem pode compensar isso. No caso dos riscos de cauda gorda, que estão presentes na maioria dos projetos, esqueça a previsão de risco. Vá diretamente para a mitigação, identificando e eliminando os perigos. Um ciclista na extenuante corrida de bicicleta de três semanas do Tour de France explicou que participar não é ganhar, mas sim não perder, diariamente, durante 21 dias. Só depois disso é que se pode pensar em ganhar. Os líderes de projetos bem-sucedidos pensam assim; concentram-se em não perder, diariamente, ao manter em vista o prêmio, o objetivo que estão tentando alcançar.

### DIGA NÃO E VÁ EMBORA

Manter o foco é essencial para a realização dos projetos. Dizer "não" é essencial para manter o foco. No início, o projeto terá as pessoas e os fundos, incluindo contingências, necessários para ter sucesso? Se não, vá embora. Uma ação contribui para alcançar o objetivo na caixa à direita? Se não, não faça. Diga não aos monumentos. Não à tecnologia não testada. Não a processos judiciais. E assim por diante. Isso pode ser difícil, principalmente se a sua organização adotar um viés de ação. Mas dizer "não" é essencial para o sucesso de um projeto e de uma organização. "Na verdade, estou tão orgulhoso das coisas que não fizemos quanto das coisas que fizemos", disse Steve Jobs. As coisas que não foram feitas ajudaram a Apple a manter o foco em alguns produtos que se tornaram extremamente bem-sucedidos por causa desse foco, de acordo com Jobs.[6]

## FAÇA AMIGOS E MANTENHA-OS AMIGÁVEIS

O líder de um projeto multibilionário de TI do setor público me disse que passou mais da metade de seu tempo agindo como um diplomata, cultivando a compreensão e o apoio das partes interessadas que poderiam influenciar significativamente seu projeto. Por quê? Isso é gestão de risco. Se algo der errado, o destino do projeto depende da força dessas relações. E quando algo dá errado, é tarde demais para começar a desenvolvê-las e cultivá-las. Construa pontes antes de precisar delas.

## INCORPORE A MITIGAÇÃO CLIMÁTICA AO SEU PROJETO

Nenhuma tarefa é mais urgente hoje do que mitigar a crise climática – não apenas para o bem comum, mas também para sua organização, para si mesmo e sua família. Aristóteles definiu *phronesis* como a dupla capacidade de ver o que é bom para as pessoas e realizar essas coisas. Sabemos o que é bom: mitigação climática, por exemplo, eletrificando tudo – casas, carros, escritórios, fábricas,

---

6   medianwandel, "WWDC 1997: Steve Jobs About Apple's Future", YouTube, October 19, 2011, https://www.youtube.com/watch?v=qyd0tP0SK6o.

lojas – e garantindo que a eletricidade venha de fontes renováveis abundantes. Temos a capacidade de fazer isso. Na verdade, já está acontecendo, como vimos no capítulo 9. Agora é uma questão de acelerar e ampliar rapidamente o esforço com mais projetos de mitigação (e adaptação), grandes e pequenos, seguindo os princípios estabelecidos neste livro – que foi a principal motivação para escrevê-lo e elaborar esta lista de heurísticas.

## SAIBA QUE SEU MAIOR RISCO É VOCÊ

É tentador pensar que os projetos falham porque o mundo nos lança surpresas: mudanças de preço, acidentes, clima, nova administração – a lista continua. Mas isso é um pensamento superficial. O Grande Festival do Fogo de Chicago falhou não porque Jim Lasko não pôde prever a cadeia exata de circunstâncias que levaram ao mau funcionamento do sistema de ignição (ver capítulo 6). Falhou porque ele teve apenas uma visão interna de seu projeto e não estudou as falhas comuns em eventos da mesma classe do seu. Por que não fez isso? Porque focar o caso particular e ignorar a classe do projeto é o que somos inclinados a fazer. A maior ameaça que Lasko enfrentou não estava no mundo; estava em sua própria cabeça, em seus preconceitos comportamentais. Isso é verdade para cada um de nós e para cada projeto. E é por isso que o seu maior risco é você.

# ANEXO A
# TAXAS BÁSICAS DE CUSTO DE RISCOS*

A tabela na próxima página mostra os custos excedentes para 25 tipos de projetos que abrangem os dados de mais de dezesseis mil projetos. A superação é medida como (a) superação do custo médio, (b) porcentagem de projetos na cauda superior (definida como ≥ 50%) e (c) superação média na cauda. A superação élie medida em termos reais.

Os números na tabela são taxas básicas para risco de custo no gerenciamento de projetos. Por exemplo, se você planeja sediar os Jogos Olímpicos, a taxa básica (valor esperado) de superação de custos será de 157%, com um risco de 76% de acabar na cauda com uma superação esperada de 200% e um risco adicional substancial de superação acima disso. Se você é o patrocinador ou o líder do projeto, uma pergunta-chave a se fazer é: "Podemos arcar com esse risco?"; e se não puder: "Devemos sair do projeto ou podemos reduzir o risco?". Vemos na tabela que as taxas básicas são muito diferentes para diferentes tipos de projeto, tanto para o risco médio quanto para o risco de cauda. O maior risco médio é encontrado para armazenamento nuclear, com 238%, enquanto o menor é encontrado na energia solar, com 1%. O maior risco de acabar na cauda é das Olimpíadas, com 76%. Enquanto isso, a maior média de excedente na cauda é encontrada em projetos de TI, com 447%. As diferenças nas taxas básicas devem ser levadas em consideração ao planejar e gerenciar projetos, mas muitas vezes não são. Frequentemente, as taxas básicas não são consideradas.

---

\* Os resultados para risco de atrasos no cronograma e risco de benefício são semelhantes, embora baseados em menos dados; ver Bent Flyvbjerg and Dirk W. Bester, "The Cost-Benefit Fallacy: Why Cost-Benefit Analysis Is Broken and How to Fix It", *Journal of Benefit-Cost Analysis* 12, no. 3 (2021): 395–419.

| TIPO DE PROJETO | (A) CUSTO MÉDIO EXCEDIDO (%)* | (B) % DE PROJETOS NA CAUDA (≥ 50% DE CUSTO EXCEDENTE) | (C) EXCEDENTE MÉDIO DOS PROJETOS NA CAUDA (%) |
|---|---|---|---|
| Armazenamento nuclear | 238 | 48 | 427 |
| Jogos Olímpicos | 157 | 76 | 200 |
| Energia nuclear | 120 | 55 | 204 |
| Usinas hidrelétricas | 75 | 37 | 186 |
| TI | 73 | 18 | 447 |
| Usinas não hidrelétricas | 71 | 33 | 202 |
| Edifícios | 62 | 39 | 206 |
| Aeroespaciais | 60 | 42 | 119 |
| Defesa | 53 | 21 | 253 |
| Transporte público de alta vel. | 40 | 43 | 69 |
| Transporte ferroviário | 39 | 28 | 116 |
| Aeroportos | 39 | 43 | 88 |
| Túneis | 37 | 28 | 103 |
| Petróleo e gás | 34 | 19 | 121 |
| Portos | 32 | 17 | 183 |
| Hospitais, saúde | 29 | 13 | 167 |
| Mineração | 27 | 17 | 129 |
| Pontes | 26 | 21 | 107 |
| Água | 20 | 13 | 124 |
| Energia térmica fóssil | 16 | 14 | 109 |
| Estradas | 16 | 11 | 102 |
| Oleodutos, gasodutos | 14 | 9 | 110 |
| Energia eólica | 13 | 7 | 97 |
| Transmissão de energia | 8 | 4 | 166 |
| Energia solar | 1 | 2 | 50 |

FONTE: BASE DE DADOS DE BENT FLYVBJERG

\* Os custos excedentes foram calculados sem incluir a inflação e tomando como base o período mais tardio possível no ciclo do projeto, pouco antes do sinal verde (na decisão final de investimento). Isso significa que os números na tabela são conservadores. Se a inflação tivesse sido incluída e o início do projeto fosse usado como ponto de partida, os custos excedentes seriam muito maiores.

# ANEXO B
# LEITURAS ADICIONAIS POR BENT FLYVBJERG

Se estiver interessado em saber mais a respeito da minha pesquisa sobre liderança de projetos, veja esta lista de leituras recomendadas. Os downloads gratuitos dos artigos listados estão disponíveis em Social Science Research Network (SSRN), ResearchGate, Academia, arXiv e Google Scholar. Links diretos para SSRN são fornecidos a seguir para cada artigo que tenha sido publicado no momento da escrita deste livro.

Bent Flyvbjerg, Alexander Budzier, Maria D. Christodoulou, and M. Zottoli, "So You Think Projects Are Unique? How Uniqueness Bias Undermines Project Management", em análise.

Bent Flyvbjerg, Alexander Budzier, Mark Keil, Jong Seok Lee, Dirk W. Bester, and Daniel Lunn, "The Empirical Reality of IT Project Cost Overruns: Discovering a Power-Law Distribution", *Journal of Management Information Systems* 39, no. 3 (Fall 2022), https://www.jmis-web.org.

Bent Flyvbjerg, "Heuristics for Masterbuilders: Fast and Frugal Ways to Become a Better Project Leader", *Saïd Business School Working Papers*, University of Oxford, 2022, https://papers.ssrn.com/sol3/papers.cfm?abstract_id=4159984.

Atif Ansar e Bent Flyvbjerg, "How to solve big problems: Bespoke Versus Platform Strategies", *Oxford Review of Economic Policy* 38, no. 2 (2022): 1–31, https://papers.ssrn.com/sol3/papers.cfm?abstract_id=4119492.

Bent Flyvbjerg, "Top Ten Behavioral Biases in Project Management: An Overview", *Project Management Journal* 52, no. 6 (2021): 531–46, https://papers.ssrn.com/sol3/papers.cfm?abstract_id=3979164.

Bent Flyvbjerg, "Make Megaprojects More Modular", *Harvard Business Review* 99, no. 6 (November–December 2021): 58-63, https://papers.ssrn.com/sol3/papers.cfm?abstract_id=3937465.

Bent Flyvbjerg and Dirk W. Bester, "The Cost-Benefit Fallacy: Why Cost-Benefit Analysis Is Broken and How to Fix It", *Journal of Benefit-Cost Analysis* 12, no. 3 (2021): 395–419, https://papers.ssrn.com/sol3/papers.cfm?abstract_id=3918328.

Bent Flyvbjerg, Alexander Budzier, and Daniel Lunn, "Regression to the Tail: Why the Olympics Blow Up", *Environment and Planning A: Economy and Space* 53, no. 2 (March 2021): 233-60, https://papers.ssrn.com/sol3/papers.cfm?abstract_id=3686009.

Bent Flyvbjerg, "Four Ways to Scale Up: Smart, Dumb, Forced, and Fumbled", *Saïd Business School Working Papers*, University of Oxford, 2021, https://papers.ssrn.com/sol3/papers.cfm?abstract_id=3760631.

Bent Flyvbjerg, "The Law of Regression to the Tail: How to Survive Covid-19, the Climate Crisis, and Other Disasters", *Environmental Science and Policy* 114 (December 2020): 614–18, https://papers.ssrn.com/sol3/papers.cfm?abstract_id=3600070.

Bent Flyvbjerg, Atif Ansar, Alexander Budzier, Søren Buhl, Chantal Cantarelli, Massimo Garbuio, Carsten Glenting, Mette Skamris Holm, Dan Lovallo, Daniel Lunn, Eric Molin, Arne Rønnest, Allison Stewart, and Bert van Wee, "Five Things You Should Know About Cost Overrun", *Transportation Research Part A: Policy and Practice* 118 (December 2018): 174–90, https://papers.ssrn.com/sol3/papers.cfm?abstract_id=3248999.

Bent Flyvbjerg and J. Rodney Turner, "Do Classics Exist in Megaproject Management?", *International Journal of Project Management* 36, n. 2 (2018): 334–41, https://papers.ssrn.com/sol3/papers.cfm?abstract_id=3012134.

Bent Flyvbjerg, ed., *The Oxford Handbook of Megaproject Management* (Oxford, UK: Oxford University Press, 2017), https://amzn.to/3OCTZqI.

Bent Flyvbjerg, "Introduction: The Iron Law of Megaproject Management", in *The Oxford Handbook of Megaproject Management*, ed. Bent Flyvbjerg (Oxford, UK: Oxford University Press, 2017), 1–18, https://papers.ssrn.com/sol3/papers.cfm?abstract_id=2742088.

Atif Ansar, Bent Flyvbjerg, Alexander Budzier, and Daniel Lunn, "Does Infrastructure Investment Lead to Economic Growth or Economic Fragility? Evidence from China", *Oxford Review of Economic Policy* 32, no. 3 (Autumn 2016): 360–90, https://papers.ssrn.com/sol3/papers.cfm?abstract_id=2834326.

Bent Flyvbjerg, "The Fallacy of Beneficial Ignorance: A Test of Hirschman's Hiding Hand", *World Development* 84 (May 2016): 176–89, https://papers.ssrn.com/sol3/papers.cfm?abstract_id=2767128.

Atif Ansar, Bent Flyvbjerg, Alexander Budzier, and Daniel Lunn, "Should We Build More Large Dams? The Actual Costs of Hydropower Megaproject Development", *Energy Policy* 69 (March 2014): 43–56, https://papers.ssrn.com/sol3/papers.cfm?abstract_id=2406852.

Bent Flyvbjerg, ed., *Megaproject Planning and Management: Essential Readings*, vols. 1–2 (Cheltenham, UK: Edward Elgar, 2014), https://amzn.to/3kg1g1s.

Bent Flyvbjerg, "What You Should Know About Megaprojects and Why: An Overview", *Project Management Journal* 45, no. 2 (April–May 2014): 6–19, https://papers.ssrn.com/sol3/papers.cfm?abstract_id=2424835. Este artigo venceu o Prêmio Artigo do Ano, do *PMI Project Management Journal* 2015.

Bent Flyvbjerg, "How Planners Deal with Uncomfortable Knowledge: The Dubious Ethics of the American Planning Association", *Cities* 32 (June 2013): 157–63; with comments by Ali Modarres, David Thacher e Vanessa Watson (junho de 2013), and Richard Bolan and Bent Flyvbjerg (February 2015), https://papers.ssrn.com/sol3/papers.cfm?abstract_id=2278887.

Bent Flyvbjerg, "Quality Control and Due Diligence in Project Management: Getting Decisions Right by Taking the Outside View", *International Journal of Project Management* 31, no. 5 (May 2013): 760–74, https://papers.ssrn.com/sol3/papers.cfm?abstract_id=2229700.

Bent Flyvbjerg, "Why Mass Media Matter and How to Work with Them: Phronesis and Megaprojects", in *Real Social Science: Applied Phronesis*, ed. Bent Flyvbjerg, Todd Landman, and Sanford Schram (Cambridge, UK: Cambridge University Press, 2012), 95–121, https://papers.ssrn.com/sol3/papers.cfm?abstract_id=2278219.

Bent Flyvbjerg and Alexander Budzier, "Why Your IT Project May Be Riskier Than You Think", *Harvard Business Review* 89, n. 9 (2011): 23–25, https://papers.ssrn.com/sol3/papers.cfm?abstract_id=2229735. Este artigo foi selecionado pela *Harvard Business Review* como o principal da seção "Ideas Watch", apresentando as novas ideias mais importantes em negócios e gestão.

Bent Flyvbjerg, "Survival of the Unfittest: Why the Worst Infrastructure Gets Built, and What We Can Do About It", *Oxford Review of Economic Policy* 25, no. 3 (2009): 344–67, https://papers.ssrn.com/sol3/papers.cfm?abstract_id=2229768.

Bent Flyvbjerg, Massimo Garbuio, and Dan Lovallo, "Delusion and Deception in Large Infrastructure Projects: Two Models for Explaining and Preventing Executive Disaster", *California Management Review* 51, no. 2 (Winter 2009): 170–93, https://papers.ssrn.com/sol3/papers.cfm?abstract_id=2229781.

Bent Flyvbjerg, Nils Bruzelius, and Bert van Wee, "Comparison of Capital Costs per Route-Kilometre in Urban Rail", *European Journal of Transport and Infrastructure Research* 8, no. 1 (March 2008): 17–30, https://papers.ssrn.com/sol3/papers.cfm?abstract_id=2237995.

Bent Flyvbjerg, "Policy and Planning for Large-Infrastructure Projects: Problems, Causes, Cures", *Environment and Planning B: Planning and Design* 34, no. 4 (2007), 578–97, https://papers.ssrn.com/sol3/papers.cfm?abstract_id= 2230414. Este artigo recebeu o Prêmio da Associação de Escolas Europeias de Planejamento (Aesop) de Melhor Artigo Publicado, julho de 2008.

Bent Flyvbjerg, "Cost Overruns and Demand Shortfalls in Urban Rail and Other Infrastructure", *Transportation Planning and Technology* 30, no. 1 (February 2007): 9–30, https://papers.ssrn.com/sol3/papers.cfm?abstract_id=2230421.

Bent Flyvbjerg, "From Nobel Prize to Project Management: Getting Risks Right", *Project Management Journal* 37, no. 3 (August 2006): 5–15, https:// papers.ssrn.com/sol3/papers.cfm?abstract_id=2238013.

Bent Flyvbjerg, "Design by Deception: The Politics of Megaproject Approval", *Harvard Design Magazine*, no. 22 (2005): 50–59, https:// papers.ssrn.com/sol3/papers.cfm?abstract_id=2238047.

Bent Flyvbjerg, Mette K. Skamris Holm, and Søren L. Buhl, "How (In)accurate Are Demand Forecasts in Public Works Projects? The Case of Transportation", *Journal of the American Planning Association 71*, no. 2 (Spring 2005): 131–46, https://papers.ssrn.com/sol3/papers.cfm?abstract_id=2238050.

Bent Flyvbjerg, Carsten Glenting, and Arne Rønnest, *Procedures for Dealing with Optimism Bias in Transport Planning: Guidance Document* (London: UK Department for Transport, June 2004), https://papers.ssrn.com/sol3/papers.cfm?abstract_id=2278346.

Bent Flyvbjerg, Mette K. Skamris Holm, and Søren L. Buhl, "What Causes Cost Overrun in Transport Infrastructure Projects?", *Transport Reviews* 24, no. 1 (January 2004): 3–18, https://papers.ssrn.com/sol3/papers.cfm?abstract_id=2278352.

Bent Flyvbjerg, Nils Bruzelius, and Werner Rothengatter, *Megaprojects and Risk: An Anatomy of Ambition*, (Cambridge, UK: Cambridge University Press, 2003), https://amzn.to/3ELjq4R.

Bent Flyvbjerg, "Delusions of Success: Comment on Dan Lovallo and Daniel Kahneman", *Harvard Business Review* 81, no. 12 (December 2003): 121–22, https://papers.ssrn.com/sol3/papers.cfm?abstract_id=2278359.

Bent Flyvbjerg, Mette K. Skamris Holm, and Søren L. Buhl, "Underestimating Costs in Public Works Projects: Error or Lie?", *Journal of the American Planning Association* 68, no. 3 (2002): 279–95, https://papers.ssrn.com/sol3/papers.cfm?abstract_id=2278415.

Nils Bruzelius, Bent Flyvbjerg, and Werner Rothengatter, "Big Decisions, Big Risks: Improving Accountability in Mega Projects", *International Review of Administrative Sciences* 64, no. 3 (September 1998): 423–40, https://papers.ssrn.com/sol3/papers.cfm?abstract_id=2719896.

# AGRADECIMENTOS

Escrever um livro é um "Grande projeto". Como tal, é preciso trabalho em equipe. Quero agradecer às muitas pessoas que tornaram este livro possível. É uma equipe grande, por isso, sem dúvida, vou me esquecer de alguns, aos quais peço perdão, mas isso não diminui a sua contribuição nem a minha gratidão.

Gerd Gigerenzer, Daniel Kahneman, Benoit Mandelbrot e Nassim Nicholas são as maiores influências intelectuais. Ninguém entende de riscos melhor do que eles, e entender o risco é a chave para entender grandes projetos. Kahneman e Taleb aceitaram cargos como ilustres pesquisadores acadêmicos com meu grupo em Oxford, pelo que não posso agradecê-los o suficiente. Isso facilitou muito o intercâmbio intelectual, e você verá a influência deles ao longo do livro.

Frank Gehry e Ed Catmull são as principais influências práticas. Quando Gehry construiu o Museu Guggenheim Bilbao dentro do prazo e do orçamento, eu sabia que precisava de suas ideias, porque, se você pode construir uma obra arquitetônica como *aquela* no prazo e dentro do orçamento, pode construir *qualquer coisa* dentro do prazo e do orçamento. Então, por que isso é tão raro e qual é o segredo de Gehry? Gehry concordou generosamente em conversar comigo, resultando em várias entrevistas. Ed Catmull é responsável por uma sequência ininterrupta de sucessos de bilheteria de Hollywood tão longa (a mais longa da história do cinema) que, em princípio, deveria ser estatisticamente impossível, visto que os filmes geralmente são um sucesso ou um fracasso. Então, como isso aconteceu? Catmull também concordou em conversar, e sou grato a ele e a Gehry por compartilharem seu tempo e suas percepções e por facilitarem mais entrevistas com membros de suas equipes.

Ambos também gentilmente aceitaram convites para dizer o que pensam em palestras em meu curso em Oxford.

A seguir, pessoas que compartilharam suas experiências em entrevistas adicionais: Patrick Collison, Morgan Doan, Pete Docter, Simon Douthwaite, David Drake, Anders Eldrup, Sally Forgan, Danny Forster, Paul Gardien, Mike Green, Richard Harper, Robi Kirsic, Bernie Koth, Eddie Kramer, Jim Lasko, Dana Macaulay, Adam Marelli, Ian McAllister, Molly Melching, Manuel Melis, Deb Niven, Don Norman, Dominic Packer, Henrik Poulsen, Alan South, John Storyk, Lou Thompson, Kimberly Dasher Tripp, Ralph Vartabedian, Craig Webb, Andrew Wolstenholme, Ricky Wong e Micah Zenko. Além das entrevistas formais, sou grato às seguintes pessoas por sua ajuda na coleta de mais informações: Kermit Baker, Elena Bonometti, Scott Gilmore, Jan Haust, Paul Hillier e Liam Scott.

O livro se baseia no maior banco de dados do mundo desse tipo, com informações sobre mais de dezesseis mil projetos, grandes e pequenos. Mette Skamris Holm foi fundamental para coletar os primeiros dados comigo na Universidade de Aalborg. Chantal Cantarelli e Bert van Wee tornaram-se colaboradores na coleta de dados quando eu era presidente da Delft University of Technology. Mais tarde, Chantal mudou-se comigo para a Universidade de Oxford, onde unimos forças com Alexander Budzier, Atif Ansar e vários assistentes de pesquisa que se tornaram essenciais no desenvolvimento do banco de dados até o que ele é hoje. Meu trabalho como consultor externo da McKinsey & Company contribuiu com mais dados de clientes da McKinsey, para o que Jürgen Laartz foi importante. Quero agradecer a cada um dos meus colaboradores e nossas instituições pela ajuda e pelo apoio na construção do banco de dados, sem o qual este livro não teria sido possível.

Com os dados vêm as estatísticas e os estatísticos. O trabalho deles não é diretamente visível no texto principal, porque eu quis evitar um texto muito técnico. Mas os estatísticos têm trabalhado arduamente em segundo plano para garantir a validade dos resultados. Quero agradecer, em particular, a Dirk W. Bester, Søren Buhl, Maria Christodoulou, Daniel Lunn e Mariagrazia Zottoli. Leitores com inclinação técnica podem encontrar referências às estatísticas nas notas finais.

Um agradecimento especial vai para meu coautor de longa data, Dan Gardner, que trabalhou comigo por mais de dois anos, desenvolvendo ideias, encontrando estudos de caso do passado e do presente e me ajudando a contar minha história muito melhor do que eu poderia ter feito. Dan teve que aturar minha crítica a cada palavra e frase. Quero cumprimentá-lo por nunca perder a calma no processo e por defender o enredo tão vigorosamente quanto defendi a bolsa de estudos em nosso projeto.

Agradecimentos especiais também a Alexander Budzier, meu *alter ego* e colaborador mais próximo no gerenciamento de megaprojetos. Há muitos anos nos comprometemos a ser parceiros nos bons e maus momentos. Espero que Alex pense que cumpri minha promessa tão bem quanto acho que ele cumpriu a dele. Não há ninguém que eu prefira ter ao meu lado quando analisamos os números ou estamos afundados na "grande lama", tentando reverter algum projeto multibilionário que saiu dos trilhos, como fizemos no capítulo 6. Alex ajudou em tudo, de dados a ideias e verificação de fatos.

Um escritor não poderia pedir um agente melhor do que Jim Levine. Jim foi o primeiro a ver o potencial de *Como fazer grandes coisas* quando o livro era apenas uma ideia. Sem ele a ideia teria permanecido assim. Jim também forneceu feedback sobre a redação, fez edições eficazes no manuscrito e ajudou a definir o título em um esforço de equipe exemplar. Minha gratidão a toda a equipe da Levine Greenberg Rostan Literary Agency. Courtney Paganelli sempre me incentivou e foi incrivelmente prestativa no esforço de transformar um projeto incipiente no começo de um livro.

Agradeço a todos na Random House. Talia Krohn e Paul Whitlatch editaram o manuscrito com visão e perspicácia, melhorando muito o resultado. Doug Pepper fez comentários muito úteis. Katie Berry cuidou da organização do manuscrito e do cronograma. Lynn Anderson editou magistralmente o rascunho final. Agradecemos a Robert Siek, Katie Zilberman e Fritz Metsch por produzir um livro tão bem-acabado, Jessie Bright por projetar a elegante capa, Jane Farnol por compilar o índice, e Cozetta Smith, Dyana Messina, Mason Eng e Julie Cepler por fazer todo o possível para ajudar a transmitir as ideias internas para uma ampla audiência externa. Agradeço também a David Drake, Gillian Blake, Annsley Rosner, Michelle Giuseffi, Sally Franklin, Allison Fox e ao restante da equipe editorial. Nicole Amter reuniu habilmente a bibliografia do livro.

Durante a pesquisa para o livro, tive a sorte de ter conversas esclarecedoras com muitos mentores e colegas brilhantes. Martin Wachs, meu orientador de doutorado e pós-doutorado, apoiou todas as decisões e publicações importantes em minha carreira acadêmica, incluindo o presente livro. Inesperadamente, Marty morreu no meio do processo de verificação dos fatos do caso California High-Speed Rail, da introdução, sobre o qual ele era um especialista. Não entendi por que parei de receber seus e-mails repentinamente – e de maneira incomum. Então recebi a trágica notícia. Ninguém poderia esperar um supervisor e mentor melhor e mais generoso. Marty deixou um vazio profundo e doloroso. Verner C. Petersen me ensinou o valor das posições fundamentais em filosofia e teoria social para a compreensão do planejamento e da administração. Outros interlocutores importantes incluem Jeremy Adelman, Arun Agrawal, Michele Alacevich, Alan Altshuler, Jørgen Andreasen, Atif Ansar, Dan Ariely, Martin Beniston, Maria Flyvbjerg Bo, Alexander Budzier, Chantal Cantarelli, David Champion, Aaron Clauset, Stewart Clegg, Andrew Davies, Henrik Flyvbjerg, John Flyvbjerg, W. H. Fok, Karen Trapenberg Frick, Hans-Georg Gemünden, Gerd Gigerenzer, Edward Glaeser, Carsten Glenting, Tony Gómez-Ibáñez, The Right Honourable The Lord Hardie, Martina Huemann, Sir Bernard Jenkin, Hans Lauritz Jørgensen, Daniel Kahneman,

Mark Keil, Mike Kiernan, Thomas Kniesner, Jonathan Lake, Edgardo Latrubesse, Richard LeBlanc, Jong Seok Lee, Zhi Liu, Dan Lovallo, Gordon McNicoll, Edward Merrow, Ralf Müller, Simon Flyvbjerg Nørrelykke, Juan de Dios Ortúza, Jamie Peck, Morten Rugtved Petersen, Don Pickrell, Kim Pilgaard, Shankar Sankaran, Jens Schmidt, Peter Sestoft, Jonas Söderlund, Benjamin Sovacool, Allison Stewart, Cass Sunstein, Nassim Nicholas Taleb, Philip Tetlock, J. Rodney Turner, Bo Vagnby, Bert van Wee, Graham Winch e Andrew Zimbalist. Obrigado a todos.

Também gostaria de agradecer aos participantes dos programas de educação executiva que ministrei, incluindo o Mestrado em Gestão de Grandes Programas de Oxford, a Academia de Liderança de Grandes Projetos do Governo do Reino Unido, o Programa de Liderança de Grandes Projetos do Governo de Hong Kong e programas semelhantes no setor privado, que me deram uma oportunidade inestimável de testar as ideias do livro com mais de mil executivos de negócios e governos de alto nível, em geografias tão diferentes quanto Estados Unidos, Europa, Ásia, África e Austrália. Muito obrigado também a Atif Ansar, Alexander Budzier, Paul Chapman, Patrick O'Connell e Andrew White pela excelente ajuda na fundação, codireção e entrega desses programas.

Ao lado de Alexander Budzier, cofundei a Oxford Global Projects como uma saída para alavancar nossa pesquisa acadêmica na prática e como fonte de dados adicionais. Também provou ser um campo de teste crucial para as ideias do livro, e gostaria de agradecer aos muitos clientes que nos convidaram para testar nossos dados, teorias e métodos em seus projetos. Sou grato a cada membro da equipe OGP: Rayaheen Adra, Karlene Agard, Simone Andersen, Mike Bartlett, Radhia Benalia, Alexander Budzier, Caitlin Combrinck, Michele Dallachiesa, Gerd Duch, Sam Franzen, Andi Garavaglia, Adam Hede, Andreas Leed, Newton Li e Caixia Mao.

O financiamento para o trabalho no livro veio de minhas cátedras: BT Professorship e Chair of Major Programme Management na University of Oxford e Villum Kann Rasmussen Professorship and Chair of Major Program Management na IT University of Copenhagen. Gostaria de agradecer ao BT Group, à Villum Foundation, à Universidade de Oxford e à IT University of Copenhagen por generosamente patrocinarem minha pesquisa, sem restrições, criando as condições ideais para uma bolsa de estudos independente.

A palavra *gratidão* não é suficiente para transmitir o que devo a minha família e meus amigos por sempre me apoiarem quando preciso deles: Carissa, Maria, Ava, August, Kasper, John, Mikala, Henrik, Olga, Claus, Damon, Finn, Frank, Jeremy, Kim, Niels, Vaughan.

Meus maiores e mais calorosos agradecimentos vão para Carissa Véliz, que esteve comigo todos os dias escrevendo o livro, enquanto terminava o seu. Ela influenciou todos os aspectos, do título ao conteúdo e à capa. Dan provavelmente se cansou de ouvir "Vou perguntar a Carissa" sempre que ele e eu estávamos inseguros ou discordávamos sobre alguma coisa. Mas ela é a mágica de palavras em quem mais confio (leia as coisas dela e você entenderá), e o livro é significativamente melhor por isso. Carissa leu o manuscrito completo em detalhes do começo ao fim, melhorando substancialmente a redação. Por fim, ela nos ajudou a superar a pandemia, apesar de um desgosto inesperado e de estarmos isolados em um país estrangeiro, longe de nossas famílias, no que pareceu uma eternidade. Palavras não são suficientes para expressar minha admiração e gratidão. Mesmo assim, do fundo do meu coração: obrigado, *guapa*.

# REFERÊNCIAS

258t. 2015. "Steve Jobs Customer Experience." YouTube, October 16. https:// www.youtube.com/watch?v=r2O5qKZlI50.

Aaltonen, Kirsi, and Jaakko Kujala. 2010. "A Project Lifecycle Perspective on Stakeholder Influence Strategies in Global Projects." *Scandinavian Journal of Management* 26 (4): 381–97.

Abi-Habib, Maria, Oscar Lopez, and Natalie Kitroeff. 2021. "Construction Flaws Led to Mexico City Metro Collapse, Independent Inquiry Shows." *The New York Times,* June 16.

Academy of Achievement. 2017. "Frank Gehry, Academy Class of 1995, Full Interview." YouTube, July 18. https://www.youtube.com/watch?v=wTElC mNkkKc.

Adelman, Jeremy. 2013. *Worldly Philosopher: The Odyssey of Albert O. Hirschman.* Princeton, NJ: Princeton University Press.

Adler, Paul S. 1993. "Time-and-Motion Regained." *Harvard Business Review* 17 (1): 97–108.

Aguinis, Herman. 2014. "Revisiting Some 'Established Facts' in the Field of Management." *Business Research Quarterly* 17 (1): 2–10.

Ahmed, Kaamil. 2020. "Ending World Hunger by 2030 Would Cost $330 Billion, Study Finds." *The Guardian,* October 13.

Alacevich, Michele. 2007. "Early Development Economics Debates Revisited." *Policy Research Working Paper* no. 4441. Washington, DC: World Bank.

Alacevich, Michele. 2014. "Visualizing Uncertainties, or How Albert Hirschman and the World Bank Disagreed on Project Appraisal and What This Says About the End of 'High Development Theory.'" *Journal of the History of Economic Thought* 36 (2): 157.

Albalate, Daniel, and Germa Bel. 2014. *The Economics and Politics of High-Speed Rail.* New York: Lexington Books.

Alho, Juha M. 1992. "The Accuracy of Environmental Impact Assessments: Skew Prediction Errors." *Ambio* 21 (4): 322–23.

Altshuler, Alan, and David Luberoff. 2003. *Mega-Projects: The Changing Politics of Urban Public Investment*. Washington, DC: Brookings Institution.

Alvares, Claude, and Ramesh Billorey. 1988. *Damning the Narmada: India's Greatest Planned Environmental Disaster*. Penang: Third World Network and Asia-Pacific People's Environment Network, APPEN.

Amazon. 2022. "Leadership Principles." https://www.amazon.jobs/en/principles.

Ambrose, Stephen E. 2000. *Nothing Like It in the World: The Men Who Built the Transcontinental Railroad, 1863-1869*. New York: Touchstone.

Anderson, Cameron, and Adam D. Galinsky. 2006. "Power, Optimism, and Risk-Taking." *European Journal of Social Psychology* 36 (4): 511-36.

Andranovich, Greg, Matthew J. Burbank, and Charles H. Heying. 2001. "Olympic Cities: Lessons Learned from Mega-Event Politics." *Journal of Urban Affairs* 23 (2): 113-31.

Andriani, Pierpaolo, and Bill McKelvey. 2007. "Beyond Gaussian Averages: Redirecting International Business and Management Research Toward Extreme Events and Power Laws." *Journal of International Business Studies* 38 (7): 1212-30.

Andriani, Pierpaolo, and Bill McKelvey. 2009. "Perspective—from Gaussian to Paretian Thinking: Causes and Implications of Power Laws in Organizations." *Organization Science* 20 (6): 1053-71.

Andriani, Pierpaolo, and Bill McKelvey. 2011. "From Skew Distributions to Power-Law Science." In *Complexity and Management*, eds. P. Allen, S. Maguire, and Bill McKelvey. Los Angeles: Sage, 254-73.

Anguera, Ricard. 2006. "The Channel Tunnel: An Ex Post Economic Evaluation." *Transportation Research Part A* 40 (4): 291-315.

Ansar, Atif, and Bent Flyvbjerg. 2022. "How to Solve Big Problems: Bespoke Versus Platform Strategies." *Oxford Review of Economic Policy* 38 (2): 338-68.

Ansar, Atif, Bent Flyvbjerg, Alexander Budzier, and Daniel Lunn. 2014."Should We Build More Large Dams? The Actual Costs of Hydropower Megaproject Development." *Energy Policy* 69: 43-56.

Ansar, Atif, Bent Flyvbjerg, Alexander Budzier, and Daniel Lunn. 2016. "Does Infrastructure Investment Lead to Economic Growth or

Economic Fragility? Evidence from China." *Oxford Review of Economic Policy* 32 (3): 360–90.

Ansar, Atif, Bent Flyvbjerg, Alexander Budzier, and Daniel Lunn. 2017. "Big Is Fragile: An Attempt at Theorizing Scale." In *The Oxford Handbook of Megaproject Management,* ed. Bent Flyvbjerg. Oxford, UK: Oxford University Press, 60–95.

Anthopoulos, Leonidas, Christopher G. Reddick, Irene Giannakidou, and Nikolaos Mavridis. 2016. "Why E-Government Projects Fail? An Analysis of the healthcare.gov Website." *Government Information Quarterly* 33 (1): 161–73.

Architectural Videos. "Frank Gehry Uses Catia for His Architecture Visions." YouTube, November 1, 2011. https://www.youtube.com/watch?v= UEn53Wr6380.

Aristotle. 1976. *The Nicomachean Ethics.* Translated by J. A. K. Thomson, revised with notes and appendices by Hugh Tredennick. Introduction and bibliography by Jonathan Barnes. Harmondsworth, UK: Penguin Classics.

Arkes, Hal R., and Catherine Blumer. 1985. "The Psychology of Sunk Cost." *Organizational Behavior and Human Decision Processes* 35 (1): 124–40.

Arup, Ove, and Partners Scotland. 2004. *Scottish Parliament, Edinburgh Tram Line 2: Review of Business Case.* West Lothian, UK: Ove Arup and Partners. Australian Transport and Infrastructure Council. 2018. *Optimism Bias.* Canberra: Commonwealth of Australia.

Avery, Dan. 2021. "Warren Buffett to Offer a Fresh Approach on Modular Construction." *Architectural Digest,* May 20. https://www.architecturaldigest.com/story/warren-buffett-offer-fresh-approach-modular-construction.

Awojobi, Omotola, and Glenn P. Jenkins. 2016. "Managing the Cost Overrun Risks of Hydroelectric Dams: An Application of Reference-Class Forecasting Techniques." *Renewable and Sustainable Energy Reviews* 63 (September): 19–32.

Baade, Robert A., and Victor A. Matheson. 2004. "The Quest for the Cup: Assessing the Economic Impact of the World Cup." *Regional Studies* 38 (4): 343–54.

Baade, Robert A., and Victor A. Matheson. 2016. "Going for the Gold: The Economics of the Olympics." *Journal of Economic Perspectives* 30 (2): 201–18.

Bach, Steven. 1999. *Final Cut: Art, Money, and Ego in the Making of* Heaven's Gate, *the Film That Sank United Artists*. New York: Newmarket Press.

Backwell, Ben. 2018. *Wind Power: The Struggle for Control of a New Global Industry*. London: Routledge.

Baham, Cory, Rudy Hirschheim, Andres A. Calderon, and Victoria Kisekka. 2017. "An Agile Methodology for the Disaster Recovery of Information Systems Under Catastrophic Scenarios." *Journal of Management Information Systems* 34 (3): 633–63.

Bain, Susan. 2005. *Holyrood: The Inside Story*. Edinburgh: Edinburgh University Press.

Bak, Per. 1996. *How Nature Works: The Science of Self-Organized Criticality*. New York: Springer Science & Business Media.

Bak, Per, Chao Tang, and Kurt Wiesenfeld. 1988. "Self-Organized Criticality: An Explanation of the 1/f Noise." *Physical Review Letters* 59 (4): 381.

Bak, Per, Chao Tang, and Kurt Wiesenfeld. 1988. "Self-Organized Criticality." *Physical Review A* 38 (1): 364–74.

Bakker, Karen. 1999. "The Politics of Hydropower: Developing the Mekong." *Political Geography* 18 (2): 209–32.

Baldwin, Carliss Y., and Kim B. Clark. 2000. *Design Rules: The Power of Modularity*. Cambridge, MA: MIT Press.

Bar-Hillel, Maya. 1980. "The Base-Rate Fallacy in Probability Judgments." *Acta Psychologica* 44 (3): 211–33.

Barabási, Albert-László. 2005."The Origin of Bursts and Heavy Tails in Human Dynamics." *Nature* 435: 207–11.

Barabási, Albert-László. 2014. *Linked: How Everything Is Connected to Everything Else and What It Means for Business, Science, and Everyday Life*. New York: Basic Books.

Barabási, Albert-László, and Réka Albert. 1999. "Emergence of Scaling in Random Networks." *Science* 286 (5439): 509–12.

Barabási, Albert-László, Kwang-Il Goh, and Alexei Vazquez. 2005. Reply to Comment on "The Origin of Bursts and Heavy Tails in Human Dynamics." arXiv preprint. arXiv:physics/0511186.

Barnard, Michael. 2021. "A Decade of Wind, Solar, and Nuclear in China Shows Clear Scalability Winners." *CleanTechnica,* September 5. https://cleantechnica.com/2021/09/05/a-decade-of-wind-solar-nuclear-in-china-shows-clear-scalability-winners/.

Barthiaume, Lee. 2021. "Skyrocketing Shipbuilding Costs Continue as Estimate Puts Icebreaker Price at $7.25 Bill." *The Canadian Press,* December 16.

Bartlow, James. 2000. "Innovation and Learning in Complex Offshore Construction Projects." *Research Policy* 29 (7): 973–89.

Batselier, Jordy. 2016. *Empirical Evaluation of Existing and Novel Approaches for Project Forecasting and Control.* Doctoral dissertation. Ghent, Belgium: University of Ghent.

Batselier, Jordy, and Mario Vanhoucke. 2016. "Practical Application and Empirical Evaluation of Reference-Class Forecasting for Project Management." *Project Management Journal* 47 (5): 36.

Batselier, Jordy, and Mario Vanhoucke. 2017. "Improving Project Forecast Accuracy by Integrating Earned Value Management with Exponential Smoothing and Reference-Class Forecasting." *International Journal of Project Management* 35 (1): 28–43.

BBC. 2013. *Restoration Home.* Season 3, episode 8. BBC, August 21. https://www.youtube.com/watch?v=_NDaO42j_KQ.

BBC. 2016. "Japan Cancels Failed $9bn Monju Nuclear Reactor." BBC, December 21. https://www.bbc.co.uk/news/world-asia-38390504.

Bechtler, Cristina, ed. 1999. *Frank O. Gehry/Kurt W. Forster.* Ostfildern-Ruit, Germany: Cantz.

Bernstein, Peter L. 2005. *Wedding of the Waters: The Erie Canal and the Making of a Great Nation.* New York: W. W. Norton.

Billings, Stephen B., and J. Scott Holladay. 2012. "Should Cities Go for the Gold? The Long-Term Impacts of Hosting the Olympics." *Economic Inquiry* 50 (3): 754–72.

Billington, David P., and Donald C. Jackson. 2006. *Big Dams of the New Deal Era: A Confluence of Engineering and Politics*. Norman: University of Oklahoma Press.

Bishir, Catherine W. 2009. "Shreve and Lamb." In *North Carolina Architects and Builders: A Biographical Dictionary*. Raleigh: North Carolina State University Libraries. https://ncarchitects.lib.ncsu.edu/people/P000414.

Biskind, Peter. 1998. *Easy Riders, Raging Bulls: How the Sex-Drugs-and-Rock 'n' Roll Generation Saved Hollywood*. London: Bloomsbury Publishing.

Bizony, Piers. 2006. *The Man Who Ran the Moon: James Webb, JFK, and the Secret History of Project Apollo*. Cambridge, UK: Icon Books.

Boisot, Max, and Bill McKelvey. 2011. "Connectivity, Extremes, and Adaptation: A Power-Law Perspective of Organizational Effectiveness." *Journal of Management Inquiry* 20 (2): 119–33.

Bok, Sissela. 1999. *Lying: Moral Choice in Public and Private Life*. New York: Vintage.

Bordley, Robert F. 2014. "Reference-Class Forecasting: Resolving Its Challenge to Statistical Modeling." *The American Statistician* 68 (4): 221–29.

Boudet, Hilary Schaffer, and Leonard Ortolano. 2010. "A Tale of Two Sitings: Contentious Politics in Liquefied Natural Gas Facility Siting in California." *Journal of Planning Education and Research* 30 (1): 5–21.

Bovens, Mark, and Paul 't Hart. 1996. *Understanding Policy Fiascoes*. New Brunswick, NJ: Transaction Publishers.

Bowman, Martin W. 2015. *Boeing 747: A History*. Barnsley, UK: Pen and Sword Aviation.

Box, George E. P. 1976. "Science and Statistics." *Journal of the American Statistical Association* 71 (356): 791–99.

Brockner, Joel. 1992. "The Escalation of Commitment to a Failing Course of Action: Toward Theoretical Progress." *Academy of Management Review* 17 (1): 39–61.

Brooks, Frederick P. 1995. *The Mythical Man-Month: Essays on Software Engineering*, 2nd ed. Reading, MA: Addison-Wesley.

Brown, James H., and Geoffrey B. West, eds. 2000. *Scaling in Biology.* Oxford, UK: Oxford University Press.

Brown, Willie. 2013. "When Warriors Travel to China, Ed Lee Will Follow." *San Francisco Chronicle,* July 27.

Bryar, Colin, and Bill Carr. 2021. *Working Backwards: Insights, Stories, and Secrets from Inside Amazon.* New York: St. Martin's Press.

Buckley, Ralf C. 1990. "Environmental Audit: Review and Guidelines." *Environment and Planning Law Journal* 7 (2): 127–41.

Buckley, Ralf C. 1991. "Auditing the Precision and Accuracy of Environmental Impact Predictions in Australia." *Environmental Monitoring and Assessment* 18 (1): 1–23.

Buckley, Ralf C. 1991. "How Accurate Are Environmental Impact Predictions?" *Ambio* 20 (3–4): 161–62, with "Response to Comment by J. M. Alho," 21 (4): 323–24.

Budzier, Alexander, and Bent Flyvbjerg. 2011. "Double Whammy: How ICT Projects Are Fooled by Randomness and Screwed by Political Intent." *Saïd Business School Working Papers.* Oxford, UK: University of Oxford.

Budzier, Alexander, and Bent Flyvbjerg. 2013. "Making Sense of the Impact and Importance of Outliers in Project Management Through the Use of Power Laws." *Proceedings of IRNOP* [International Research Network on Organizing by Projects] 11: 1–28.

Budzier, Alexander, Bent Flyvbjerg, Andi Garavaglia, and Andreas Leed. 2018. *Quantitative Cost and Schedule Risk Analysis of Nuclear Waste Storage.* Oxford, UK: Oxford Global Projects.

Buehler, Roger, Dale Griffin, and Heather MacDonald. 1997. "The Role of Motivated Reasoning in Optimistic Time Predictions." *Personality and Social Psychology Bulletin* 23 (3): 238–47.

Buehler, Roger, Dale Griffin, and Johanna Peetz. 2010. "The Planning Fallacy: Cognitive, Motivational, and Social Origins." *Advances in Experimental Social Psychology* 43: 1–62.

Buehler, Roger, Dale Griffin, and Michael Ross. 1994. "Exploring the 'Planning Fallacy': Why People Underestimate Their Task Completion Times." *Journal of Personality and Social Psychology* 67 (3): 366–81.

Byron, Kristin, Deborah Nazarian, and Shalini Khazanchi. 2010. "The Relationships Between Stressors and Creativity: A Meta-analysis

Examining Competing Theoretical Models." *Journal of Applied Psychology* 95 (1): 201–12.

California High-Speed Rail Authority. 1999. *Financial Plan.* Sacramento: California High-Speed Rail Authority.

California High-Speed Rail Authority. 2008. *California High-Speed Train Business Plan.* Sacramento: California High-Speed Rail Authority.

California High-Speed Rail Authority. 2012. *California High-Speed Rail Program, Revised 2012 Business Plan: Building California's Future.* Sacramento: California High-Speed Rail Authority.

California High-Speed Rail Authority. 2014. *Connecting California: 2014 Business Plan.* Sacramento: California High-Speed Rail Authority.

California High-Speed Rail Authority. 2016. *Connecting and Transforming California: 2016 Business Plan.* Sacramento: California High-Speed Rail Authority.

California High-Speed Rail Authority. 2018. *2018 Business Plan.* Sacramento: California High-Speed Rail Authority.

California High-Speed Rail Authority. 2021. *2020 Business Plan: Recovery and Transformation.* Sacramento: California High-Speed Rail Authority.

California High-Speed Rail Authority. 2021. *2020 Business Plan: Ridership and Revenue Forecasting Report.* Sacramento: California High-Speed Rail Authority.

California High-Speed Rail Authority. 2021. *Revised Draft 2020 Business Plan: Capital Cost Basis of Estimate Report.* Sacramento: California High-Speed Rail Authority.

California Legislative Information. 2008. *Safe, Reliable High-Speed Passenger Train Bond Act for the 21st Century.* Assembly Bill no. 3034. California Legislative Information. https://leginfo.legislature.ca.gov/faces/billNavClient.xhtml?bill_id=200720080AB3034.

Campbell, Joseph. 2008. *The Hero with a Thousand Faces.* San Francisco: New World Library.

Campion-Awwad, Oliver, Alexander Hayton, Leila Smith, and Mark Vuaran. 2014. *The National Programme for IT in the NHS: A Case History.* Cambridge, UK: University of Cambridge.

Cantarelli, Chantal C., Bent Flyvbjerg, and Søren L. Buhl. 2012. "Geographical Variation in Project Cost Performance: The Netherlands Versus Worldwide." *Journal of Transport Geography* 24: 324–31.

Cantarelli, Chantal C., Bent Flyvbjerg, Eric J. E. Molin, and Bert van Wee. 2010. "Cost Overruns in Large-Scale Transportation Infrastructure Projects: Explanations and Their Theoretical Embeddedness." *European Journal of Transport and Infrastructure Research* 10 (1): 5–18.

Cantarelli, Chantal C., Bent Flyvbjerg, Bert van Wee, and Eric J. E. Molin. 2010. "Lock-in and Its Influence on the Project Performance of Large-Scale Transportation Infrastructure Projects: Investigating the Way in Which Lock-in Can Emerge and Affect Cost Overruns." *Environment and Planning B: Planning and Design* 37 (5): 792–807.

Cantarelli, Chantal C., Eric J. E. Molin, Bert van Wee, and Bent Flyvbjerg. 2012. "Characteristics of Cost Overruns for Dutch Transport Infrastructure Projects and the Importance of the Decision to Build and Project Phases." *Transport Policy* 22: 49–56.

Carreyrou, John. 2018. *Bad Blood: Secrets and Lies in a Silicon Valley Startup.* New York: Alfred A. Knopf.

Caro, Robert. 1975. *The Power Broker: Robert Moses and the Fall of New York.* New York: Vintage.

Caro, Robert A. 2019. *Working: Researching, Interviewing, Writing.* New York: Vintage.

Carson, Thomas L. 2006. "The Definition of Lying." *Noûs* 40 (2): 284–306.

Catmull, Ed. 2014. *Creativity, Inc.: Overcoming the Unseen Forces That Stand in the Way of True Inspiration.* New York: Random House.

CBC News. 1999. "Jean Drapeau Dead." *CBC News*, August 13. https://www.cbc.ca/news/canada/jean-drapeau-dead-1.185985.

Chandler, Alfred D. 1990. *Scale and Scope: Dynamics of Industrial Capitalism,* new ed. Cambridge, MA: Harvard University Press.

Chandra, Ramesh. 2014. *Encyclopedia of Education in South Asia,* vol. 6. Delhi: Gyan Publishing House.

Chang, Welton, Eva Chen, Barbara Mellers, and Philip Tetlock. 2016. "Developing Expert Political Judgment: The Impact of Training and Practice on Judgmental Accuracy in Geopolitical Forecasting Tournaments." *Judgment and Decision Making* 11 (5): 509–26.

Chapman, Gretchen B., and Eric J. Johnson. 1999. "Anchoring, Activation, and the Construction of Values." *Organizational Behavior and Human Decision Processes* 79 (2): 115–53.

Charest, Paul. 1995. "Aboriginal Alternatives to Megaprojects and Their Environmental and Social Impacts." *Impact Assessment* 13 (4): 371–86.

Christian, Alex. 2021. "The Untold Story of the Big Boat That Broke the World." *Wired,* June 22. https://www.wired.co.uk/article/ever-given-global-supply-chain.

Christoffersen, Mads, Bent Flyvbjerg, and Jørgen Lindgaard Pedersen. 1992. "The Lack of Technology Assessment in Relation to Big Infrastructural Decisions." In *Technology and Democracy: The Use and Impact of Technology Assessment in Europe. Proceedings from the 3rd European Congress on Technology Assessment.* Copenhagen, 54–75.

Cialdini, Robert B. 2021. *Influence, New and Expanded: The Psychology of Persuasion.* New York: Harper Business.

Clark, Gordon L., and Neil Wrigley. 1995. "Sunk Costs: A Framework for Economic Geography." *Transactions of the Institute of British Geographers* 20 (2): 204–23.

Clauset, Aaron, Cosma R. Shalizi, and Mark E. J. Newman. 2009. "Power-Law Distributions in Empirical Data." *SIAM Review* 51 (4): 661–703.

Clauset, Aaron, Maxwell Young, and Kristian S. Gleditsch. 2007. "On the Frequency of Severe Terrorist Events." *Journal of Conflict Resolution* 51 (1): 58–87.

Collingridge, David. 1992. *The Management of Scale: Big Organizations, Big Decisions, Big Mistakes.* London: Routledge.

Collins, Jeffrey. 2020. "Former Executive Faces Prison Time in SC Nuclear Debacle." Associated Press, November 25.

Conboy, Kieran. 2010. "Project Failure en Masse: A Study of Loose Budgetary Control in ISD Projects." *European Journal of Information Systems* 19 (3): 273–87.

Construction Task Force. 1998. "Rethinking Construction—The Egan Report." London: Dept. of the Environment, Transport, and the Regions. Constructing Excellence. https://constructingexcellence.org.uk/wp-content/uploads/2014/10/rethinking_construction_report.pdf.

Constructive Developments. 2022. "Storebaelt Tunnels, Denmark." Constructive Developments. https://sites.google.com/site/constructive developments/storebaelt-tunnels.

Cooper, Arnold C., Carolyn Y. Woo, and William C. Dunkelberg. 1988. "Entrepreneurs' Perceived Chances for Success." *Journal of Business Venturing* 3 (2): 97–108.

Cullinane, Kevin, and Mahim Khanna. 2000. "Economies of Scale in Large Containerships: Optimal Size and Geographical Implications." *Journal of Transport Geography* 8 (3): 181–95.

Czerlinski, Jean, Gerd Gigerenzer, and Daniel G. Goldstein. 1999. "How Good Are Simple Heuristics?" In *Simple Heuristics That Make Us Smart*, eds. Gerd Gigerenzer, Peter M. Todd, and ABC Research Group. Oxford, UK: Oxford University Press, 97–118.

Daley, James. 2011. "Owner and Contractor Embark on War of Words over Wembley Delay." *The Independent*, September 22.

Danish Ministry of Transport and Energy, Transportog Energiministeriet. 2006. *Aktstykke 16: Orientering om nye budgetteringsprincipper for anlægsprojekter.* Copenhagen: Finansudvalget, Folketinget, November 2.

Danish Ministry of Transport and Energy, Transport-og Energiministeriet. 2008. *Ny anlægsbudgettering på Transportministeriets område, herunder om økonomistyringsmodel og risikohåndtering for anlægsprojekter.* Copenhagen: Transportministeriet, November 18.

Danish Ministry of Transport, Building and Housing, Transport-, Bygnings-og Boligministeriet. 2017. *Hovednotat for ny anlægsbudgettering: Ny anlægsbudgettering på Transport-, Bygningsog Boligministeriets område. Herunder om økonomistyringsmodel og risikohåndtering for anlægsprojekter.* Copenhagen: Transport -, Bygningsog Boligministeriet.

Dantata, Nasiru A., Ali Touran, and Donald C. Schneck. 2006. "Trends in US Rail Transit Project Cost Overrun." *Transportation Research Board Annual Meeting.* Washington, DC: National Academies.

Dardick, Hal. 2014. "Ald. Burke Calls Great Chicago Fire Festival a 'Fiasco.' " *Chicago Tribune*, October 6.

Davies, Andrew, David Gann, and Tony Douglas. 2009. "Innovation in Megaprojects: Systems Integration at London Heathrow Terminal 5." *California Management Review* 51 (2): 101–25.

Davies, Andrew, and Michael Hobday. 2005. *The Business of Projects: Managing Innovation in Complex Products and Systems.* Cambridge, UK: Cambridge University Press.

De Bruijn, Hans, and Martijn Leijten. 2007. "Megaprojects and Contested Information." *Transportation Planning and Technology* 30 (1): 49–69.

De Reyck, Bert, Yael Grushka-Cockayne, Ioannis Fragkos, and Jeremy Harrison. 2015. *Optimism Bias Study: Recommended Adjustments to Optimism Bias Uplifts.* London: Department for Transport.

De Reyck, Bert, Yael Grushka-Cockayne, Ioannis Fragkos, and Jeremy Harrison. 2017. *Optimism Bias Study—Recommended Adjustments to Optimism Bias Uplifts,* update. London: Department for Transport.

DeGroot, Gerard. 2008. *Dark Side of the Moon: The Magnificent Madness of the American Lunar Quest.* London: Vintage.

Del Cerro Santamaría, Gerardo. 2017. "Iconic Urban Megaprojects in a Global Context: Revisiting Bilbao." In *The Oxford Handbook of Megaproject Management,* ed. Bent Flyvbjerg. Oxford, UK: Oxford University Press, 497–518.

Delaney, Kevin J., and Rick Eckstein. 2003. *Public Dollars, Private Stadiums: The Battle over Building Sports Stadiums.* New Brunswick, NJ: Rutgers University Press.

Del Rey, Jason. 2019. "The Making of Amazon Prime, the Internet's Most Successful and Devastating Membership Program." Vox, May 3. https://www.vox.com/recode/2019/5/3/18511544/amazon-prime-oral-history-jeff-bezos-one-day-shipping.

Detter, Dag, and Stefan Fölster. 2015. *The Public Wealth of Nations.* New York: Palgrave.

Dipper, Ben, Carys Jones, and Christopher Wood. 1998. "Monitoring and Postauditing in Environmental Impact Assessment: A Review." *Journal of Environmental Planning and Management* 41 (6): 731–47.

Doig, Jameson W. 2001. *Empire on the Hudson: Entrepreneurial Vision and Political Power at the Port of New York Authority.* New York: Columbia University Press.

Dowling, Stephen. 2020. "The Boeing 747: The Plane That Shrank the World." BBC, June 19. https://www.bbc.com/future/article/20180927-the-boeing-747-the-plane-that-shrank-the-world.

Drew, Philip. 2001. *The Masterpiece: Jørn Utzon, a Secret Life.* South Yarra, Victoria, Australia: Hardie Grant Books.

Drummond, Helga. 2014. "Is Escalation Always Irrational?" In *Megaproject Planning and Management: Essential Readings,* vol. 2, ed. Bent Flyvbjerg. Cheltenham, UK: Edward Elgar, 291–309. Originally published in *Organization Studies* 19 (6).

Drummond, Helga. 2017. "Megaproject Escalation of Commitment: An Update and Appraisal." In *The Oxford Handbook of Megaproject Management,* ed. Bent Flyvbjerg. Oxford, UK: Oxford University Press, 194–216.

Duflo, Esther, and Rohini Pande. 2007. "Dams." *The Quarterly Journal of Economics* 122: 601–46.

Duhigg, Charles. 2016. "What Google Learned from Its Quest to Build the Perfect Team." *The New York Times Magazine,* February 25.

Dyson, Freeman. 2016. "The Green Universe: A Vision." *The New York Review of Books,* October 13, 4–6.

Edmondson, Amy. 2018. *The Fearless Organization: Creating Psychological Safety in the Workplace for Learning, Innovation, and Growth.* Hoboken, NJ: John Wiley & Sons.

Eisenhardt, Kathleen M. 1989. "Agency Theory: An Assessment and Review." *Academy of Management Review* 14 (1): 57–74.

Electric Lady Studios. http://electricladystudios.com.

Emmons, Debra L., Robert E. Bitten, and Claude W. Freaner. 2007. "Using Historical Nasa Cost and Schedule Growth to Set Future Program and Project Reserve Guidelines." *2007 IEEE Aerospace Conference,* 1–16.

Empire State Inc. 1931. *Empire State: A History.* New York: Publicity Association.

Epley, Nicholas, and Thomas Gilovich. 2006. "The Anchoring-and-Adjustment Heuristic: Why the Adjustments Are Insufficient." *Psychological Science* 17 (4): 311–18.

Escobar-Rangel, Lina, and François Lévêque. 2015. "Revisiting the Cost Escalation Curse of Nuclear Power: New Lessons from the French Experience." *Economics of Energy and Environmental Policy* 4 (2): 103–26.

Essex, Stephen, and Brian Chalkley. 2004. "Mega-Sporting Events in Urban and Regional Policy: A History of the Winter Olympics." *Planning Perspectives* 19 (2): 201–32.

Esty, Benjamin C. 2004. "Why Study Large Projects? An Introduction to Research on Project Finance." *European Financial Management* 10 (2): 213–24.

Ethiraj, Sendil K., and Danial A. Levinthal. 2004. "Modularity and Innovation in Complex Systems." *Management Science* 50 (2): 159–73.

EU Commission. 1996. *Guidelines for the Construction of a Transeuropean Transport Network*, EU Bulletin L228. Brussels: EU Commission.

European Court of Auditors. 2014. *EU-Funded Airport Infrastructures: Poor Value for Money*. European Court of Auditors. https://www.eca.europa.eu/Lists/ECADocuments/SR14_21/Q JAB14021ENC.pdf.

Exemplars in Global Health. 2022. *What Did Nepal Do?* Exemplars in Global Health. https://www.exemplars.health/topics/stunting/nepal/what-did-nepal-do.

Fabricius, Golo, and Marion Büttgen. 2015. "Project Managers' Overconfidence: How Is Risk Reflected in Anticipated Project Success?" *Business Research* 8 (2): 239–63.

Fainstein, Susan S. 2008. "Mega-Projects in New York, London and Amsterdam." *International Journal of Urban and Regional Research* 32 (4): 768–85.

Fallis, Don. 2009. "What Is Lying?" *The Journal of Philosophy* 106 (1): 29–56.

Farago, Jason. 2021. "Gehry's Quiet Interventions Reshape the Philadelphia Museum." *The New York Times*, May 30.

Farmer, J. Doyne, and John Geanakoplos. 2008. *Power Laws in Economics and Elsewhere*. Santa Fe, NM: Santa Fe Institute.

Fearnside, Philip M. 1994. "The Canadian Feasibility Study of the Three Gorges Dam Proposed for China's Yangzi River: A Grave Embarrassment to the Impact Assessment Profession." *Impact Assessment* 12 (1): 21–57.

Feynman, Richard P. 2007. "Richard P. Feynman's Minority Report to the Space Shuttle Challenger Inquiry." In Feynman, *The Pleasure of Finding Things Out*. New York: Penguin, 151–69.

Feynman, Richard P. 2007. "Mr. Feynman Goes to Washington: Investigating the Space Shuttle *Challenger* Disaster." In Feynman, *What Do*

*You Care What Other People Think? Further Adventures of a Curious Character.* New York: Penguin, 113–237.

Flowers, Benjamin. 2009. *Skyscraper: The Politics and Power of Building New York City in the Twentieth Century.* Philadelphia: University of Pennsylvania Press.

Flyvbjerg, Bent. 1998. *Rationality and Power: Democracy in Practice.* Chicago: University of Chicago Press.

Flyvbjerg, Bent. 2001. *Making Social Science Matter: Why Social Inquiry Fails and How It Can Succeed Again.* Cambridge, UK: Cambridge University Press.

Flyvbjerg, Bent. 2003. "Delusions of Success: Comment on Dan Lovallo and Daniel Kahneman." *Harvard Business Review* 81 (12): 121–22.

Flyvbjerg, Bent. 2005. "Design by Deception: The Politics of Megaproject Approval." *Harvard Design Magazine* 22 (Spring/Summer): 50–59.

Flyvbjerg, Bent. 2005. "Measuring Inaccuracy in Travel Demand Forecasting: Methodological Considerations Regarding Ramp Up and Sampling." *Transportation Research A* 39 (6): 522–30.

Flyvbjerg, Bent. 2006. "From Nobel Prize to Project Management: Getting Risks Right." *Project Management Journal* 37 (3): 5–15.

Flyvbjerg, Bent. 2009. "Survival of the Unfittest: Why the Worst Infrastructure Gets Built, and What We Can Do About It." *Oxford Review of Economic Policy* 25 (3): 344–67.

Flyvbjerg, Bent. 2012. "Why Mass Media Matter and How to Work with Them: Phronesis and Megaprojects." In *Real Social Science: Applied Phronesis,* eds. Bent Flyvbjerg, Todd Landman, and Sanford Schram. Cambridge, UK: Cambridge University Press, 95–121.

Flyvbjerg, Bent. 2013. "Quality Control and Due Diligence in Project Management: Getting Decisions Right by Taking the Outside View." *International Journal of Project Management* 31 (5): 760–74.

Flyvbjerg, Bent. 2014. "What You Should Know About Megaprojects and Why: An Overview." *Project Management Journal* 45 (2): 6–19.

Flyvbjerg, Bent, ed. 2014. *Planning and Managing Megaprojects: Essential Readings.* Vols. 1–2. Cheltenham, UK: Edward Elgar.

Flyvbjerg, Bent. 2016, "The Fallacy of Beneficial Ignorance: A Test of Hirschman's Hiding Hand." *World Development* 84 (April): 176–89.

Flyvbjerg, Bent. 2017. "Introduction: The Iron Law of Megaproject Management." In *The Oxford Handbook of Megaproject Management,* ed. Bent Flyvbjerg. Oxford, UK: Oxford University Press, 1–18.

Flyvbjerg, Bent. 2018. "Planning Fallacy or Hiding Hand: Which Is the Better Explanation?" *World Development* 103 (March): 383–86.

Flyvbjerg, Bent. 2020. "The Law of Regression to the Tail: How to Survive Covid-19, the Climate Crisis, and Other Disasters." *Environmental Science and Policy* 114 (December): 614–18.

Flyvbjerg, Bent. 2021. "Four Ways to Scale Up: Smart, Dumb, Forced, and Fumbled." *Saïd Business School Working Papers.* Oxford, UK: University of Oxford.

Flyvbjerg, Bent. 2021. "Make Megaprojects More Modular." *Harvard Business Review* 99 (6): 58–63.

Flyvbjerg, Bent. 2021. "Top Ten Behavioral Biases in Project Management: An Overview." *Project Management Journal* 52 (6): 531–46.

Flyvbjerg, Bent. 2022. "Heuristics for Masterbuilders: Fast and Frugal Ways to Become a Better Project Leader." *Saïd Business School Working Papers,* Oxford, UK: University of Oxford.

Flyvbjerg, Bent, Atif Ansar, Alexander Budzier, Søren Buhl, Chantal Cantarelli, Massimo Garbuio, Carsten Glenting, Mette Skamris Holm, Dan Lovallo, Daniel Lunn, Eric Molin, Arne Rønnest, Allison Stewart, and Bert van Wee. 2018. "Five Things You Should Know About Cost Overrun." *Transportation Research Part A: Policy and Practice* 118 (December): 174–90.

Flyvbjerg, Bent, and Dirk W. Bester. 2021. "The Cost-Benefit Fallacy: Why Cost-Benefit Analysis Is Broken and How to Fix It." *Journal of Benefit-Cost Analysis* 12 (3): 395–419.

Flyvbjerg, Bent, Nils Bruzelius, and Werner Rothengatter. 2003. *Megaprojects and Risk: An Anatomy of Ambition.* Cambridge, UK: Cambridge University Press.

Flyvbjerg, Bent, and Alexander Budzier. 2011. "Why Your IT Project May Be Riskier Than You Think." *Harvard Business Review* 89 (9): 23–25.

Flyvbjerg, Bent, and Alexander Budzier. 2018. *Report for the Commission of Inquiry Respecting the Muskrat Falls Project.* St. John's, Province of New-foundland and Labrador, Canada: Muskrat Falls Inquiry.

Flyvbjerg, Bent, Alexander Budzier, Maria D. Christodoulou, and M. Zottoli. Under review. "So You Think Projects Are Unique? How Uniqueness Bias Undermines Project Management."

Flyvbjerg, Bent, Alexander Budzier, Mark Keil, Jong Seok Lee, Dirk W. Bester, and Daniel Lunn. 2022. "The Empirical Reality of IT Project Cost Over-runs: Discovering a Power-Law Distribution." Forthcoming in *Journal of Management Information Systems* 39 (3).

Flyvbjerg, Bent, Alexander Budzier, and Daniel Lunn. 2021. "Regression to the Tail: Why the Olympics Blow Up." *Environment and Planning A: Economy and Space* 53 (2): 233–60.

Flyvbjerg, Bent, Massimo Garbuio, and Dan Lovallo. 2009. "Delusion and Deception in Large Infrastructure Projects: Two Models for Explaining and Preventing Executive Disaster." *California Management Review* 51 (2): 170–93.

Flyvbjerg, Bent, Carsten Glenting, and Arne Rønnest. 2004. *Procedures for Dealing with Optimism Bias in Transport Planning: Guidance Document*. London: UK Department for Transport.

Flyvbjerg, Bent, Mette K. Skamris Holm, and Søren L. Buhl. 2002. "Underestimating Costs in Public Works Projects: Error or Lie?" *Journal of the American Planning Association* 68 (3): 279–95.

Flyvbjerg, Bent, Mette K. Skamris Holm, and Søren L. Buhl. 2004. "What Causes Cost Overrun in Transport Infrastructure Projects?" *Transport Reviews* 24 (1): 3–18.

Flyvbjerg, Bent, Mette K. Skamris Holm, and Søren L. Buhl. 2005. "How (In)accurate Are Demand Forecasts in Public Works Projects? The Case of Transportation." *Journal of the American Planning Association* 71 (2): 131–46.

Flyvbjerg, Bent, Chi-keung Hon, and Wing Huen Fok. 2016. "Reference--Class Forecasting for Hong Kong's Major Roadworks Projects." *Proceedings of the Institution of Civil Engineers* 169 (CE6): 17–24.

Flyvbjerg, Bent, and Tsung-Chung Kao, with Alexander Budzier. 2014. *Report to the Independent Board Committee on the Hong Kong Express Rail Link Project*. Hong Kong: MTR, A1–A122.

Flyvbjerg, Bent, Todd Landman, and Sanford Schram, eds. 2012. *Real Social Science: Applied Phronesis*. Cambridge, UK: Cambridge University Press.

Flyvbjerg, Bent, and Allison Stewart. 2012. "Olympic Proportions: Cost and Cost Overrun at the Olympics, 1960–2012." *Saïd Business School Working Papers*. Oxford, UK: University of Oxford.

Flyvbjerg, Bent, and Cass R. Sunstein. 2017. "The Principle of the Malevolent Hiding Hand; or, The Planning Fallacy Writ Large." *Social Research* 83 (4): 979–1004.

Fox Broadcasting Company. 2005. "The Seven-Beer Snitch." *The Simpsons*. Season 16, episode 14, April 3.

French Ministry of Transport. 2007. *Ex-Post Evaluation of French Road Projects: Main Results*. Paris: French Ministry of Transport.

Frey, Thomas. 2017. "Megaprojects Set to Explode to 24% of Global GDP Within a Decade." *Future of Construction*, February 10. https://futureofconstruction.org/blog/megaprojects-set-to-explode-to-24-of-global-gdp-within-a-decade/.

Frick, Karen T. 2008. "The Cost of the Technological Sublime: Daring Ingenuity and the New San Francisco–Oakland Bay Bridge." In *Decision-Making on Mega-Projects: Cost–Benefit Analysis, Planning, and Innovation*, eds. Hugo Priemus, Bent Flyvbjerg, and Bert van Wee. Cheltenham, UK: Edward Elgar, 239–62.

Fudenberg, Drew, David K. Levine, and Zacharias Maniadis. 2012. "On the Robustness of Anchoring Effects in WTP and WTA Experiments." *American Economic Journal: Microeconomics* 4 (2): 131–45.

Gabaix, Xavier. 2009. "Power Laws in Economics and Finance." *Annual Review of Economics* 1: 255–94.

Gaddis, Paul O. 1959. "The Project Manager." *Harvard Business Review* 37 (3): 89–99.

Gagné, Marylène, and Edward L. Deci. 2005. "Self-determination Theory and Work Motivation." *Journal of Organizational Behavior* 26 (4): 331–62.

Galton, Francis. 1886. "Regression Towards Mediocrity in Hereditary Stature." *The Journal of the Anthropological Institute of Great Britain and Ireland* 15: 246–63.

Garbuio, Massimo, and Gloria Gheno. 2021. "An Algorithm for Designing Value Propositions in the IoT Space: Addressing the Challenges of

Selecting the Initial Class in Reference Class Forecasting." *IEEE Transactions on Engineering Management* 99: 1–12.

Gardner, Dan. 2009. *Risk: The Science and Politics of Fear.* London: Virgin Books.

Gardner, Dan. 2010. *Future Babble: Why Expert Predictions Fail and Why We Believe Them Anyway.* London: Virgin Books.

Garud, Raghu, Arun Kumaraswamy, and Richard N. Langlois. 2003. *Managing in the Modular Age: Architectures, Networks, and Organizations.* Oxford, UK: Blackwell Publishers.

Gasper, Des. 1986. "Programme Appraisal and Evaluation: The Hiding Hand and Other Stories." *Public Administration and Development* 6 (4): 467–74.

Gates, Bill. 2019. "How We'll Invent the Future: 10 Breakthrough Technologies." *MIT Technology Review,* February 27. https://www.technologyreview.com/2019/02/27/103388/bill-gates-how-well-invent-the-future/.

Gehry, Frank O. 2003. *Gehry Talks: Architecture + Process,* ed. Mildred Friedmann. London: Thames & Hudson.

Gehry, Frank O. 2003. "Introduction." In *Symphony: Frank Gehry's Walt Disney Concert Hall,* ed. Gloria Gerace. New York: Harry N. Abrams.

Gellert, Paul, and Barbara Lynch. 2003. "Mega-Projects as Displacements." *International Social Science Journal* 55, no. 175: 15–25.

Genus, Audley. 1997. "Managing Large-Scale Technology and Inter-organizational Relations: The Case of the Channel Tunnel." *Research Policy* 26 (2): 169–89.

Giezen, Mendel. 2012. "Keeping It Simple? A Case Study into the Advantages and Disadvantages of Reducing Complexity in Mega Project Planning." *International Journal of Project Management* 30 (7): 781–90.

Gigerenzer, Gerd. 2002. "Models of Ecological Rationality: The Recognition Heuristic." *Psychological Review* 109 (1): 75–90.

Gigerenzer, Gerd. 2014. *Risk Savvy: How to Make Good Decisions.* London: Allen Lane.

Gigerenzer, Gerd. 2018. "The Bias Bias in Behavioral Economics." *Review of Behavioral Economics* 5 (3–4): 303–36.

Gigerenzer, Gerd. 2021. "Embodied Heuristics." *Frontiers in Psychology* 12 (September): 1–12.

Gigerenzer, Gerd, and Henry Brighton. 2011. "Homo Heuristicus: Why Biased Minds Make Better Inferences." In *Heuristics: The Foundations of Adaptive Behavior,* eds. Gerd Gigerenzer, Ralph Hertwig, and Thorsten Pachur. Oxford, UK: Oxford University Press, 2–27.

Gigerenzer, Gerd, and Wolfgang Gaissmaier. 2011. "Heuristic Decision Making." *Annual Review of Psychology* 62 (1): 451–82.

Gigerenzer, Gerd, and Daniel G. Goldstein. 1996. "Reasoning the Fast and Frugal Way: Models of Bounded Rationality." *Psychological Review* 103 (4): 650–69.

Gigerenzer, Gerd, Ralph Hertwig, and Thorsten Pachur, eds. 2011. *Heuristics: The Foundations of Adaptive Behavior.* Oxford, UK: Oxford University Press.

Gigerenzer, Gerd, Peter M. Todd, and the ABC Research Group. 1999. *Simple Heuristics That Make Us Smart.* Oxford, UK: Oxford University Press.

Gil, Nuno, Marcela Miozzo, and Silvia Massini. 2011. "The Innovation Potential of New Infrastructure Development: An Empirical Study of Heathrow Airport's T5 Project." *Research Policy* 41 (2): 452–66.

Gilovich, Thomas, Dale Griffin, and Daniel Kahneman, eds. 2002. *Heuristics and Biases: The Psychology of Intuitive Judgment.* Cambridge, UK: Cambridge University Press.

Gino, Francesca, and Bradley Staats. 2015. "Why Organizations Don't Learn." *Harvard Business Review* 93 (10): 110–18.

Gladwell, Malcolm. 2007. *Blink: The Power of Thinking Without Thinking.* New York: Back Bay Books.

Gladwell, Malcolm. 2013. "The Gift of Doubt: Albert O. Hirschman and the Power of Failure." *The New Yorker,* June 17.

Gleick, Peter, Santos Gomez, Penn Loh, and Jason Morrison. 1995. "California Water 2020: A Sustainable Vision." Oakland, CA: Pacific Institute.

Goel, Rajnish K., Bhawani Singh, and Jian Zhao. 2012. *Underground Infrastruc tures: Planning, Design, and Construction.* Waltham, MA: Butterworth-Heinemann.

Goethals, George R., David M. Messick, and Scott T. Allison. 1991. "The Uniqueness Bias: Studies in Constructive Social Comparison." In

*Social Comparison: Contemporary Theory and Research*, eds. Jerry Suls and T. A. Wills. Hillsdale, NJ: Erlbaum, 149–76.

Goldberger, Paul. 2015. *Building Art: The Life and Work of Frank Gehry.* New York: Alfred A. Knopf.

Goldblatt, David. 2016. *The Games: A Global History of the Olympics.* London: Macmillan.

Golder, Peter N., and Gerard J. Tellis. 1993. "Pioneer Advantage: Marketing Logic or Marketing Legend?" *Journal of Marketing Research* 30 (2): 158–70.

Goldstein, Daniel G., and Gerd Gigerenzer. 1999. "The Recognition Heuristic: How Ignorance Makes Us Smart." In *Simple Heuristics That Make Us Smart,* eds. Gerd Gigerenzer, Peter M. Todd, and the ABC Research Group. Oxford, UK: Oxford University Press, 37–58.

Gordon, Christopher M. 1994. "Choosing Appropriate Construction Contracting Method." *Journal of Construction Engineering and Management* 120 (1): 196–211.

Green, Jim. 2016. "Japan Abandons Monju Fast Reactor: The Slow Death of a Nuclear Dream." *The Ecologist,* October 6.

Griffin, Dale W., David Dunning, and Lee Ross. 1990. "The Role of Construal Processes in Overconfident Predictions About the Self and Others." *Journal of Personality and Social Psychology* 59 (6): 1128–39.

Griffith, Saul. 2021. *Electrify: An Optimist's Playbook for Our Clean Energy Future.* Cambridge, MA: MIT Press.

Grubler, Arnulf. 2010. "The Costs of the French Nuclear Scale-up: A Case of Negative Learning by Doing." *Energy Policy* 38 (9): 5174–88.

Guadagno, Rosanna E., and Robert B. Cialdini. 2010. "Preference for Consistency and Social Influence: A Review of Current Research Findings." *Social Influence* 5 (3): 152–63.

Guinote, Ana. 2017. "How Power Affects People: Activating, Wanting, and Goal Seeking." *Annual Review of Psychology* 68 (1): 353–81.

Guinote, Ana, and Theresa K. Vescio, eds. 2010. *The Social Psychology of Power.* New York: Guilford Press.

Gumbel, Emil J. 2004. *Statistics of Extremes.* Mineola, NY: Dover Publications. Hall, Peter. 1980. *Great Planning Disasters.* Harmondsworth, UK: Penguin Books.

Hall, Peter. Undated. *Great Planning Disasters Revisited,* paper. London: Bartlett School.

Henderson, P. D. 1977. "Two British Errors: Their Probable Size and Some Possible Lessons." *Oxford Economic Papers* 29 (2): 159–205.

Hendy, Jane, Barnaby Reeves, Naomi Fulop, Andrew Hutchings, and Cristina Masseria. 2005. "Challenges to Implementing the National Programme for Information Technology (NPfIT): A Qualitative Study." *The BMJ* 331 (7512): 331–36.

HGTV. 2018. "What It's Like to Live in a Sears Catalog Home." YouTube, May 13. https://www.youtube.com/watch?v=3kb24gwnZ18.

Hiltzik, Michael A. 2010. *Colossus: Hoover Dam and the Making of the American Century.* New York: Free Press.

Hiroko, Tabuchi. 2011. "Japan Strains to Fix a Reactor Damaged Before Quake." *The New York Times,* June 17.

Hirschman, Albert O. 1967. "The Principle of the Hiding Hand." *The Public Interest,* no. 6 (Winter): 10–23.

Hirschman, Albert O. 2014. *Development Projects Observed* (Brookings Classic), 3rd ed., with new foreword by Cass R. Sunstein and new afterword by Michele Alacevich. Washington, DC: Brookings Institution.

HM Treasury. 2003. *The Green Book: Appraisal and Evaluation in Central Government.* London: The Stationery Office (TSO).

HM Treasury. 2003. *Supplementary Green Book Guidance: Optimism Bias.* London: The Stationery Office (TSO).

HM Treasury. 2004. *The Orange Book. Management of Risk: Principles and Concepts.* London: The Stationery Office (TSO).

HM Treasury. 2011. *The Green Book: Appraisal and Evaluation in Central Government,* 2003 edition with 2011 amendments. London: The Stationery Office (TSO).

HM Treasury. 2013. *Green Book Supplementary Guidance: Optimism Bias.* London: The Stationery Office (TSO).

HM Treasury. 2015. *Early Financial Cost Estimates of Infrastructure Programmes and Projects and the Treatment of Uncertainty and Risk.* Update, March 26. London: The Stationery Office (TSO).

HM Treasury. 2018. *The Green Book: Central Government Guidance on Appraisal and Evaluation.* London: The Stationery Office (TSO).

HM Treasury. 2019. *The Orange Book. Management of Risk: Principles and Concepts.* London: The Stationery Office (TSO).

HM Treasury. 2020. *The Green Book: Central Government Guidance on Appraisal and Evaluation.* London: The Stationery Office (TSO).

Hobday, Mike. 1998. "Product Complexity, Innovation and Industrial Organisation." *Research Policy* 26 (6): 689–710.

Hodge, Graeme A., and Carsten Greve. 2009. "PPPs: The Passage of Time Permits a Sober Reflection." *Institute of Economic Affairs* 29 (1): 33–39.

Hodge, Graeme A., and Carsten Greve. 2017. "On Public-Private Partnership Performance: A Contemporary Review." *Public Works Management and Policy* 22 (1): 55–78.

Hofstadter, Douglas R. 1979. *Gödel, Escher, Bach: An Eternal Golden Braid.* New York: Basic Books.

Hong, Byoung H., Kyoun E. Lee, and Jae W. Lee. 2007. "Power Law in Firms Bankruptcy." *Physics Letters A* 361: 6–8.

Hong Kong Development Bureau, Project Cost Management Office, and Oxford Global Projects. 2022. *AI in Action: How the Hong Kong Development Bureau Built the PSS, an Early-Warning-Sign System for Public Work Projects.* Hong Kong: Development Bureau.

Horne, John. 2007. "The Four 'Knowns' of Sports Mega Events." *Leisure Studies* 26 (1): 81–96.

HS2, Ltd. "Exploring Our Past, Preparing for the Future." https://www.hs2.org.uk/building-hs2/archaeology/.

Hughes, Thomas P. 2000. *Rescuing Prometheus: Four Monumental Projects That Changed the Modern World.* New York: Vintage.

International Airport Review. 2019. "Heathrow Terminal 5 Named 'World's Best' at Skytrax Awards." *International Airport Review,* March 28. https://www.internationalairportreview.com/news/83710/heathrow-worlds-best-skytrax/.

International Energy Agency (IEA). 2021. *Net Zero by 2050: A Roadmap for the Global Energy Sector.* Paris: IEA, May. https://www.iea.org/reports/net-zero-by-2050.

International Energy Agency (IEA). 2021. *Pathway to Critical and Formidable Goal of Net-Zero Emissions by 2050 Is Narrow but Brings Huge Benefits.* Paris: IEA, May 18.

International Hydropower Association (IHA). 2019. "Country Profile: Norway." IHA. https://www.hydropower.org/country-profiles/norway.

International Renewable Energy Agency (IRENA). 2021. *Renewable Capacity Statistics 2021.* IRENA, March. https://www.irena.org/publications/2021/March/Renewable-Capacity-Statistics-2021.

IPCC. 2021. "Summary for Policymakers." In *Climate Change 2021: The Physical Science Basis. Contribution of Working Group I to the Sixth Assessment Report of the Intergovernmental Panel on Climate Change,* eds. V. Masson-Delmotte, P. Zhai, A. Pirani, S. L. Connors, C. Péan, S. Berger, N. Caud, Y. Chen, L. Goldfarb, M. I. Gomis, M. Huang, K. Leitzell, E. Lonnoy, J.B.R. Matthews, T. K. Maycock, T. Waterfield, O. Yelekçi, R. Yu, and B. Zhou. Cambridge, UK: Cambridge University Press.

Irish Department of Public Expenditure and Reform. 2019. *Public Spending Code: A Guide to Evaluating, Planning and Managing Public Investment.* Dublin: Department of Public Expenditure and Reform.

Isaacson, Walter. 2011. *Steve Jobs.* New York: Simon & Schuster.

Israel, Paul. 1998. *Edison: A Life of Invention.* Hoboken, NJ: John Wiley and Sons.

Jacobsson, Mattias, and Timothy L. Wilson. 2018. "Revisiting the Construction of the Empire State Building: Have We Forgotten Something?" *Business Horizons* 61 (1): 47–57.

Japan Times, The. 2014. "Falsified Inspections Suspected at Monju Fast-Breeder Reactor." *The Japan Times,* April 11.

Japan Times, The. 2015. "More Maintenance Flaws Found at Monju Reactor."

Japan Times, The. March 26.

Japan Times, The. 2016. "Monju Prototype Reactor, Once a Key Cog in Japan's Nuclear Energy Policy, to Be Scrapped." *The Japan Times,* December 21.

Jensen, Henrik J. 1998. *Self-Organized Criticality: Emergent Complex Behavior in Physical and Biological Systems.* Cambridge, UK: Cambridge University Press.

Jones, Lawrence R., and Kenneth J. Euske. 1991. "Strategic Misrepresentation in Budgeting." *Journal of Public Administration Research and Theory* 1 (4): 437–60.

Josephson, Paul R. 1995. "Projects of the Century in Soviet History: Large-Scale Technologies from Lenin to Gorbachev." *Technology and Culture* 36 (3): 519–59.

*Journal of the House of Representatives of the United States.* 1942. 77th Congress, 2nd Session, January 5. Washington, DC: US Government Printing Office, 6.

Jørgensen, Magne, and Kjetil Moløkken-Østvold. 2006. "How Large Are Software Cost Overruns? A Review of the 1994 CHAOS Report." *Information and Software Technology* 48 (4): 297–301.

Kahneman, Daniel. 1992. "Reference Points, Anchors, Norms, and Mixed Feelings." *Organizational Behavior and Human Decision Processes* 51 (2): 296–312.

Kahneman, Daniel. 1994. "New Challenges to the Rationality Assumption." *Journal of Institutional and Theoretical Economics* 150 (1): 18–36.

Kahneman, Daniel. 2011. *Thinking, Fast and Slow.* New York: Farrar, Straus and Giroux.

Kahneman, Daniel, and Gary Klein. 2009. "Conditions for Intuitive Expertise: A Failure to Disagree." *American Psychologist* 64 (6): 515–26.

Kahneman, Daniel, and Dan Lovallo. 1993. "Timid Choices and Bold Forecasts: A Cognitive Perspective on Risk Taking." *Management Science* 39 (1): 17–31.

Kahneman, Daniel, and Dan Lovallo. 2003. "Response to Bent Flyvbjerg." *Harvard Business Review* 81 (12): 122.

Kahneman, Daniel, Dan Lovallo, and Olivier Sibony. 2011. "Before You Make That Big Decision." *Harvard Business Review* 89 (6): 51–60.

Kahneman, Daniel, Olivier Sibony, and Cass R. Sunstein. 2021. *Noise: A Flaw in Human Judgment.* London: William Collins.

Kahneman, Daniel, Paul Slovic, and Amos Tversky, eds. 1982. *Judgment Under Uncertainty: Heuristics and Biases.* Cambridge, UK: Cambridge University Press.

Kahneman, Daniel, and Amos Tversky. 1979. "Intuitive Prediction: Biases and Corrective Procedures." In *Studies in the Management Sciences: Forecasting*, vol. 12, eds. Spyros Makridakis and S. C. Wheelwright. Amsterdam: North Holland, 313–27.

Kahneman, Daniel, and Amos Tversky. 1979. "Prospect Theory: An Analysis of Decisions Under Risk." *Econometrica* 47: 313–27.

Kain, John F. 1990. "Deception in Dallas: Strategic Misrepresentation in Rail Transit Promotion and Evaluation." *Journal of the American Planning Association* 56 (2): 184–96.

Kazan, Elia. 1997. *A Life.* New York: Da Capo.

Keil, Mark, Joan Mann, and Arun Rai. 2000. "Why Software Projects Escalate: An Empirical Analysis and Test of Four Theoretical Models." *MIS Quarterly* 24 (4): 631–64.

Keil, Mark, and Ramiro Montealegre. 2000. "Cutting Your Losses: Extricating Your Organization When a Big Project Goes Awry." *Sloan Management Review* 41 (3): 55–68.

Keil, Mark, Arun Rai, and Shan Liu. 2013. "How User Risk and Requirements Risk Moderate the Effects of Formal and Informal Control on the Process Performance of IT Projects." *European Journal of Information Systems* 22 (6): 650–72.

Kelly, Brendan. 2019. "Olympic Stadium Architect Remembered as a Man of Vision." *Montreal Gazette,* October 3.

Kim, Byung-Cheol, and Kenneth F. Reinschmidt. 2011. "Combination of Project Cost Forecasts in Earned Value Management." *Journal of Construction Engineering and Management* 137 (11): 958–66.

King, Anthony, and Ivor Crewe. 2013. *The Blunders of Our Governments.* London: Oneworld Publications.

Kitroeff, Natalie, Maria Abi-Habib, James Glanz, Oscar Lopez, Weiyi Cai, Evan Grothjan, Miles Peyton, and Alejandro Cegarra. 2021. "Why the Mexico City Metro Collapsed." *The New York Times,* June 13.

Klein, Gary. 2007. "Performing a Project Premortem." *Harvard Business Review* 85 (9): 18–19.

Knowles, Elizabeth, ed. 2014. *Oxford Dictionary of Quotations,* 8th ed. New York: Oxford University Press, 557.

Koch-Weser, Iacob N. 2013. *The Reliability of China's Economic Data: An Analysis of National Output.* Washington, DC: US-China Economic and Security Review Commission, US Congress.

Koshalek, Richard, and Dana Hutt. 2003. "The Impossible Becomes Possible: The Making of Walt Disney Concert Hall." In *Symphony: Frank*

*Gehry's Walt Disney Concert Hall,* ed. Gloria Gerace. New York: Harry N. Abrams.

Krapivsky, Paul, and Dmitri Krioukov. 2008. "Scale-Free Networks as Preasymptotic Regimes of Superlinear Preferential Attachment." *Physical Review E* 78 (2): 1–11.

Krugman, Paul. 2000. "How Complicated Does the Model Have to Be?" *Oxford Review of Economic Policy* 16 (4): 33–42.

Kubota, Yoko. 2011. "Fallen Device Retrieved from Japan Fast-Breeder Reactor." Reuters, June 24. https://www.reuters.com/article/us-japan-nuclear-monju-idUSTRE75N0H320110624.

Kunthara, Sophia. 2014. "A Closer Look at Theranos' Big-Name Investors, Partners, and Board as Elizabeth Holmes' Criminal Trial Begins." *Crunchbase News,* September 14. https://news.crunchbase.com/news/theranos-elizabeth-holmes-trial-investors-board/.

Lacal-Arántegui, Roberto, José M. Yusta, and José A. Domínguez-Navarro. 2018. "Offshore Wind Installation: Analysing the Evidence Behind Improvements in Installation Time." *Renewable and Sustainable Energy Reviews* 92 (September): 133–45.

Lamb, William F. 1931. "The Empire State Building." *Architectural Forum* 54 (1): 1–7.

Larsen, Henning. 2009. *De skal sige tak! Kulturhistorisk testamente om Operaen.* Copenhagen: People's Press, 14.

Latour, Bruno. 1996. *Aramis; or, The Love of Technology.* Cambridge, MA: Harvard University Press.

Lauermann, John, and Anne Vogelpohl. 2017. "Fragile Growth Coalitions or Powerful Contestations? Cancelled Olympic Bids in Boston and Hamburg." *Environment and Planning A* 49 (8): 1887–904.

Lawson, Rebecca. 2006. "The Science of Cycology: Failures to Understand How Everyday Objects Work." *Memory & Cognition* 34 (8): 1667–75.

LeBlanc, Richard D. 2020. *Muskrat Falls: A Misguided Project,* vols. 1–6. Province of Newfoundland and Labrador, Canada: Commission of Inquiry Respecting the Muskrat Falls Project.

Lee, Douglass B., Jr. 1973. "Requiem for Large-Scale Models." *Journal of the American Institute of Planners* 39 (3): 163–78.

Lenfle, Sylvian, and Christoph Loch. 2010. "Lost Roots: How Project Management Came to Emphasize Control over Flexibility and Novelty." *California Management Review* 53 (1): 32–55.

Levinson, Marc. 2016. *The Box: How the Shipping Container Made the World Smaller and the World Economy Bigger.* Princeton, NJ: Princeton University Press.

Levy, Steven. 2017. "One More Thing." *Wired,* May 16.

Levy, Steven. 2020. "20 Years Ago, Steve Jobs Built the 'Coolest Computer Ever.' It Bombed." *Wired,* July 24.

Lia, Leif, Trond Jensen, Kjell E. Stensby, and Grethe H. Midttømme. 2015. "The Current Status of Hydropower Development and Dam Construction in Norway." *Hydropower & Dams* 22, no. 3.

Lieberman, Marvin. 2018. "First-Mover Advantage." In *Palgrave Encyclopedia of Strategic Management,* eds. Mie Augier and David J. Teece. London: Palgrave Macmillan.

Lieberman, Marvin B., and David B. Montgomery. 1988. "First-Mover Advantages." *Strategic Management Journal* 9 (51): 41–58.

Lindsey, Bruce. 2001. *Digital Gehry: Material Resistance, Digital Construction.* Basel: Birkhäuser.

Liou, Joanne. 2021. "What Are Small Modular Reactors (SMRs)?" International Atomic Energy Agency, November 4. https://www.iaea.org/newscenter/news/what-are-small-modular-reactors-smrs.

Little, Angela W. 2007. *Education for All and Multigrade Teaching: Challenges and Opportunities.* Dordrecht, Netherlands: Springer.

Liu, Li, and Zigrid Napier. 2010. "The Accuracy of Risk-Based Cost Estimation for Water Infrastructure Projects: Preliminary Evidence from Australian Projects." *Construction Management and Economics* 28 (1): 89–100.

Liu, Li, George Wehbe, and Jonathan Sisovic. 2010. "The Accuracy of Hybrid Estimating Approaches: A Case Study of an Australian State Road and Traffic Authority." *The Engineering Economist* 55 (3): 225–45.

Lopez, Oscar. 2021. "Faulty Studs Led to Mexico City Metro Collapse, Attorney General Says." *The New York Times,* October 14.

Lovallo, Dan, Carmine Clarke, and Colin Camerer. 2012. "Robust Analogizing and the Outside View: Two Empirical Tests of Case-Based Decision Making." *Strategic Management Journal* 33: 496–512.

Lovallo, Dan, Matteo Cristofaro, and Bent Flyvbjerg. 2022. "Addressing Governance Errors and Lies in Project Forecasting." *Academy of Management Perspectives,* forthcoming.

Lovallo, Dan, and Daniel Kahneman. 2003. "Delusions of Success: How Optimism Undermines Executives' Decisions." *Harvard Business Review* 81 (7): 56–63.

Lovering, Jessica R., Arthur Yip, and Ted Nordhaus. 2016. "Historical Construction Costs of Global Nuclear Power Reactors." *Energy Policy* 91: 371–82.

Luberoff, David, and Alan Altshuler. 1996. *Mega-Project: A Political History of Boston's Multibillion Dollar Central Artery/Third Harbor Tunnel Project.* Cambridge, MA: Taubman Center for State and Local Government, Kennedy School of Government, Harvard University.

Madsen, Heather L., and John P. Ulhøi. 2021. "Sustainable Visioning: Reframing Strategic Vision to Enable a Sustainable Corporation Transformation." *Journal of Cleaner Production* 288 (March): 125602.

Maillart, Thomas, and Didier Sornette. 2010. "Heavy-Tailed Distribution of Cyber-Risks." *The European Physical Journal B* 75 (3): 357–64.

Major Projects Association. 1994. *Beyond 2000: A Source Book for Major Projects.* Oxford, UK: Major Projects Association.

Makridakis, Spyros, and Nassim N. Taleb. 2009. "Living in a World of Low Levels of Predictability." *International Journal of Forecasting* 25 (4): 840–44.

Malamud, Bruce D., and Donald L. Turcotte. 2006. "The Applicability of Power-Law Frequency Statistics to Floods." *Journal of Hydrology* 322 (1–4): 168–80.

Manchester Evening News. 2007. "Timeline: The Woes of Wembley Stadium." *Manchester Evening News,* February 15.

Mandelbrot, Benoit B. 1960. "The Pareto-Lévy Law and the Distribution of Income." *International Economic Review* 1 (2): 79–106.

Mandelbrot, Benoit B. 1963. "New Methods in Statistical Economics." *Journal of Political Economy* 71 (5): 421–40.

Mandelbrot, Benoit B. 1963. "The Variation of Certain Speculative Prices." *The Journal of Business* 36 (4): 394–419; correction printed in Mandelbrot, Benoit B. 1972. *The Journal of Business* 45 (4): 542–43; revised version reprinted in Mandelbrot, Benoit B. 1997. *Fractals and Scaling in Finance*. New York: Springer, 371–418.

Mandelbrot, Benoit B. 1997. *Fractals and Scaling in Finance*. New York: Springer. Mandelbrot, Benoit B., and Richard L. Hudson. 2008. *The (Mis)behavior of Markets*. London: Profile Books.

Mandelbrot, Benoit B., and James R. Wallis. 1968. "Noah, Joseph, and Operational Hydrology." *Water Resources Research* 4 (5): 909–18.

Mann, Michael E. 2021. *The New Climate War: The Fight to Take the Planet Back*. London: Scribe.

Marewski, Julian N., Wolfgang Gaissmaier, and Gerd Gigerenzer. 2010. "Good Judgments Do Not Require Complex Cognition." *Cognitive Processing* 11 (2): 103–21.

Markovic, Dimitrije, and Claudius Gros. 2014. "Power Laws and Self-Organized Criticality in Theory and Nature." *Physics Reports* 536 (2): 41–74.

McAdam, Doug, Hilary S. Boudet, Jennifer Davis, Ryan J. Orr, W. Richard Scott, and Raymond E. Levitt. 2010. "Site Fights: Explaining Opposition to Pipeline Projects in the Developing World." *Sociological Forum* 25: 401–27.

McCormick, Iain A., Frank H. Walkey, and Dianne E. Green. 1986. "Comparative Perceptions of Driver Ability: A Confirmation and Expansion." *Accident Analysis & Prevention* 18 (3): 205–8.

McCully, Patrick. 2001. *Silenced Rivers: The Ecology and Politics of Large Dams*. London: Zed Books.

McCurdy, Howard E. 2001. *Faster, Better, Cheaper: Low-Cost Innovation in the U.S. Space Program*. Baltimore, MD: Johns Hopkins University Press. Melis, Manuel. 2002. "Building a Metro: It's Easier Than You Think." *International Railway Journal,* April, 16–19.

Melis, Manuel. 2011. *Apuntes de introducción al Proyecto y Construcción de Túneles y Metros en suelos y rocas blandas o muy rotas: La construcción del Metro de Madrid y la M-30*. Madrid: Politécnica.

Merriam-Webster. "Your 'Deadline' Won't Kill You." Merriam-Webster. https://www.merriam-webster.com/words-at-play/your-deadline-wont-kill-you.

Merrow, Edward W. 2011. *Industrial Megaprojects: Concepts, Strategies, and Practices for Success.* Hoboken, NJ: Wiley.

Midler, Christophe. 1995. "Projectification of the Firm: The Renault Case." *Scandinavian Journal of Management* 11 (4): 363–75.

Miller, Roger, and Donald R. Lessard. 2000. *The Strategic Management of Large Engineering Projects: Shaping Institutions, Risks, and Governance.* Cambridge, MA: MIT Press.

MIT Energy Initiative. 2018. *The Future of Nuclear Energy in a Carbon-Constrained World.* Cambridge, MA: MIT.

Mitzenmacher, Michael. 2004. "A Brief History of Generative Models for Power Law and Lognormal Distributions." *Internet Mathematics* 1 (2): 226–51.

Mitzenmacher, Michael. 2005. "Editorial: The Future of Power Law Research." *Internet Mathematics* 2 (4): 525–34.

Molle, François, and Philippe Floch. 2008. "Megaprojects and Social and Environmental Changes: The Case of the Thai Water Grid." *AMBIO: A Journal of the Human Environment* 37 (3): 199–204.

Montealgre, Ramiro, and Mark Keil. 2000. "De-escalating Information Technology Projects: Lessons from the Denver International Airport." *MIS Quarterly* 24 (3): 417–47.

Moore, Don A., and Paul J. Healy. 2008. "The Trouble with Overconfidence." *Psychological Review* 115 (2): 502–17.

Morris, Peter W. G. 2013. *Reconstructing Project Management.* Oxford, UK: Wiley-Blackwell.

Morris, Peter W. G., and George H. Hough. 1987. *The Anatomy of Major Projects: A Study of the Reality of Project Management.* New York: John Wiley and Sons.

Morten, Alf, Yasutami Shimomure, and Annette Skovsted Hansen. 2008. *Aid Relationships in Asia: Exploring Ownership in Japanese and Nordic Aid.* London: Palgrave Macmillan.

Müller, Martin, and Chris Gaffney. 2018. "Comparing the Urban Impacts of the FIFA World Cup and the Olympic Games from 2010 to 2016." *Journal of Sport and Social Issues* 42 (4): 247–69.

Murray, Peter. 2003. *The Saga of the Sydney Opera House.* London: Routledge.

National Audit Office of Denmark, De af Folketinget Valgte Statsrevisorer. 1998. *Beretning om Storebæltsforbindelsens økonomi.* Beretning 4/97. Copenhagen: Statsrevisoratet.

Newby-Clark, Ian R., Michael Ross, Roger Buehler, Derek J. Koehler, and Dale W. Griffin. 2000. "People Focus on Optimistic and Disregard Pessimistic Scenarios While Predicting Task Completion Times." *Journal of Experimental Psychology: Applied* 6 (3): 171–82.

Newman, Alexander, Ross Donohue, and Nathan Eva. 2015. "Psychological Safety: A Systematic Review of the Literature." *Human Resource Management Review* 27 (3): 521–35.

Newman, Mark E. 2005. "Power Laws, Pareto Distributions and Zipf's Law." *Contemporary Physics* 46 (5): 323–51.

New Zealand Treasury. 2018. *Better Business Cases: Guide to Developing a Detailed Business Case.* Wellington, NZ: Crown.

Nouvel, Jean. 2009. "Interview About DR-Byen." *Weekendavisen,* Copenhagen, January 16.

O'Reilly, Charles, and Andrew J. M. Binns. 2019. "The Three Stages of Disruptive Innovation: Idea Generation, Incubation, and Scaling." *California Management Review* 61 (3): 49–71.

Orr, Ryan J., and W. Richard Scott. 2008. "Institutional Exceptions on Global Projects: A Process Model." *Journal of International Business Studies* 39 (4): 562–88.

Ørsted. 2020. "Making Green Energy Affordable: How the Offshore Wind Energy Industry Matured—and What We Can Learn from It." https://orsted.com/en/about-us/whitepapers/making-green-energy-affordable.

O'Sullivan, Owen P. 2015. "The Neural Basis of Always Looking on the Bright Side." *Dialogues in Philosophy, Mental and Neuro Sciences* 8 (1): 11–15.

Our World in Data. 2022. "Share of Electricity Production by Source, World." *Our World in Data.* https://ourworldindata.org/grapher/share-elec-by-source.

Pallier, Gerry, Rebecca Wilkinson, Vanessa Danthiir, Sabina Kleitman, Goran Knezevic, Lazar Stankov, and Richard D. Roberts. 2002. "The Role of Individual Differences in the Accuracy of Confidence Judgments." *The Journal of General Psychology* 129 (3): 257–99.

Park, Jung E. 2021. "Curbing Cost Overruns in Infrastructure Investment: Has Reference Class Forecasting Delivered Its Promised Success?" *European Journal of Transport and Infrastructure Research* 21 (2): 120–36.

Patanakul, Peerasit. 2014. "Managing Large-Scale IS/IT Projects in the Public Sector: Problems and Causes Leading to Poor Performance." *The Journal of High Technology Management Research* 25 (1): 21–35.

Patel, Ashish, Paul A. Bosela, and Norbert J. Delatte. 2013. "1976 Montreal Olympics: Case Study of Project Management Failure." *Journal of Performance of Constructed Facilities* 27 (3): 362–69.

PBS. 2015. "Looking Back at Frank Gehry's Building-Bending Feats." *PBS NewsHour,* September 15. https://www.pbs.org/newshour/show/frank-gehry. Perrow, Charles. 1999. *Normal Accidents: Living with High-Risk Technologies,* updated ed. Princeton, NJ: Princeton University Press.

Phys.org. 2014. "Japan to Abandon Troubled Fast Breeder Reactor." Phys.org, February 7. https://phys.org/news/2014-02-japan-abandon-fast-breeder-reactor.html.

Pickrell, Don. 1985. "Estimates of Rail Transit Construction Costs." *Transportation Research Record* 1006: 54–60.

Pickrell, Don. 1985. "Rising Deficits and the Uses of Transit Subsidies in the United States." *Journal of Transport Economics and Policy* 19 (3): 281–98.

Pickrell, Don. 1990. *Urban Rail Transit Projects: Forecast Versus Actual Ridership and Cost.* Washington, DC: US Department of Transportation.

Pickrell, Don. 1992. "A Desire Named Streetcar: Fantasy and Fact in Rail Transit Planning." *Journal of the American Planning Association* 58 (2): 158–76.

Pisarenko, Valeriy F., and Didier Sornette. 2012. "Robust Statistical Tests of Dragon-Kings Beyond Power Law Distributions." *The European Physical Journal: Special Topics* 205: 95–115.

Pitsis, Tyrone S., Stewart R. Clegg, Marton Marosszeky, and Thekla RuraPolley. 2003. "Constructing the Olympic Dream: A Future Perfect Strategy of Project Management." *Organization Science* 14 (5): 574–90.

Polanyi, Michael. 1966. *The Tacit Dimension.* Chicago: University of Chicago Press.

Popovich, Nadja, and Winston Choi-Schagrin. 2021. "Hidden Toll of the Northwest Heat Wave: Hundreds of Extra Deaths." *The New York Times,* August 11.

Priemus, Hugo. 2010. "Mega-Projects: Dealing with Pitfalls." *European Planning Studies* 18 (7): 1023–39.

Priemus, Hugo, Bent Flyvbjerg, and Bert van Wee, eds. 2008. *Decision-Making on Mega-Projects: Cost-Benefit Analysis, Planning and Innovation.* Cheltenham, UK: Edward Elgar.

Proeger, Till, and Lukas Meub. 2014. "Overconfidence as a Social Bias: Experimental Evidence." *Economics Letters* 122 (2): 203–7.

Public Accounts Committee. 2013. *The Dismantled National Programme for IT in the NHS: Nineteenth Report of Session 2013–14,* HC 294. London: House of Commons.

Qiu, Jane. 2011. "China Admits Problems with Three Gorges Dam." *Nature,* May 25. https://www.nature.com/articles/news.2011.315.

Quinn, Ben. 2008. "253m Legal Battle over Wembley Delays." *The Guardian,* March 16.

Ramirez, Joshua Elias. 2021. *Toward a Theory of Behavioral Project Management,* doctoral dissertation. Chicago: Chicago School of Professional Psychology.

Randall, Tom. 2017. "Tesla Flips the Switch on the Gigafactory." Bloomberg, January 4. https://www.bloomberg.com/news/articles/2017-01-04/tesla-flips-the-switch-on-the-gigafactory.

Reichold, Klaus, and Bernhard Graf. 2004. *Buildings That Changed the World.* London: Prestel.

Ren, Xuefei. 2008. "Architecture as Branding: Mega Project Developments in Beijing." *Built Environment* 34 (4): 517–31.

Ren, Xuefei. 2017. "Biggest Infrastructure Bubble Ever? City and Nation Building with Debt-Financed Megaprojects in China." In *The Oxford Handbook of Megaproject Management,* ed. Bent Flyvbjerg. Oxford, UK: Oxford University Press, 137–51.

Reuters. 2021. "Bill Gates and Warren Buffett to Build New Kind of Nuclear Reactor in Wyoming." *The Guardian,* June 3.

Rich, Motoko, Stanley Reed, and Jack Ewing. 2021. "Clearing the Suez Canal Took Days. Figuring Out the Costs May Take Years." *The New York Times*, March 31.

Richmond, Jonathan. 2005. *Transport of Delight: The Mythical Conception of Rail Transit in Los Angeles*. Akron, OH: University of Akron Press.

Ries, Eric. 2011. *The Lean Startup*. New York: Currency.

Riga, Andy. 2016. "Montreal Olympic Photo Flashback: Stadium Was Roofless at 1976 Games." *Montreal Gazette*, July 21.

Robinson, John B. 1990. "Futures Under Glass: A Recipe for People Who Hate to Predict." *Futures* 22 (8): 820–42.

Romzek, Barbara S., and Melvin J. Dubnick. 1987. "Accountability in the Public Sector: Lessons from the Challenger Tragedy." *Public Administration Review* 47 (3): 227–38.

Roser, Christopher. 2017. *Faster, Better, Cheaper in the History of Manufacturing*. Boca Raton, FL: CRC Press.

Roser, Max, Cameron Appel, and Hannah Ritchie. 2013. "Human Height." *Our World in Data*. https://ourworldindata.org/human-height.

Ross, Jerry, and Barry M. Staw. 1986. "Expo 86: An Escalation Prototype." *Administrative Science Quarterly* 31 (2): 274–97.

Ross, Jerry, and Barry M. Staw. 1993. "Organizational Escalation and Exit: The Case of the Shoreham Nuclear Power Plant." *Academy of Management Journal* 36 (4): 701–32.

Rothengatter, Werner. 2008. "Innovations in the Planning of Mega-Projects." In *Decision-Making on Mega-Projects: Cost-Benefit Analysis, Planning, and Innovation*, eds. Hugo Priemus, Bent Flyvbjerg, and Bert van Wee. Cheltenham, UK: Edward Elgar, 215–38.

Royer, Isabelle. 2003. "Why Bad Projects Are So Hard to Kill." *Harvard Business Review* 81 (2): 48–56.

Rozenblit, Leonid, and Frank Keil. 2002. "The Misunderstood Limits of Folk Science: An Illusion of Explanatory Depth." *Cognitive Science* 26 (5): 521–62.

Rumsfeld, Donald. 2002. "DoD News Briefing: Secretary Rumsfeld and Gen. Myers." U.S. Department of Defense, February 12. https://archive.ph/20180320091111/http://archive.defense.gov/Transcripts/Transcript.aspx?TranscriptID=2636#selection-401.0-401.53.

Ryan, Richard M., and Edward L. Deci. 2017. *Self-Determination Theory: Basic Psychological Needs in Motivation, Development, and Wellness.* New York: Guilford Press.

Sacks, Rafael, and Rebecca Partouche. 2010. "Empire State Building Project: Archetype of 'Mass Construction.'" *Journal of Construction Engineering and Management* 136 (6): 702–10.

Sanders, Heywood T. 2014. *Convention Center Follies: Politics, Power, and Public Investment in American Cities.* Philadelphia: University of Pennsylvania Press. Sapolsky, Harvey M. 1972. *The Polaris System Development.* Cambridge, MA: Harvard University Press.

Sawyer, John E. 1951. "Entrepreneurial Error and Economic Growth." *Explorations in Entrepreneurial History* 4 (4): 199–204.

Sayles, Leonard R., and Margaret K. Chandler. 1971. *Managing Large Systems: Organizations for the Future.* New York: Free Press.

Schmidt-Nielsen, Knut. 1984. *Scaling: Why Is Animal Size So Important?* Cambridge, UK: Cambridge University Press.

Schön, Donald A. 1994. "Hirschman's Elusive Theory of Social Learning." In *Rethinking the Development Experience: Essays Provoked by the Work of Albert O. Hirschman,* eds. Lloyd Rodwin and Donald A. Schön. Washington, DC: Brookings Institution and Lincoln Institute of Land Policy, 67–95.

Schumacher, Ernst F. 1973. *Small Is Beautiful: A Study of Economics as If People Mattered,* new ed. London: Vintage.

Scott, James C. 1999. *Seeing Like a State: How Certain Schemes to Improve the Human Condition Have Failed.* New Haven, CT: Yale University Press.

Scott, W. Richard. 2012. "The Institutional Environment of Global Project Organizations." *Engineering Project Organization Journal* 2 (1–2): 27–35.

Scott, W. Richard, Raymond E. Levitt, and Ryan J. Orr, eds. 2011. *Global Projects: Institutional and Political Challenges.* Cambridge, UK: Cambridge University Press.

Scudder, Thayer. 1973. "The Human Ecology of Big Projects: River Basin Development and Resettlement." *Annual Review of Anthropology* 2: 45–55.

Scudder, Thayer. 2005. *The Future of Large Dams: Dealing with Social, Environmental, Institutional and Political Costs*. London: Earthscan.

Scudder, Thayer. 2017. "The Good Megadam: Does It Exist, All Things Considered?" In *The Oxford Handbook of Megaproject Management*, ed. Bent Flyvbjerg. Oxford, UK: Oxford University Press, 428–50.

Selznick, Philip. 1949. *TVA and the Grass Roots: A Study in the Sociology of Formal Organization*. Berkeley: University of California Press.

Servranckx, Tom, Mario Vanhoucke, and Tarik Aouam. 2021. "Practical Application of Reference Class Forecasting for Cost and Time Estimations: Identifying the Properties of Similarity." *European Journal of Operational Research* 295 (3): 1161–79.

Shapira, Zur, and Donald J. Berndt. 1997. "Managing Grand Scale Construction Projects: A Risk Taking Perspective." *Research in Organizational Behavior* 19: 303–60.

Sharot, Tali. 2011. *The Optimism Bias: A Tour of the Irrationally Positive Brain*. New York: Pantheon.

Sharot, Tali, Alison M. Riccardi, Candace M. Raio, and Elizabeth A. Phelps. 2007. "Neural Mechanisms Mediating Optimism Bias." *Nature* 450 (7166): 102–5.

Shepperd, James A., Patrick Carroll, Jodi Grace, and Meredith Terry. 2002. "Exploring the Causes of Comparative Optimism." *Psychologica Belgica* 42 (1–2): 65–98.

Siemiatycki, Matti. 2009. "Delivering Transportation Infrastructure Through Public-Private Partnerships: Planning Concerns." *Journal of the American Planning Association* 76 (1): 43–58.

Siemiatycki, Matti, and Jonathan Friedman. 2012. "The Trade-Offs of Transferring Demand Risk on Urban Transit Public-Private Partnerships." *Public Works Management & Policy* 17 (3): 283–302.

Silberston, Aubrey 1972. "Economies of Scale in Theory and Practice." *The Economic Journal* 82 (325): 369–91.

Simmons, Joseph P., Robyn A. LeBoeuf, and Leif D. Nelson. 2010. "The Effect of Accuracy Motivation on Anchoring and Adjustment: Do People Adjust from Provided Anchors?" *Journal of Personality and Social Psychology* 99 (6): 917–32.

Simon, Herbert A. 1991. "The Architecture of Complexity." In *Facets of Systems Science,* ed. G. J. Klir. Boston: Springer, 457–76.

Singh, Satyajit. 2002. *Taming the Waters: The Political Economy of Large Dams in India.* New Delhi: Oxford University Press.

Sivaram, Varun. 2018. *Taming the Sun: Innovations to Harness Solar Energy and Power the Planet.* Cambridge, MA: MIT Press.

Skamris, Mette K., and Bent Flyvbjerg. 1997. "Inaccuracy of Traffic Forecasts and Cost Estimates on Large Transport Projects." *Transport Policy* 4 (3): 141–46.

Skar, Harald O., and Sven Cederroth. 1997. *Development Aid to Nepal: Issues and Options in Energy, Health, Education, Democracy, and Human Rights.* Abingdonon-Thames, UK: Routledge.

Sleesman, Dustin J., Donald E. Conlon, Gerry McNamara, and Jonathan E. Miles. 2012. "Cleaning Up the Big Muddy: A Meta-analytic Review of the Determinants of Escalation of Commitment." *The Academy of Management Journal* 55 (3): 541–62.

Slovic, Paul. 2000. *The Perception of Risk.* Sterling, VA: EarthScan.

Smith, Stanley K. 1997. "Further Thoughts on Simplicity and Complexity in Population Projection Models." *International Journal of Forecasting* 13 (4): 557–65.

Sorkin, Andrew R. 2010. *Too Big to Fail: The Inside Story of How Wall Street and Washington Fought to Save the Financial System—and Themselves.* London: Penguin.

Sornette, Didier, and Guy Ouillon. 2012. "Dragon-Kings: Mechanisms, Statistical Methods and Empirical Evidence." *The European Physical Journal Special Topics* 205 (1): 1–26.

Sovacool, Benjamin K., and L. C. Bulan. 2011. "Behind an Ambitious Megaproject in Asia: The History and Implications of the Bakun Hydroelectric Dam in Borneo." *Energy Policy* 39 (9): 4842–59.

Sovacool, Benjamin K., and Christopher J. Cooper. 2013. *The Governance of Energy Megaprojects: Politics, Hubris and Energy Security.* Cheltenham, UK: Edward Elgar.

Sovacool, Benjamin K., Peter Enevoldsen, Christian Koch, and Rebecca J. Barthelmie. 2017. "Cost Performance and Risk in the Construction of Offshore and Onshore Wind Farms." *Wind Energy* 20 (5): 891–908.

Stanovich, Keith, and Richard West. 2000. "Individual Differences in Reasoning: Implications for the Rationality Debate." *Behavioral and Brain Sciences* 23 (5): 645–65.

Statens Offentlige Utredningar (SOU). 2004. *Betalningsansvaret för kärnav-fallet*. Stockholm: Statens Offentlige Utredningar.

Staw, Barry M. 1976. "Knee-Deep in the Big Muddy: A Study of Escalating Commitment to a Chosen Course of Action." *Organizational Behavior and Human Resources* 16 (1): 27–44.

Staw, Barry M. 1997. "The Escalation of Commitment: An Update and Appraisal." In *Organizational Decision Making*, ed. Zur Shapira. Cambridge, UK: Cambridge University Press, 191–215.

Steinberg, Marc. 2021. "From Automobile Capitalism to Platform Capitalism: Toyotism as a Prehistory of Digital Platforms." *Organization Studies* 43 (7): 1069–90.

Steinel, Wolfgang, and Carsten K. W. De Dreu. 2004. "Social Motives and Strategic Misrepresentation in Social Decision Making." *Journal of Personality and Social Psychology* 86 (3): 419–34.

Stevens, Joseph E. 1988. *Hoover Dam: An American Adventure*. Norman: University of Oklahoma Press.

Stigler, George J. 1958. "The Economies of Scale." *Journal of Law & Economics* 1 (1): 54.

Stinchcombe, Arthur L., and Carol A. Heimer. 1985. *Organization Theory and Project Management: Administering Uncertainty in Norwegian Offshore Oil*. Oslo: Norwegian University Press.

Stone, Brad. 2021. *Amazon Unbound: Jeff Bezos and the Invention of a Global Empire*. New York: Simon & Schuster.

Stone, Richard. 2008. "Three Gorges Dam: Into the Unknown." *Science* 321 (5889): 628–32.

Stone, Richard. 2011. "The Legacy of the Three Gorges Dam." *Science* 333 (6044): 817.

Suarez, Fernando, and Gianvito Lanzolla. 2005. "The Half-Truth of First-Mover Advantage." *Harvard Business Review* 83 (4): 121–27.

Suls, Jerry, and Choi K. Wan. 1987. "In Search of the False Uniqueness Phenomenon: Fear and Estimates of Social Consensus." *Journal of Personality and Social Psychology* 52 (1): 211–17.

Suls, Jerry, Choi K. Wan, and Glenn S. Sanders. 1988. "False Consensus and False Uniqueness in Estimating the Prevalence of Health-Protective Behaviors." *Journal of Applied Social Psychology* 18 (1): 66–79.

Sunstein, Cass R. 2002. "Probability Neglect: Emotions, Worst Cases, and Law." *Yale Law Review* 112 (1): 61–107.

Sunstein, Cass R. 2013. "An Original Thinker of Our Time." *The New York Review of Books,* May 23, 14–17.

Sutterfield, Scott J., Shawnta Friday-Stroud, and Sheryl Shivers-Blackwell. 2006. "A Case Study of Project and Stakeholder Management Failures: Lessons Learned." *Project Management Journal* 37 (5): 26–36.

Swiss Association of Road and Transportation Experts. 2006. *Kosten-Nutzen-Analysen im Strassenverkehr,* Grundnorm 641820, valid from August 1. Zürich: Swiss Association of Road and Transportation Experts.

Swyngedouw, Erik, Frank Moulaert, and Arantxa Rodriguez. 2002. "Neoliberal Urbanization in Europe: Large-Scale Urban Development Projects and the New Urban Policy." *Antipode* 34 (3): 542–77.

Szyliowicz, Joseph S., and Andrew R. Goetz. 1995. "Getting Realistic About Megaproject Planning: The Case of the New Denver International Airport." *Policy Sciences* 28 (4): 347–67.

Taleb, Nassim N. 2004. *Fooled by Randomness: The Hidden Role of Chance in Life and in the Markets.* London: Penguin.

Taleb, Nassim N. 2007. *The Black Swan: The Impact of the Highly Improbable.* New York: Random House.

Taleb, Nassim N. 2012. *Antifragile: How to Live in a World We Don't Understand.* London: Allen Lane.

Taleb, Nassim N. 2018. *Skin in the Game: Hidden Asymmetries in Daily Life.* London: Penguin Random House.

Taleb, Nassim N. 2020. *Statistical Consequences of Fat Tails: Real World Preasymptotics, Epistemology, and Applications (Technical Incerto).* New York: STEM Academic Press.

Taleb, Nassim N., Yaneer Bar-Yam, and Pasquale Cirillo. 2022. "On Single Point Forecasts for Fat-Tailed Variables." *International Journal of Forecasting* 38 (2): 413–22.

Tallman, Erin. 2020. "Behind the Scenes at China's Prefab Hospitals Against Coronavirus." *E-Magazine* by MedicalExpo, March 5. https://

emag.medical expo.com/qa-behind-the-scenes-of-chinas-prefab-hospitals-against-coronavirus/.

Tauranac, John. 2014. *The Empire State Building: The Making of a Landmark*. Ithaca, NY: Cornell University Press.

Teigland, Jon. 1999. "Mega Events and Impacts on Tourism; the Predictions and Realities of the Lillehammer Olympics." *Impact Assessment and Project Appraisal* 17 (4): 305–17.

Tepper, Fitz. 2015. "Satellite Maker Planet Labs Acquires BlackBridge's Geospatial Business." *TechCrunch*, July 15. https://techcrunch.com/2015/07/15/satellite-maker-planet-labs-acquires-blackbridges-geospatial-business/.

Tetlock, Philip E. 2005. *Expert Political Judgment: How Good Is It? How Can We Know?* Princeton, NJ: Princeton University Press.

Tetlock, Philip E., and Dan Gardner. 2015. *Superforecasting: The Art and Science of Prediction*. New York: Random House.

Thaler, Richard H. 2015. *Misbehaving: How Economics Became Behavioural*. London: Allen Lane.

Torrance, Morag I. 2008. "Forging Global Governance? Urban Infrastructures as Networked Financial Products." *International Journal of Urban and Regional Research* 32 (1): 1–21.

Turner, Barry A., and Nick F. Pidgeon. 1997. *Man-Made Disasters*. Oxford, UK: Butterworth-Heinemann.

Turner, Rodney, and Ralf Müller. 2003. "On the Nature of the Project as a Temporary Organization." *International Journal of Project Management* 21 (7): 1–8.

Tversky, Amos, and Daniel Kahneman. 1973. "Availability: A Heuristic for Judging Frequency and Probability." *Cognitive Psychology* 5 (2): 207–32.

Tversky, Amos, and Daniel Kahneman. 1974. "Judgment Under Uncertainty: Heuristics and Biases." *Science* 185 (4157): 1124–31.

Tversky, Amos, and Daniel Kahneman. 1981. "The Framing of Decisions and the Psychology of Choice." *Science* 211 (4481): 453–58.

Tversky, Amos, and Daniel Kahneman. 1982. "Evidential Impact of Base Rates." In *Judgment Under Uncertainty: Heuristics and Biases*, eds.

Daniel Kahneman, Paul Slovic, and Amos Tversky. Cambridge, UK: Cambridge University Press, 153–62.

Tyrnauer, Matt. 2010. "Architecture in the Age of Gehry." *Vanity Fair*, June 30. UK Department for Transport. 2006. *Changes to the Policy on Funding Major Projects*. London: Department for Transport.

UK Department for Transport. 2006. *The Estimation and Treatment of Scheme Costs: Transport Analysis Guidance*. London: Department for Transport. http:// www.dft.gov.uk/webtag/documents/expert/unit3.5.9.php.

UK Department for Transport. 2015. *Optimism Bias Study: Recommended Adjustments to Optimism Bias Uplifts*. London: Department for Transport.

UK Department for Transport and Oxford Global Projects. 2020. *Updating the Evidence Behind the Optimism Bias Uplifts for Transport Appraisals: 2020 Data Update to the 2004 Guidance Document "Procedures for Dealing with Optimism Bias in Transport Planning."* London: Department for Transport.

UK Infrastructure and Projects Authority. 2016. *Improving Infrastructure Delivery: Project Initiation Routemap*. London: Crown Publishing.

UK National Audit Office. 2009. *Supplementary Memorandum by the National Audit Office on Optimism Bias*. London: UK Parliament.

UK National Audit Office. 2013. *Over-Optimism in Government Projects*. London: National Audit Office.

UK National Audit Office. 2014. *Lessons from Major Rail Infrastructure Programmes*, No. HC: 267, 14–15. London: National Audit Office, 40.

Unesco World Heritage Convention. 2022. "Sydney Opera House." https:// whc.unesco.org/en/list/166.

US Congress, House Committee on Science and Astronautics. 1973. *1974 Nasa Authorization. Hearings, 93rd Congress, First Session, on H.R. 4567*. Washington, DC: US Government Printing Office.

US Department of Justice. 2021. *U.S. v. Elizabeth Holmes, et al*. US Attorney's Office, Northern District of California, August 3. Department of Justice. https://www.justice.gov/usao-ndca/us-v-elizabeth-holmes-et-al.

US Department of Justice. 2021. "Former SCANA CEO Sentenced to Two Years for Defrauding Ratepayers in Connection with Failed Nuclear

Construction Program." Department of Justice, October 7. https://www.justice.gov /usao-sc /pr/former-scana-ceo -sentenced -two-years -defrauding-ratepayers-connection-failed-nuclear.

US National Research Council. 2007. *Metropolitan Travel Forecasting: Current Practice and Future Direction.* Special report no. 288. Washington, DC: Committee for Determination of the State of the Practice in Metropolitan Area Travel Forecasting and Transportation Research Board.

US Office of the Inspector General. 2012. *Nasa's Challenges to Meeting Cost, Schedule, and Performance Goals.* Report no. IG-12-021 (Assignment N. A-11-009-00). Washington, DC: Nasa.

Van der Kraats, Marion. 2021. "BER Boss: New Berlin Airport Has Money Only Until Beginning of 2022." *Aviation Pros.* https://www.aviationpros.com/airports/news/21244678/ber-boss-new-berlin-airport-has-money-only-until-beginning-of-2022.

Van der Westhuizen, Janis. 2007. "Glitz, Glamour and the Gautrain: MegaProjects as Political Symbols." *Politikon* 34 (3): 333–51.

Vanwynsberghe, Rob, Björn Surborg, and Elvin Wyly. 2013. "When the Games Come to Town: Neoliberalism, Mega-Events and Social Inclusion in the Vancouver 2010 Winter Olympic Games." *International Journal of Urban and Regional Research* 37 (6): 2074–93.

Véliz, Carissa. 2020. *Privacy Is Power: Why and How You Should Take Back Control of Your Data.* London: Bantam.

Vickerman, Roger. 2017. "Wider Impacts of Megaprojects: Curse or Cure?" In *The Oxford Handbook of Megaproject Management,* ed. Bent Flyvbjerg. Oxford, UK: Oxford University Press, 389–405.

Vining, Aiden R., and Anthony E. Boardman. 2008. "Public-Private Partnerships: Eight Rules for Governments." *Public Works Management & Policy* 13 (2): 149–61.

Vogel, Steve. 2007. *The Pentagon: A History.* New York: Random House.

Wachs, Martin. 1986. "Technique vs. Advocacy in Forecasting: A Study of Rail Rapid Transit." *Urban Resources* 4 (1): 23–30.

Wachs, Martin. 1989. "When Planners Lie with Numbers." *Journal of the American Planning Association* 55 (4): 476–79.

Wachs, Martin. 1990. "Ethics and Advocacy in Forecasting for Public Policy." *Business and Professional Ethics Journal* 9 (1): 141–57.

Wachs, Martin. 2013. "The Past, Present, and Future of Professional Ethics in Planning." In *Policy, Planning, and People: Promoting Justice in Urban Development*, eds. Naomi Carmon and Susan S. Fainstein. Philadelphia: University of Pennsylvania Press, 101–19.

Wal, S. 2006. *Education and Child Development*. Derby, UK: Sarup and Sons.

Wallis, Shane. 1993. "Storebaelt Calls on Project Moses for Support." *Tunnel-Talk,* April. https://www.tunneltalk.com/Denmark-Apr1993-Project-Moses-called-on-to-support-Storebaelt-undersea-rail-link.php.

Wallis, Shane. 1995. "Storebaelt: The Final Chapters." *TunnelTalk,* May. https://www.tunneltalk.com/Denmark-May1995-Storebaelt-the-final-chapters.php.

Ward, William A. 2019. "Cost-Benefit Analysis: Theory Versus Practice at the World Bank, 1960 to 2015." *Journal of Benefit-Cost Analysis* 10 (1): 124–44.

Webb, James. 1969. *Space-Age Management: The Large-Scale Approach*. New York: McGraw-Hill.

Weick, Mario, and Ana Guinote. 2008. "When Subjective Experiences Matter: Power Increases Reliance on the Ease of Retrieval." *Journal of Personality and Social Psychology* 94 (6): 956–70.

Weinstein, Neil D., Stephen E. Marcus, and Richard P. Moser. 2005. "Smokers' Unrealistic Optimism About Their Risk." *Tobacco Control* 14 (1): 55–59.

Weintraub, Seth. 2016. "Tesla Gigafactory Tour Roundup and Tidbits: 'This Is the Coolest Factory in the World.' " *Electrek,* July 28. https://electrek.co/2016/07/28/tesla-gigafactory-tour-roundup-and-tidbits-this-is-the-coolest-factory-ever/.

Weinzierl, Matthew C., Kylie Lucas, and Mehak Sarang. 2021. *SpaceX, Economies of Scale, and a Revolution in Space Access*. Boston: Harvard Business School.

West, Geoffrey. 2017. *Scale: The Universal Laws of Life and Death in Organisms, Cities, and Companies*. London: Weidenfeld and Nicolson.

Whaley, Sean. 2016. "Tesla Officials Show Off Progress at Gigafactory in Northern Nevada." *Las Vegas Review-Journal*, March 20.

Williams, Terry M., and Knut Samset. 2010. "Issues in Front-End Decision Making on Projects." *Project Management Journal* 41 (2): 38–49.

Williams, Terry M., Knut Samset, and Kjell Sunnevåg, eds. 2009. *Making Essential Choices with Scant Information: Front-End Decision Making in Major Projects*. London: Palgrave Macmillan.

Williams, Walter. 1998. *Honest Numbers and Democracy*. Washington, DC: Georgetown University Press.

Willis, Carol. 1995. *Form Follows Finance: Skyscrapers and Skylines in New York and Chicago*. New York: Princeton Architectural Press.

Willis, Carol, ed. 1998. *Building the Empire State Building*. New York: Norton Architecture.

Wilson, Michael. 2002. "Study Finds Steady Overruns in Public Projects." *The New York Times*, July 11.

Wilson, Timothy D., Christopher E. Houston, Kathryn M. Etling, and Nancy Brekke. 1996. "A New Look at Anchoring Effects: Basic Anchoring and Its Antecedents." *Journal of Experimental Psychology: General* 125 (4): 387–402. Winch, Graham M. 2010. *Managing Construction Projects: An Information Processing Approach*, 2nd ed. Oxford, UK: Wiley-Blackwell.

Woo, Andrea. 2021. "Nearly 600 People Died in BC Summer Heat Wave, Vast Majority Seniors: Coroner." *The Globe and Mail*, November 1.

World Bank. 2010. *Cost-Benefit Analysis in World Bank Projects*. Washington, DC: World Bank.

World Health Organization (WHO). "Climate Change." World Health Organization. https://www.who.int/health-topics/climate-change#tab=tab_1.

*World Nuclear News*. 2016. "Japanese Government Says Monju Will Be Scrapped." *World Nuclear News*, December 22. https://www.world-nuclear-news.org /NP-Japanese -government-says -Monju -will -be -scrapped-2212164.html.

Young, H. Kwak, John Waleski, Dana Sleeper, and Hessam Sadatsafavi. 2014. "What Can We Learn from the Hoover Dam Project That Influenced Modern Project Management?" *International Journal of Project Management* 32 (2): 256–64.

Zimbalist, Andrew. 2020. *Circus Maximus: The Economic Gamble Behind Hosting the Olympics and the World Cup,* 3rd ed. Washington, DC: Brookings Institution.

Zou, Patrick X., Guomin Zhang, and Jiayuan Wang. 2007. "Understanding the Key Risks in Construction Projects in China." *International Journal of Project Management* 25 (6): 601–14.

Livros para mudar o mundo. O seu mundo.

Para conhecer os nossos próximos lançamentos
e títulos disponíveis, acesse:

🌐 www.**citadel**.com.br

**f** /**citadeleditora**

📷 @**citadeleditora**

🐦 @**citadeleditora**

▶ Citadel – Grupo Editorial

Para mais informações ou dúvidas sobre a obra,
entre em contato conosco por e-mail:

✉ contato@**citadel**.com.br